师身人面

了了著

光明日报出版社

图书在版编目（CIP）数据
师身人面/了了著. 一北京：光明日报出版社，2003
ISBN 7-80145-736-6

Ⅰ.师 Ⅱ.了 Ⅲ.长篇小说—中国—当代
Ⅳ.I247.5

中国版本图书馆CIP数据核字（2003）第041999号

师身人面 了了著

光明日报出版社出版发行
（北京永安路106号）
邮政编码：100050
电话：63082642
新华书店北京发行所经销
北京金特印刷厂印刷

850×1168 1/32 印张11.125 字数220千字
2003年6月 第1版 2003年6月 第1次印刷
ISBN 7-80145-736-6/I

定价：20元

你看你那为师的脸

——为长篇小说《师身人面》而写

我常常忍不住这样感叹，自从上了幼儿园到现在，几十年来，我就没有离开过校园。小学、中学就不用说了，大学毕业后，我在一所中专当了七年外语老师，然后考上了研究生。毕业后分配到大学里，倒是不教英文了——改教中国文学，还是当老师。迄今又是十年。虽说我曾走过了大江南北，历经酷暑严寒，但我的生活始终局限于校园。我的阅历不过是从一个校门到另一个校门。因此，为一部写教师生活的长篇小说写几句话放在前面，我想我是合适的人选。

当下的中国社会，是一个很隔膜的社会。这种隔膜，主要是由于体制所带来的信息封闭和财富分配严重的不均衡，加上隔行如隔山的原因造成的：这使得人们对自以为熟悉的东西，其实是很陌生的。譬如对于教育界，对于教师这个职业，和他们的生活。十年前有一部写高校生活的电视剧，我先不说他主题如何，光是剧中人物之间的称呼就成问题。在剧中，校园里的大学老师都一本正经地互称什么“王教授”“、张教授”。凡是在大学呆过的人都应该知道，这是很可笑的，尤其是同事间，没有这么叫的——除非开玩笑。在张三李四后面加上教授来叫的，只是在官方场合，或者是很尴尬的情形下。譬如，“吴小三教授在参加在职博士生考试时作弊被监考人员当场抓获”之类。这部电视剧为什么会出现这样的漏洞，我记得我当时的推测是：一，编导演三方面都没有教师出身的人；二，他们都没有念过大学。这第二种推测显然是站不住脚的，但为什么会出这样低级的笑话呢？我还有两个推测，一，他们离开学校太久，不记得学校曾经是或者应该是什么样了；二，以官本位为代表的一体化思维使他们在潜意识里不肯称那些可怜而可敬的人为老师。

其实之所以有这样的事情，我认为根本的原因就是隔膜。

很多人都把学校视作一块净土，或者说是相对意义上的干净地儿。认为虽然社会上乱七八糟，有许多让人生气和不可理喻的事情，学校里却不会如此。以前我也是这许多人中的一员，也认为校园相对干净点儿，坏人坏事没那么多。其实，当一个社会处在疯狂和无序阶段时（或曰转型期），又哪里能有或容得下“净土”的存在？（连真正意义上的净土——宗教界，都有处级和尚科级和尚之分，何况我等芸芸众生？）所以，如果承认当下的中国社会有许多让人悲哀和绝望之处的话，那么，最值得关注的就是教育界。

譬如评职称。这其中的黑暗与腐败，或许大家都有所耳闻。就说我亲身经历的吧。一个本科生，一个博士，两个人都评副教授，你说该评谁？外人肯定会猜啦：看论文啦、教学啦，还有文凭。我碰到的情形是，看性别。那本科生是系主任的相好，当然系主任是个男老头喽。所以要先给那女的评。大家都知道那女的和那系主任不是东西，可谁都不能说什么——其实，你也知道，说又怎么样，他就是这么不要脸。有人说，那上级怎么不管管？我就是这么去问的，领导说，校长都不管他，我干嘛去管？那女的还剽窃抄袭别人的论文，整成一本“书”，更奇怪的是，这本“书”还得了个总局级别的一等奖。你说神奇不神奇？我常感叹：发生这种事儿的地方，离天安门广场不过十几公里的距离，那更远的地方还指不定出什么更神奇的人与事呢。

譬如，大家都把老师称作是“人类灵魂的工程师”，说实话，这“工程师”做的工作的确常常触及人的“灵魂”，挺高尚挺伟大的。可老师们的收入呢？恐怕就不那么“挺”了。很多人都知道教育是“无烟产业”，这两年经济效益很好，还有人看到或听到国家给教育界投了不少钱，企业给学校赞助了多少多少，这些都不假。然而外人很少知道这钱最终的走向。真正在三尺讲台上耕耘的老师实际上收入并不多（参见袁庆丰：论博士研究生就业前后的经济价位，山西文学2003年第二期）；而且，说句良心话，这样的收入再多也都是血汗钱。说别人你可能不信，现在编造的事迹那么多，就说我吧。我就曾经晕倒在讲台上，被120送进医院抢救（见袁庆丰《灵魂的震颤：文学创作心理的个案考量·后记》，北京广播学院出版社2002年版）。那么谁把这钱拿了，又是哪些人在学校干小活儿挣大钱甚至不干活也拿钱呢？说了我又要晕过去了，我给你讲个笑话转移一下情绪吧：

前两天我在“青年报”上看到一篇谈一个菜市场改造的文章，说一个农民伯伯从1993年起到北京在这个菜市场卖菜，记者当然就问他收入怎么样。这位大伯说：也没挣什么钱，除了自己的公司，买的房子和汽车，手里也就是四、五十万块钱吧。我在校园里问一个同事：前辈，你是哪一年来北京的？他说：90年呀，研究生毕业就留校当老师。我说：你有没有四、五十万块钱？这位同事当时就翻了脸：我要有这么多钱，你敢这样和我讲话吗？

我相信那位农民伯伯挣的也是血汗钱，并且用他的血汗钱买了房子——一个外地农民谁给他分房？说到住房，我又要气晕啦。10年前我毕业拿到博士学位时，博士绝对是当人才看待和引进的，全院不超过5位。可这10年来，什么人才房、博士楼的，与我一点关系都没有。我一点这方面的优惠都没有享受着。那些年，我住两小间，一头住老人，一头住小孩。每天晚上，安顿好老小，我就和太太分头在卫生间和厨房备课到深夜。每次分房我从来不找领导，因为我不想给领导添麻烦；我认为天下自有公理，公理自在人心。可人心又在哪里？我问苍天，我问大地，问问这真是岂有此理。你想知道我评职称分房子乃至出国讲学为什么这么倒霉的原因吗？我也是后来才知道：就因为9年前我不肯给一个女同事开假成绩，那男系主任就疯狂地报复我。那女的现在还那儿用剽窃抄袭来的“书”“毁”人不倦地误人子弟哪。

所以，同样是老师，不见得都同样高尚，不见得都符合为人师表的职业道德。一个人绝不会因为其职业、地位、头衔和收入等外在的东西改变其本质的某些方面。人和人不一样，老师和老师自然也不一样。

这许多年来，每当大家遭受到不公平待遇的时候，我就会听到有人在校园说：我要写本小说出来。当时我深有同感，毕竟自己也是中文系出身，写这个还不容易？但这些年过来，我的心已然麻木。如果是丑恶激发了人们的创作灵感，那么这样的生活绝对是应该否定的；如果这样的生活是应该被否定的，那么怎样的生活才是值得我们追求、我们在怎样的情况下才能追求并享有那真正属于我们的生活和社会环境呢？

我一直不肯涉及《师身人面》这部小说的人物或情节，我想这是一种职业操守：我要讲了读者还看什么？所以我只能这样讲：作者做了我们许多人想做而没有做的事，此其一；其次，作者的活儿做的蛮好，很有功力。举个例子，有个笑话说古典小说和现代小说的区别何在，答曰古典小说一百多页男女主人公才接吻，而现代小说女主人公在第一页就有私生子了。我可以告诉你，这小说中的男女主人公是在一百多页时上的床——但却是各睡各的。这使我想起我年轻的时候——往事如烟啊。好小说打动的是人们的心灵，不是吗？

从我大学毕业到现在已然是二十年了，参照上面有关我自身的经历，用现在的有关标准衡量一下，可以说我混的是一塌糊涂，不如人家的地方很多。但有两点，我很自负：一是我对教师职业的热爱和称职，我的同事和学生可以证明，可说是问心无愧；二是小说看得不少，眼刁的很，艺术感受力是不差的。我认为这小说值得一读。它的开头居然把我绕进去了。

这里我要声明的是，我不认识这书的作者。命我为这本小说写序的巴童先生，是我十年前很熟悉的一个学生的家人，却从未见过面。但我不能忘记的是，当年我在写本学术著作时，好几次夜半三更打电话向他请教。他的大度和机智给我很深的印象。读这本小说时，正是北京爆发非典型肺炎最严重的时期。有当年的学生打电话来问我在做什么，我失笑道，上课、读小说，你袁老师还能做什么。我教的一个本科班溜得只剩下四、五例学生，这使得我们的教学更加从容。课间我顺便谈谈我正读的东西，结果这份没有署名的打印稿倒成了课文之外的非常阅读。我们都不知道作者是谁，我只知道巴童兄多年前曾做过教师，所以曾猜他或许是作者？不过，诸位拿到这书时是会晓得底细的。但对我和学生们说，我们看重的是这书写得怎么样。这，也许是只能在校园里养就和通行的纯净吧。

但我对小说的结尾不满意，这不满意我是一定要说的，不然是对作者和读者不负责任：作品最后主人公所向往的那地方去不得，至少不是她所想象的那样美丽。我当年拼命考研究生，其动力之一就是要逃离那个地方。虽然，在眼下，这社会，这行业，哪里都差不多，但至少，我们经历过什么，我们知道些什么，我们要说出来。人要说真话，艺术也要讲真话。

我亲爱的读者，真的。

袁庆丰

2003年4月20日—5月20日

作于北京东郊梆子井看天阁

引　子

陈欣然万万没有想到，校春季运动会的马拉松是这个乱糟糟的样子：全校所有的师生员工：校长、教导主任、年级组长、各任课老师、后勤人员、各班的学生、食堂的大厨、看门的老头、甚至打扫卫生的临时工，全都熙熙攘攘地拥挤在狭窄的炉渣铺成的跑道上，毫无秩序、人声嘈杂、磕磕碰碰，摩肩接踵，有一脚没一脚地慢悠悠地往前跑……仿佛是一个自由逛荡的农贸市场。更奇怪的是，教导处于主任骑着自行车，疯狂地摇着车铃催大伙儿给他让道，快退休的语文教师老周心安理得地坐着轮椅，手里轻摇着鹅毛扇，神气活像博望坡的诸葛亮，图书馆的老赵不知从哪弄来一副高跷，整个人像鸡群中的鸵鸟，没遮拦地左突右撞……真是活见鬼！陈欣然心里念叨，脚下却拖着疲惫的步子艰难地跟随着。不能掉队！像她这样的年轻人决不能掉队！像她这样的骨干教师、未来学科带头人的苗子，众矢之的，决不能掉队！跟上，一定要跟上……但是她渐渐觉得腿软，觉得腿短，觉得腿酸，渐渐她就快跟不上了，渐渐她就要落在最后……不公平，这样不公平！凭什么他们可以骑自行车，可以坐轮椅，还可以踩高跷，我却只能“腿着”？这时候，校长乘着轿子由四个精壮的教师抬着飞快地掠过，就像一艘航母掠过一叶小舟，陈欣然感到巨大的窘迫：是啊是啊，教导主任是有级别的啊！是啊是啊，快退休的老周是有资历啊！是啊是啊，图书馆老赵人家有年头有背景啊！……至于校长嘛，校长嘛，人家有人家有……人家什么没有哇？你呀你，拿什么和人家比呀？

……操场忽然摇晃起来，像是在滚泥翻浆。所有人一下子不见了，不见了。只有她还拖着注铅的腿在跑着。地面仿佛正在熔化，越来越软，陈欣然觉得整个身子往下陷，愈陷愈深。而且，岩浆十分灼热，她的脚一下子就没有了，接着腿也没有了，下半身也没有了……惟剩两只胳膊还在前后摆动，脑子里飞快地旋转。她弄不明白，这是一场什么样的马拉松啊，没有规则，没有胜利，有的只是嘈杂、倾压。渐渐地她觉得上半身也没有了，两只胳膊在岩浆里扑腾了几下也没了，只剩下一个轻飘飘的头颅在岩浆上浮着，随涌而动，渐渐沉重，渐渐凝固，像一只秤砣儿似的往下坠，往下坠……她快要窒息了，她好渴，她想大叫，张开嘴却像被剥皮剔肉的待烹的盘中鱼，只能无力地翕动。最后，整个世界都静止了，所有影像荡然无存……

……陈欣然双眼紧闭，皱着眉头，抱着被子在床上呜呜地哼着。她被梦魇住了。猛丁地醒来，出了一身冷汗。此时，天色已微明，她稍稍睁开眼睛，盯着天花板愣神。她沉浸在刚才奇怪的梦境，回味着亦真亦幻的情形。她总觉得这个梦有一种朦胧的寓意，却不知是凶是吉。“唉，管它呢，反正我已经努力了……”她从天花板上收回眼光，习惯地打量起自己的小屋。这是一间只有九平米的小屋：写字台、大衣柜、床、电脑桌、书架把小屋塞得满满的，有些拥挤但不凌乱。正对着床的墙上挂着陈欣然的大幅的艺术照：黑色的底色上一个白衣女子在浅浅淡淡中露出几分沉静、几分忧郁。看过这张照片的人都说她是故作深沉，但欣然心里最明白，那才是真正的自己：外表快乐灿烂而内心却敏感脆弱。尤其是那底色更是一种心境的绝好写照：压抑之中有一丝对未来的渴望。顶灯下悬着一个蓝色的由几只蝴蝶结成的风铃。每当轻风吹入小屋，它总是轻轻地和出清柔的叮咚声。

陈欣然抬抬眼皮看看窗外：天蓝蓝的，没有一丝云彩，透出了只有秋天才有的高远和空灵。北京的污染很厉害，但由于住在近郊，所以这样的天空对于欣然来讲却并不难得。虽然是北屋，却已能隐隐约约地感受到丝丝缕缕的阳光，看来又是一个好天气。

“唉，又该上班了。”一种失落的感觉猛然袭上心头。暑期的四十几天如流水一般地逝去了，快得仿佛还没有感觉到它的开始，就像徐志摩的诗：“轻轻地我走了，正如我轻轻地来”。想到又要每天去面对那种机械的工作：上班、上课、改作业、考试、开会……真头疼。

回想起当初报考师范院校时的情景好像就在昨天。当了一辈子教师的妈妈一听说自己的宝贝女儿也要当老师就坚决反对，苦口婆心地述说着老师的苦与累，甚至还拉来了同样干了一辈子老师的同事一起现身说法。可是欣然却像着了魔一样岿然不动。她太喜欢老师在讲台上那种洋洋洒洒的感觉了；她太愿意看那一双双如清潭般纯真的渴求知识的眼睛；她甚至已从母亲的身上感受到了桃李满天下的快乐；还有……对，那种家长和社会对教师的尊重和崇敬。她毅然地写下了自己的志愿。面对周围人们的惋惜表情，欣然总会送上一个自信的微笑和一句最得意的陈氏名言：“我是一颗种子，在哪都会开出最美丽的花朵。”

可现在呢？唉，弹指已是八年。工作带给欣然的虽然有快乐但更多的却是茫然、困惑和烦恼……

“欣然，快醒醒了！”妈妈在屋外叫着。

“我早就醒了！”欣然在屋里答。

“快点吧，不然上班要迟到了。”屋外传来了妈妈的催促声。

“知道了。”欣然低低地回答，那声音连她自己都听不清。她依然没动。

门被推开了，一双满含爱意的笑眼正看着欣然。

“妈妈，早上好！”

“早上好！欣然。”从记事起，这个好习惯在家里就一直保持着。

“快起来吧，新学期第一天上班别晚了。”

“唔。”

“我去给你热豆浆。”妈妈转身要走。

“妈，为什么人人都要上班呢?”欣然像是自言自语又像是在问妈妈。

“什么?”妈妈转过身奇怪地又十分关切地望着女儿，“你最近是怎么了？怎么老提这样的问题?”

“我也不知道，只是觉得干什么都特别没意思，尤其是一提上班就更觉得没劲儿。”

“你们这些年青人现在也不知是怎么了？想当初我们又要上班又要照顾老人带孩子，一个月才挣四十几块，不也是一天到晚干劲十足。行了，别瞎想了，快起吧，不然真要迟到了。”

欣然望着妈妈的背影很失落。其实妈妈并没有听懂欣然的问题，也许这就是代沟。但是，代沟并不影响妈妈在欣然心中的形象。在她的眼中，妈妈始终是一个很理智的聪慧漂亮的女人。妈妈的身上有一种独特的高贵的大家风范。如果生在当代，妈妈一定是一位叱咤商界的女强人，可惜她只当了一辈子老师。不过欣然无法否认妈妈永远是个成功者：她是中学开始职称评定工作的第一批响当当的高级教师，还屡次被评为先进工作者、优秀共产党员，她带的班级还被评为市级优秀班集体。妈妈极富个性的做人原则、办事的干练、待人接物的豁达、处理问题的冷静，总令欣然怀着一种无以言表的敬佩之情。随着年龄的增长，欣然甚至开始庆幸自己在许多方面有些像妈妈，虽然那可能只是妈妈身上优点的十分之一。妈妈虽已是一位两鬓斑白、年过花甲的老人，但她永远是最有魅力的女人。

很不情愿地起身，从大衣柜中找出一条绿格连衣裙穿上。这条裙子开着恰到好处的方领，袖笼刚刚过肩就收了口，很有点欧式长裙的味道。它长及脚踝，后面有两根长长的腰带，可以系出一个大大的蝴蝶结。欣然很喜欢这条裙子，它穿起来典雅文静，极富淑女气，同时又能衬出欣然修长的身材和纤细的腰身，在清纯之中不失成熟与稳重。

“欣然，别磨蹭了，快点!”妈妈在叫。

桌上的闹钟已经指向六点半。往常，欣然这会儿应该已出家门了。单位很远，要花大约一个半小时才能到。每当想到这一个半小时的距离，欣然的心就隐隐作痛。那个曾经让她为之笑过哭过爱过恨过的男人已经再也不存在了，但所造成的内心伤痛和投射下的阴影却怎么也挥不去抹不掉。明明知道再这样磨蹭肯定要晚，欣然却一点也不着急，甚至想到了迟到时的快意。

洗漱完毕，欣然站在镜子前面一丝不苟地梳理着那一头如云如瀑的长发。老人常说：头发是顺心草，还真有道理。想当初这头发似愁绪一般剪不断理还乱，但当一切随时间趋于平静后，它重又变得富有光泽，并且成了欣然的骄傲：常有人邀她去当“飘柔之星”，甚至有发型师请欣然做他的发型模特。

妈妈坐在桌前看欣然吃着早点。看到女儿在经历了一场感情的波折之后又再次现出往日的健康和快乐，她显得很满足。

“妈，我真羡慕你再也不用上班了。”

“那是，老了都这样。不过我要是有机会还真想再干点什么呢。”妈妈边往她的碗里加着糖边说。

妈妈从退休以后就挑起了校办厂的重担，一干就是六年，多少次她和员工赶活儿彻夜未眠，多少次她为了跑销路辗转于各大城市。好不容易终于“解甲归田”，她却还意犹未尽，雄心勃勃。

“我倒真希望现在就退休。”

“你凭什么？你才为国家做了几天贡献？”

“那……下岗也行。反正，只要不让我上班就行。”

“别胡说了，”妈妈不满地拍着欣然的头，“饱汉不知饿汉饥。

你以为那种滋味好受呢。先别说下岗了，就看你哥每天一睁眼欠人家两百元的日子好过呀？你知足吧！”

“我……”欣然还想说什么，被妈妈打断了：“别胡思乱想了，快吃了走，真要迟到了。”

“迟到就迟到，有什么了不起的，今天又没有第一节课。”

“那可不行。别人我不管，你可不许放松对自己的要求，教师要为人师表，既然你选择了教师这个职业，就一定要严格要求自己，才能严格要求学生……”

“咦，我哥呢？还没起。”欣然转移着妈妈的话题，同时朝哥哥的房间望了望。

“早走了，今天有个活到机场的，赶头班飞机，他五点就走了。”

“他昨晚几点回来的？我都有一个星期没见他了，唉，真想他呀。”

哥哥是欣然生命的重要组成部分。哥哥长她七岁，从小，欣然是在哥哥的呵护下长大的：出去玩儿，欣然永远坐在哥哥的肩膀上，哥哥为她系鞋带，哥哥为她系蝴蝶结，哥哥为她打架，哥哥为她挨骂挨打。总之，哥哥为她做了力所能及的一切。爸爸是一名军人很少回家，军人就是以服从命令为天职。从小，欣然和全家就随着父亲的野战部队走南闯北，转战东西。爸爸很少和他们在一起，但欣然并不缺少父爱，因为她有一个视她为掌上明珠的哥哥。记得小时候，哥哥每次生炉子做饭都会在炉膛边上放一个欣然爱吃的红薯或土豆。她和哥哥之间的情感是独特的兄妹情加父女情。这情感随着她的长大有增无减，常令她的同学好友羡慕不已。有很长一段时间，她曾经暗暗希望自己是妈妈从垃圾堆里捡来的，如果那样，她就有机会和哥哥长相厮守了——“嫁”给他！

“他昨儿夜里一点半回来的，人累得要死，还没完成任务。”

"啊？天天那么辛苦还完不成任务。"欣然有些吃惊。

"你可不知道，你哥他们现在活有多难干，车份儿涨了，汽油也涨了，他现在平均每天要完成两百二才刚刚够任务，还不包括自己的花费，这还没结婚呢，要不，连老婆都养不活。"

欣然听着妈妈的唠叨，想着哥哥的路上苦苦挣命的样子，心里酸溜溜的。

"所以呀，我说你可要好好地工作，珍惜现在的工作……"

听到妈妈的话，欣然飞快地塞下最后一口点心，穿上鞋子，抓起书包，含含糊糊地嘟囔了一句"我会珍惜，妈妈再见"就快速地窜出家门。

已经快七点了，太阳的光辉照在树叶上、房子窗户的玻璃上、花园中的水面上，一切都在闪闪发亮。太阳光也照在欣然的脸上，暖暖的。她暗自好笑，一大清早说了那么多的废话，胡思乱想了那么多的事，结果呢？不还得像时钟一样按部就班地划圈儿。每天同样要活二十四小时，与其愁眉不展不如笑对人生。想到这，她轻轻地甩了一下飘逸的长发，好似要甩掉一切的不快与困惑，任朝阳的光芒为她镀上了一层绚丽的金色……

上　部

一

老天爷好像成心和欣然开了个玩笑，车竟顺得出奇。

校园永远是热闹的，尤其是暑假刚过。还没有进入学校，鼎沸的欢笑声、叫嚷声已经穿过学校长满绿色爬山虎的栅栏墙直刺入她的耳鼓。奔跑的、跳跃的身影在浓密的绿叶间依稀可见。同学之间的友谊就是这样：见面时争吵不休；一日不见却又如隔三秋，更何况是四十几天的暑假呢。

走进校园的大门，值周生送来了第一句问候：“老师好!”“同学们好!”欣然条件反射似的干巴巴地回答。她蓦然想起了自己初到中学实习时的第一天：走在学校的教学楼里，迎面过来两个边走边聊的初中生。忽然，他们在欣然面前停住，深深地鞠躬问了声“老师好!”她忙回头，身后并无一人。她正在疑惑之际猛然醒悟学生是在向她问好，于是，她慌乱地不知所措地向学生鞠了一个躬回答了声：“同学们好!”学生们带着笑意走了，那笑中分明是看出这年轻老师的傻气。她觉得脸上烧烧的，用手一摸很烫。她说不清是因为忙乱还是兴奋，但更多地体会到的是幸福，初为人师，不，是即将初为人师的幸福。可是现在，问候声对于欣然却只是一件例行的公事。

教导处的黄主任正站在校门口带班。看到她进门，热情地问候道：“小欣然，你来了。暑假过得好吗?”“黄主任好!”欣然出于礼貌回答后快速地让自己从黄主任的视线中转移。

黄主任是这所学校的元老，大名黄全能。他曾是小学体育老师，身材不高但很健壮，有点举重运动员的架式。五十多岁的人中午还能吃半斤米饭，成为了校园中少有的一景。每天下午放学时分，他会在大家必经的教学楼的大厅里拿着哑铃锻炼，还不时地对过往的同事说上一句："要不要试试?"每当看见大家甘败下风地摇摇头后，他就会心满意足地现出开心的笑容，一首《风中有朵雨做的云》也会伴随着他的得意在楼道里回荡。年轻老师对他的此举总是戏说："全能老矣，还能饭否!"他中专毕业，没有什么过人的本事，但却很快地打动了校长的心而一举被提升为主任，主抓学校的安全保卫工作，倒也算是人尽其才。

凭心而论，陈欣然一直认为黄主任也算是个老好人，但他的那种无原则的好法和对待同事过分亲昵的态度，却着实让人受不了。尤其见到年轻的老师，他会马上送上一堆看似亲切甚至过于灿烂的笑容，然后尽量地把语调放得很轻柔："小某某，忙着呢?歇会儿，歇会儿吧。工作别太累了。"如果对方接了句："您忙着呢。"那就跟捅了马蜂窝没什么区别，他会立刻热情地拉着你说："忙，我都快忙死了。"于是，他如数家珍般地历数近日的繁忙工作，汇报着工作进程。此时，你已不再是同事而成了他的顶头上司、最好是一校之长。他要让所有的人都知道：只有他才是全校中最忙的、是存在之中最有价值的人。欣然每次见他都会礼貌性地一笑而绝口不接那句："您忙着呢!"当然，最明智的选择是别让他看见你。

办公室的门大敞着，正在等待着它的成员的到来。已经有几个家近的老师在那里大谈暑期见闻了。欣然进门时大声地说了声："大家好!"算是和所有的人打了招呼。几年的相处，欣然已经体会到了知识分子中的是非，那是一种"此时无声胜有声"的意境。生在军人家庭中的她是个极其直爽而又讨厌是非的人，她最不会处理这些，因此在最初的二年中吃了不少苦头。现在，她已经学会了应付，以不变应万变。例如这句"大家好!"是对所有的人的问候，不偏不向，对于听到的、没听到的、关系近的、关系远的都算是打了个招呼，让谁都说不出什么。

这个办公室里一共有九位老师。因职业学校的特点，办公室是以专业来化分的。她所在的组是旅游英语组。这是一个老中青结合的办公室：两位教语文的老教师坐在靠西的长窗下。三位中年教师在一进门的地方划出一块属于他们的领地，集了旅游地理、政治、数学三门学科。东边的一排则是清一色的年轻人：二位英语老师、一位礼仪老师、再有一位就是陈欣然。这是一个老中青三大阵营的排列。九位教师中，八女一男，于是身为男士的语文老教师周世仁就被当仁不让地推举为年级组长，年轻人则戏称他为“党代表”。

新学期的第一天永远是例行公事：照例是八点钟到操场上升旗；照例是在领操台前的空地上举行开学典礼；照例是用那已十分陈旧的蓝色背景布；照例是校长热情洋溢的欢迎新学生、教导老学生的讲话；照例是表彰三好学生、优秀干部；照例……欣然不时地抬头眯着眼扫一眼天空，太阳火辣辣的，晒得欣然头皮发烫。高音喇叭的声音在欣然的耳边摇来晃去，越来越远，欣然坐在椅子上进入了一种抑制状态……

“开学典礼到此结束！”欣然猛然惊醒。

“下面通知：三四节课大扫除，教导处在十一点进行全校大检查，散会！”她快速进入亢奋状态，快速地提起凳子、快速地第一个冲出教师队伍、快速地第一个冲入教学楼，把一片学生的哄闹声和椅子的拖拉声远远地抛在了脑后……

校广播站传来十点半开全体会的通知。

教师全体会是开学一项必不可少的工作。内容其实很简单，不外乎是通报一下招生工作情况，布置一下本学期的工作任务，最后是校长的开学致词。这样的例会对于在校工作的一线任课教师其实没有任何实质性意义：课表已经排好，老师只需按时按点去上课就行了；主要的工作学校每学期会例行公事的人手一份工作计划表，只要你按上面的条款完成，开不开这个会并不重要。因此每学期的首次全体会便成了老师们分别一个月后叙家常诉别情的最佳时间。

开会的地点在学校的阶梯教室。这是一个能容纳二百人开会的大教室。进门时正对着大门的墙上有八个已落满灰尘的红字："团结、严谨、求实、创新"——学校的校训。

开会的老师们零零散散地走进会场。

不知从什么时候起，老师们就自觉地分成了两大块：东边一溜是男老师，西边一溜女老师。

男老师那一侧的前三排分别是校级干部、教导处的各位领导和几个年级组长的位置。落座前，他们互相致意：有的点个头，有的送上一个微笑，有的起身呈半鞠躬状。落座后，有的人恭敬地送上香烟并为接受香烟的人点上。烟圈互相纠缠着牵扯着攀援而上……最后几排清一色的年轻男老师，他们有说有笑。不知谁的一包香烟悲惨地落入他们手中成了围攻的中心，从这个人的手中传到下一个人的手中，直到剩下一个干瘪的空烟盒。大家嘻嘻哈哈地互相道谢然后各自点着，烟圈在嬉戏追逐中悠闲地升起，升起……中间地带则是一群在校若干年的中年人。他们坐在那没有交流，没有报刊杂志，有的只是默默燃烧的香烟的躯体渐渐幻化成的一个个烟圈，向上飘荡，无奈又孤独，它们越来越淡，最后变得无影无踪，没有留下一丝痕迹，仿佛什么都没有存在过一样。

女教师这一侧也有明显的划分：青年教师大都坐在最后有说有笑，谈论着假期的趣事见闻；诉说着家常的中年人三三两两地坐在一起谈论着各家的老公孩子，婆婆小姑子；几个心灵手巧的媳妇则聚在一起为秋天的毛线活互相取经；几方面都不想沾的人则拿着一本杂志或小说在一角细细地品味；有的甚至在抓紧时间备课……

会场此景清清楚楚地表明了物以类聚，人以群分。你只需了解其中的某个人，就可以分析出他或她周围的一群人，因为在他们或她们的身上或多或少地都有着这样或那样的共性。

平时，陈欣然是属于最后那一堆年轻女教师的。但此时她已经困得睁不开眼——暑期综合症发作了：晚上不睡早上又起得太早。她敷衍地冲着要好的伙伴笑笑就隔着好几个空位坐下，很快地，趴在桌子上昏昏沉沉进入了休眠状态……

从第一排的领导席上站起一位四十岁左右的女人，无领的短袖麻纱衬衣宽松地套在她身上，遮挡着已经微微发福的身体，齐耳的短发唤起了人们对六十年代革命女性的回忆。她是学校新提拔的副校长兼党支部副书记古秋菱。大约是生在秋天菱角成熟的季节，不看人，光听这名字就让人联想到《红楼梦》中可怜的香菱，当你见到她，这种想法会进一步加深：她在人前很少露出笑容，灰黄的毫无光泽的脸庞总让人能想起她在三年自然灾害中一定饱受了忍饥挨饿之苦。她十八岁就到了这个学校，先从少先队辅导员做起，后入党，再后从事人事和党务工作。再后来，由于稳重、踏实、老成而成为校领导阶层中唯一的女性。她应算校园中的女强人了，但你却很难从她的身上感受到那种女强人办事的干练作风。可能是一直从事政工工作，在她的身上很难找到四十岁左右的中年妇女犹存的风韵。

“大家安静了，现在开会。”她站在桌前，清了清嗓子发话了。

会场上，老师们谈兴正浓，说话的声音没有发生任何微小的变化。

“安静了，安静了，听见没有！现在开会！”她把声音提高了八度，并且加重语气，紧皱眉头。

所有的人这才好像意识到什么，有的闭上了嘴，有的半张着嘴后半句话被滞留在了嗓子眼里，有的缩了缩头低下去。欣然也努力地抬起头，脸朝着领导发出声音的方向，眼睛努力地睁大，但依然模糊一片……

“刚开学，老师们一定有很多话想说，不过，也要分分场合和时间。今天学校有重大事情宣布，希望大家能保持会场纪律。下面，有请老板讲话！”古副校长在自己的颇具威慑力的声音起作用之后，放缓了语气宣布着，一种不易觉察的得意从她的眉梢、眼角、唇边流露出来。

“什么?”

“老板？谁呀?”

“怎么回事?”

刚刚寂静下来的会场一下子乱了起来。

古副校长的话像不和谐的音阶直刺入陈欣然的耳膜，震得她蓦然惊醒。她快速看清了眼前的一切：没错，是在学校；没错，还是这些同事，还是这些领导，还是……

“有没有搞错哇?”一位刚从南方实习带队回来的老师用广东话拖着长腔喊了一嗓子。

老校长方宏进迈着他依然稳健的步伐走上了主席台，转身，稳稳地坐在了主席台的正中间，微笑着看着大家。每年的这个时候，他都是坐在这个位子上的，但今天却更加精气实足。

“搞什么搞?”有人像受了愚弄一样叫喊。

“大家好！各位老师假期过得好吗？看来不错，有的老师都胖了。”方校长环顾四周笑着问候大家。他今年已近六十，头发花白，身体有些发胖，走路说话已经稍稍显出老态，但他那炯炯有神的目光却还像二十几岁的小伙子那样神采飞扬。他在这所学校已当了近二十年的校长。从普通中学到创办职高专业到分离成立职业高中到申办省市级重点校成功，每一次的重大决策和具体实施都饱含着他的努力和心血。他一度是区里的一面旗帜高高地飘扬在全市职教战线的最前沿。

有人干笑了两声应和着，但这往日常用的问候语并没有压住会场内嘁嘁喳喳的议论声。“对于老板这个称呼，在学校这种环境里大家一定感到很陌生，但是，在外面这还是很时髦的一个词吧！尤其是沿海一带的城市。是不是呀？老胡?!”他冲着下面的人问着，并不等他回答，他又接着说：“下面，我来解释一下。”方校长慢条斯理地故意放慢讲话的速度。会场上霎时安静下来，所有的眼光都看着方校长。只有后排一对年轻的男女还在旁若无人地聊着什么。

“这个暑假是一个不寻常的假期。虽经多次的磨合，我校仍无法摆脱区教委布置的工作任务。下面，我正式宣布，从今天起，我们学校的体制发生了变化，正确的叫法应是：国有、民营、校长承办制。也就是说，我们的学校从原则上讲还是国家所有，我们可以自主经营，但办学资金上必须自筹，即由校长负责承办。这部分资金包括：日常的办公费、办学费、教师工资三部分。从这学期开始，我们将在三年之内完成由逐步自筹到完全自筹的过渡，也就是说我们进入了一个类似婴儿的断乳期。三年之后，我们必须吃自种的杂粮了。”

“那我们到底还算不算国家干部?”“我们快退休的人还算退休吗?”“我们的正常工资能保证吗?”“我们的医药费还能报销吗?”“我们的住房怎么办?”下面七嘴八舌一片嚷声。

“对于大家的担心，我非常理解。首先，我可以肯定地告诉大家，我们的职务性质不变。”方校长大声地干咳了一下，停顿片刻，环视了一遍全场，俨然进入新闻发布会的答记者问阶段。“请大家放心，既然我最后能接受上级的工作安排，就说明我们有这个实力。由于我们近年来的实习工作开展得非常顺利，所以，经费绝不是大家应该担心的问题。相反，没有了上面的约束，我们会更自由，大家得到的实惠也会更多。经过我校行政会研究决定：从这学期开始，我们要追加教师的生活补贴、课时费以及工龄补贴；我还可以保证不会拖欠老师们一分钱的医药费。至于大家的住房问题，我个人确实无力解决，我们还要和区统一住房分配工作挂钩。”方校长说到这再一次地停顿了一下，忽然把声音提高宣布道：“惟一发生变化的是从今年开始，对老师实行聘任制。一年一聘，聘与不聘主要看大家的工作表现，但是，行政会有否决权，而我则有最终的裁决权。”

响当当的“裁决权”像一记重锤砸下，结束了他的讲话。

会场上静极了，静得能听到细微的喘息声，能听到教室后墙上的挂钟秒针的移动。有的人点头，面露喜色；有的人木然地坐在那，毫无表情，好像这一切跟他无关一般；有的人大张着嘴半天没有闭上，似有什么担心含在口中却无法说出，还有的人不时地摇摇头。只有后排的那对年轻男女还在聊着，看来，他们并不关心这个重大的变化。

“大家都听到了，”古副校长尖细的声音打破了会场的沉寂。“新的结构工资的提高说明了老板对我们大家的关心。因此，我们要加倍努力地工作，争取更大的成绩以回报老板对我们的关心和爱护！”话音刚落，她率先鼓掌。她的脸上洋溢着信心十足的神情，话语中充满了干劲十足的豪迈之气。教室里响起了一片稀稀拉拉的不温不火的掌声。

陈欣然坐在位子上，听着这一切，心里的滋味难以言表：怎么一觉起来，学校的体制就变了，好像前苏联解体一样不容你想、不容你置疑。虽说是改革开放的年代，总设计师提出了“胆子再大一点、步子再快一点”，但教育事业这样进行改革合理吗？经费断奶，是国家真的不拨这笔经费了，还是被区教委截流挪做他用了？校长都一门心思去找钱，教学质量还有时间过问吗？更可怕的是一夜之间堂堂的一校之长变成了“老板”，且还在大庭广众之下被下属呼来唤去，这“老板”一词真的比“校长”好听？看来，金钱作用真是不可低估。好在“前苏联”事件后大家照样过日子。好在到什么时候，不论如何改朝换代，老师也还是要上讲台传授知识，这点是不会变的。

教导处的老主任在说着什么，欣然没听，只看见他的嘴在动；黄主任也站起来说着什么，欣然也没听到。直到会计室的周姐通知大家会后到会计室领钱——改制安抚费，人们在一阵哄笑后慢慢地离开座位走出教室，欣然才站起来跟着往外走。

楼道里传来了人们的议论声：“说发就发，看来改革还是挺实惠的。”有人欣欣然而喜形于色。“什么事呀！”有人疾首蹙额。“这下，有人可开心死了！”有人不由自主地撇撇嘴。“唉，这学校从此姓方了，咱们也不是什么人民教师了，成了打工仔了。”“打工仔还不如呢，打工仔和老板只有单纯的雇佣关系。咱们不光有经济关系，还有党政关系，不简单啊！”

其实，早在两年前，欣然就从母亲那儿听说她的母校已实行了聘任制。聘任制带给学校的好处很多，如：加快了教师人才的选拔、提高了学校的教学质量、拉大了教师间的收入差距、激发了大家的工作干劲，可谓一举多得。但是，在这所学校中实行聘任制，大家有如此多的意见，这其中的问题欣然虽不能一一说清，但也能猜出几分……

虽已进入九月，天气却没有一丝秋的凉爽。太阳明晃晃地照得人眼晕，热浪滚滚扑面而至，楼道内像个大蒸笼，让人不禁想起《瓦尔特保卫萨拉热窝》中的台词“声音在颤抖，好像空气在燃烧。”。

二

下班后，陈欣然和同事林雨徽结伴而行。忽然，校门口马路对面的一个在“马自达”前的身影映入欣然的眼帘。是他？虽已有近两年没有联系，但直觉准确地告诉欣然是他。他身上的那件衣服太熟悉了——三年前的生日礼物，是欣然拿到奖金后，跑了几个大商场才买到的真丝沙洗短袖衬衣：暗红的底色上飘舞着同色的羽毛，使人穿上它在沉稳中又不失一份飘逸和帅气。甚至在三年后的今天，欣然还能想起那天他快乐的神情。也许真如一位作家所说：女人很难从心底深处抹去一个和她有感情经历的男人。分开都两年了，衣服的颜色已经褪了，但那身影却没有褪色。

她拉着同伴的手，加快脚步，低着头，不让自己去看马路对面。“欣然，你走这么快干啥？又不赶火车。”林雨徽问她，不时地小跑两步跟上。“快点啦，不然过了点儿又要等半个小时还上不去车。”欣然解释着。

“欣然！”马路对面传来很大的声音。

欣然疾步如飞，假装没有听见，但心中忽然升起一种无名的恐慌。“欣然，有人叫你？”林雨徽向四周张望。“叫别人呢，你听错了。”“是叫你，马路对面那个男的在叫你，他看着你呢。”雨徽回头看了看，对欣然说。“你就当没听见！”欣然提高了嗓门。

“然然！”那声音更大，那身躯快速冲过马路跳到欣然的面前。“然然，你别走，我在这等你很久了！我知道你每天四点二十下班，我想和你谈谈。”他快速地表达着自己的意图。

“啊?！是你。”欣然装作刚发现对方，但却没有抬眼皮。

“这是？”林雨徽不认识他，她才来这个学校不久，欣然的许多事她并不知情。“这，这是我以前的一个朋友。”欣然紧紧地抓着林雨徽的手。

“然然，你不用装着没看见我，从你一出校门，我就在盯着你，其时，你早就发现我了，不然，你不会走那么快。”他旁若无人地大声说。

“没有啊，”欣然故作轻松，“我要赶汽车，不然又要六点半到家了。雨徽，我们走吧。”她低头拉着雨徽的手要走。

“欣然，怎么还不走？”后出来的同事像往常一样和欣然打着招呼。当他们看到他时：“啊……我们先走了……雨徽，你还不跟我们一起走。”“那，我也先走了。咱俩明儿见，Bye－bye。”雨徽虽有点莫名其妙，但还是转身离去。

看着雨徽的背影，一股无名火往上顶。欣然忽然大喊：“谁让你在这等我了，你什么意思？我跟你已经没关系了，你别来烦我，好吗？让同事看见还以为我们又怎么着了呢！”

“我，我没想到会影响你，”他见欣然翻了脸，有些结巴，“我只想和你谈谈。”“你没想到？这几年你想到过什么！你什么时候替别人想过？谈谈？有什么好谈的，明天学校里就有可谈的了。”

“那，我们找个地方，省得在这给你找麻烦。”他局促地说。“麻烦已经有了。我没时间和你谈，我还要回家呢。”欣然断然否决抬腿向前走。“我保证让你六点半到家，我送你，我求你了！”他用身子挡住欣然的去路，语调里流露出一种哀求和期待。

这种语调欣然太熟悉了，对于一个在她的面前既自大又自卑的男人，这种语调一旦出现欣然从心底就有一层不忍，毕竟这是一个曾让她心动过的男人。看着陆续出来的同事，欣然觉得好狼狈。

“就在前边的肯德基好吗？”他试探着。欣然想快点躲开这里，便补充道：“那，好吧。不过，你六点半一定要让我回家。”

“行，我保证。”他如获至宝，“你等等，我去开车。”他不由分说，再次冲过马路。

车里的空气是凝固的，让人觉得氧气的含量已接近了零。欣然把头扭向窗外。她有点后悔，她不该让自己陷入这种难堪。当初的痛苦就是因为心太软，难道真的是好了伤疤忘了疼？

他探过身为欣然开车门，欣然出于礼貌冲他干巴巴地说了声“谢谢。”其实，那两个字并没有说出声，全都堵在了嗓子眼儿里。这时，欣然才第一次看清他的脸：还是那张国字脸，只是已没有了先前的白皙和平滑，变得粗糙而黝黑；一双大大的眼睛虽然还像原来那么有神，但其中更多的是一抹无法掩饰的忧郁；眼角已经有了深深的皱纹，所以显出饱经变故后的沧桑，好看的红红的线条分明的嘴唇也由于吸烟或饮酒过多而呈现出暗紫色——再也不是以前的那个大男孩了。

坐在靠窗的椅子上，欣然不停地用红色的搅拌棒在咖啡杯中转动。两人距离很近，近得能感觉到对方呼出的气息。沉默压得欣然胃发紧心发慌。

为了打破僵局，欣然只好先开口：“想跟我谈什么？”

他看着欣然，并没有马上回答，从口袋里拿出一盒国际三五，抽出一根点上。那味很冲，欣然不由得咳了两下。他赶紧把烟掐掉，不好意思地说：“习惯了，我忘了你最讨厌香烟。”

“想抽就抽，反正你我已没关系了。”欣然再次把冷漠的表情显现在脸上。

“然然，你别老用我们已没关系来提醒我好吗？我们是在法律上没有关系了，可是我们……”他的声音不由得提高。“你别跟我嚷嚷。”欣然最讨厌和他大嗓门说话，就像在打架，更何况他现在已经没有这个资格。她不耐烦地问，“到底有什么事？”

“我今天来是想对你说……”他吞吞吐吐。“想说什么呀，别这么婆婆妈妈的，爽快点行吗。”欣然皱起眉头。

“我想跟你说，不，应该是我想请求你，能再给我一次机会吗?”“什么?”欣然瞪大眼睛，不能相信自己的耳朵。

“能再给我一次机会吗?我想和你重新开始，我想和你复婚。”他终于一口气说出了自己的想法。

“这，这怎么可能，以前我给过你无数的机会你都放弃了，何况我们已经分手了，更何况我们已经两年没联系了，很多事情都变了，还有你们家人怎么可能接受我这个人，尤其是你的母亲。”欣然觉得可笑，她一时想不明白，他怎么会忽然有这样的想法。其实有也没关系，却还要说出来。

“我们分开两年了，”他打断欣然的话：“可是，可是这两年我无法忘掉你，我曾经多次地试着忘记，甚至试着去想你的专横、任性，可是想来想去，我才发现其实你对我真的挺好的。”“挺好的”三个字语音颤抖，“连妈妈都说，我以后不会再找到你这样的好媳妇了。”

“你妈会说我好?”欣然忘不掉老人当初对她下的断语：“哪有你这么当媳妇的。你这样的脾气到谁家也当不了好媳妇。”

“真的，我没骗你。”他话题一转，“你是不是有男朋友了?”“没有。”欣然有点莫名其妙。

“那太好了，那我还有机会。”他如释重负，眼睛里闪出一道亮光。“

“我们不合适，我们有太多的分歧。”欣然再次拒绝他。

“不合适?不合适，你能为靠我近些到这么远的单位来上班?不合适，你能顶着父母的压力毫无怨言地嫁给我?不合适，你能在我最倒霉的时候每天早晨四点多陪我出摊?不合适，你能在我动手打了你之后原谅我?然然，别骗我，更别骗自己，其实你是爱我的，这些，我想了很久才想明白，只可惜我那时不知道珍惜。”

他一连串的排比句说得欣然无言以对。他少有的流畅表达也让欣然大吃一惊。看来，他是很认真地准备了这次见面。

那段刻骨铭心的爱情、那些不堪回首的往事、那些令人心有余悸的争吵、那些想起来虽苦犹甜的回忆，此时此刻阵阵泛起，欣然的眼里雾茫茫一片。已经很久没有人提起了，朋友们礼貌的回避、父母善意的躲闪、欣然刻意的忘却，可是怎么能忘却呢？又怎么能忘却得掉呢！

他们相识在一个冬季的雪天之后。那天，劳动人民文化宫里白雪铺地，松枝低垂。欣然和同学一起来此踏雪寻梅。忽见一片空场上有一簇火焰在跳动：一位二十几岁的小伙子手持一杆白蜡杆长枪在雪地里舞动。他时而金鸡独立，时而披挂冲杀，枪头上鲜红的缨子在他的手起手落间出神入化地飞腾跳动。当最后一个动作收势之时，欣然不由自主地鼓起掌。他回头，欣然看到的是一张白净的脸：大大的眼、浓浓的眉、红红的唇。他也看到了她，两个人的眼睛对视着，对视着……

于是他们相识了，他们相恋了，他们相约到永远。

结婚时，欣然没有感受到当新娘的快乐。家里人的强烈反对，激起了她的逆反心理。没有学历、没有固定工作、没有稳定收入、没有住房、家庭背景差异太大、家里的兄弟姐妹太多等等，一切的一切她都不再去考虑。结婚成了她惟一的减压阀、避风港，她体会到的只是临时的放松、匆忙中的喘息。新婚的第三天，战斗打响了，起因是他说了丈母娘一句不中听的话。结果，战争持续了两年，为对父母的态度打、为他家里乱七八糟的事打、为钞票打、为见解不同打。硝烟一直到分手才慢慢退去。

他们也有过一段相对平静的生活。那还是归功于他被骗之后。他一贫如洗，哭着向她认错请求她的原谅。当时，欣然自己也不知哪来的勇气，只说了一句话："有我吃的，就不会少你一口。"

他们开始了长达半年的“艰苦奋斗”：从秋到冬，每天早上四点半起床，她陪他出摊，七点半还要赶到学校上班。那时月亮还挂在天上。她的能干、她的热情、她的随和引来了许多回头客。一个月后，他们得到了居民的认可，买卖越做越大。欣然为此付出的还有严重的精神衰弱。那段时间，他曾经不止一次地把她拥入怀中亲吻着她的脸说：“以后，有了钱，我一定会对你好的！”

然而，半年之后，他们领了离婚证。因为，欣然在和他一起渡过经济难关之后才发现，他们之间思想意识上的难关是永远也无法共渡的。

“你最近怎么样？”他掉转话题。“还是老样子。”她答。

“我是问你个人感情的事。”“也还是老样子。”

“真没试着重新开始？”“一年被蛇咬、十年怕井绳。当年那么纯真的毫无功利性的爱情，结果都这么可怕，不想再涉足。”欣然轻轻地喝了一口咖啡。

“那……我们能重新开始吗？”他再次把问题摆在欣然的面前。

说真的，每当欣然感到孤独的时候，她不是没有想过回头，因为她很清楚自己在他心中的份量。她让自己平静，然后像章鱼一样小心翼翼地伸出触角试探着：“你不觉得我们有很多问题难以沟通，太多的问题无法面对？还有我们家和你们家的……”

“你看，我现在已经改变了很多，”他急切地打断欣然的话，“我现在一家公司任职，已经升为部门经理，月薪二千多，而且公司还为我配了汽车，以后我可以送你上下班，我计划两年之内买房子，虽然不可能太好，但那是属于我们两个人的……”他又说：“其实，我早就想来找你，可是时机不成熟，现在，我有钱了，我觉得是个真正的男人了，所以我才来找你。”

欣然虽没有抬头并一直在搅动着咖啡，但她其实一直认真地听着他的表白。也许，时间的流逝、痛心的失去、深刻的反思能让人有所醒悟。但是“我有钱了”四个字让欣然感到很不舒服，更何况他的收入也才和欣然持平罢了。直觉告诉她，他可能还是原来的他，虽然有了些外在的变化，但骨子里还是老样子。她伸出的触角收了回来。

“你认为现在时机成熟了?”欣然抬头盯着他，“那你回答我一个问题：我为什么跟你分手?”

“那时我穷得叮当响，我不能满足你……”

“你闭嘴。”欣然的心在发抖。此刻，她意识到今天的谈话从开始就是个错误，“看来，到今天为止，你一直认为我是因为你没钱才跟你分手的，是吗?如果是那样，你干吗回来找我，我这样一个把钱看得很重的女人满大街都是，值得你回头吗?”

“然然，我不是这个意思，我的意思是……”

“你别说了，”欣然再次打断他的话，“如果为了钱，我会在你不名一文的时候，和你同甘共苦吗?如果为了钱，我会在你没工作时，四处去找人找关系吗?如果为了钱，我何不和你一起耗到你有了稳定的收入；如果为了钱，为什么和你分手时，我一分没要，即使是法律允许的范围内。现在你跟我讲这些只能说明你根本不懂我。”

“然然，我知道你不是那种把钱看得重的女人，这点我深信不疑，毕竟我们在一起生活了三年，你的所作所为我都看在眼里。不过，今天我知道你还是爱我的，不然你不会跟我出来坐坐，也不会因为我的失言而生气。”

“对不起，毫不隐瞒地说，我以前爱过你，在今天之前我在心底还爱着你，但是，从此刻以后，我不会再爱你了，因为，你刚才的话伤害了我的自尊。”欣然停顿了一下，“我们对许多事物的看法差距太大，而且这种差距是无法缩短的。”

“人与人之间都会有差距，我这个高中生跟你这个大学本科生之间就更不用说了，不过，我们可以试着调整。我现在条件好了，我可以养活你了，只要你肯回来。”

“我们就像两条平行线，无论画得多长，永远不可能有交点。”

“话不能太绝对，我们可以试试。”他一副自信的模样。

欣然知道他还对两个人的事抱着幻想，于是欣然只得旧调重弹：“要复婚也可以，你能同意我以后不在学校吗？我和别的男同事有来往你能不吃醋吗？我早出晚归，你能不介意吗？我以后可能还不想要孩子，你能接受吗？如果，这些你都可以答应，我就和你复婚。”

他惊愕地瞪大了眼睛，嘴张着，半天没有说出一个字。这些都是以前他们打架的导火索：他不许欣然离开学校，他不让欣然和男同学男同事交往，他一直想有一个孩子，可她却说他没有责任感无权当爸爸。他点燃一根香烟，用力地深吸了一口，吐出了浓浓的烟雾。“真没想到，两年过去了，你还有这么多的想法，你还是这么的不安分，真没想到。”他摇着头。

欣然突然对他送上一个不易觉察的笑容：“我令你失望了吧！其实我早就该回绝你，今天的谈话只能给我们彼此留下不好的回忆。”

烟雾飘向欣然，她被呛得咳了起来，用手赶着飘过来的烟雾。

“这没什么。”他接口道，再吸一口烟，任那烟雾飘过去，并不理会她的咳嗽。

“你变了，你没有以前真实了，口不对心，从前的你毫不掩饰自己的感受。”欣然直视着他。

“然然，你能再考虑一下吗？不必现在给我答复。也许随着年龄的增长，我们的许多想法都会变的。”他叼着香烟眯着眼睛。

"没有这个必要吧。分别两年，我们骨子里谁都没有变，变的只是你有钱了，而我则更专横了，就像你以前常说的一句话'穷横穷横的'。"欣然从他的动作中感觉到他的失望。

"我提个建议好吗?"欣然接着说。"什么?"他用嘴角侧叼着香烟，这是他在表示无所谓时的一种很令欣然恼火的姿势。"我们以后不要再见面了。这样完全是瞎耽误工夫。""那好吧。"他站起身，拿上车钥匙抛到空中又接住，说："不过，今天我会说到做到。"

"不用了。"欣然回绝。她从座位上拿起书包。她不是那种愿意欠别人的人，即使这个人欠她的太多。"你还跟我客气，以前你总怪我不送你，现在，这对我而言只是举手之劳。"他跟在后面。

"我没客气。我只是不想给你一个显示自己、让你找到感觉的机会。"欣然回绝道，不容有一丝置疑。走到门口，欣然回头对他平静地说："还有，以后这件衣服最好别穿了，睹物思人更伤感，毕竟我们都应该试着重新开始，何况它已经旧了，人去楼空，别老沉浸在回忆里。没有必要。当然，也许这是你今天为达到谈判目的的一种手段。"

欣然说完话，不管他的感受是什么，转身习惯性地甩了甩那头飘逸的长发，大步走出肯德基的大门，再也没有回头。

在今天以前，欣然曾几度徘徊在旧日的情感中，尤其是在夜晚孤枕难眠时，或是在街头巷尾看到那些缠绵低语的情侣时，她总是会不由自主地想到他，那个和她朝夕相伴了三年的男人。虽然他们之间有这样那样的矛盾；虽然他们之间有无法说清的误会；虽然爸爸妈妈从始至终都没有喜欢过这个女婿；虽然她的婆婆一直也不满意欣然的个性和生活原则；但是他们之间却还有这样那样的美好回忆。她曾经一度为自己打破门第观念的壮举而自豪，她曾经为自己能为了爱情而抛去一切而自得，她曾经对未来的生活充满自信，她甚至曾一度觉得自己像当年五四运动以后冲破重重枷锁的新女性一样伟大。她曾经梦想着用自己的一生来证实“门当户对”这个传统观念的迂腐。但是，最终她不得不承认自己的单纯和幼稚。她用自己的青春和婚姻更深刻地体会到“门当户对”的真正含义：它标志着两个人能否有相近的世界观，能否有相通的意识形态，能否有相似的价值取向，能否有相融的人生理念。此刻，她才真正地体会到父母的用心良苦。

欣然通过自己的经历才明白为什么世上很多夫妻不幸福但不肯分手，那是因为人一旦习惯了某种生活方式就会形成一种惰性——很难再去创造新世界，打破平衡再重新建立谈何容易。欣然时常把自己比作风筝，以前打打闹闹毕竟还有一根线牵着，地上毕竟还有一个属于自己的支点，即使那是根随时都会断的线。可是，有一天，你真的自由了，才发现无依无靠的滋味不好受。欣然曾经不止一次地在重温美好回忆时想过走回头路，但一直为“好马不吃回头草”的说法所困扰。直到今天，她才真正地明白大凡古之名言一定有其深刻的道理。真可谓：江山易改本性难移。不要不切实际地幻想——人会改变。

三

北京的秋天是美的，虽然因为污染已经很少能看到那高远的天空的湛蓝色彩、朵朵白云，但植物的颜色却令人迷恋。路边的松柏依然是绿色，虽然那绿是浓重的，缺少一种生机盎然的激情，但更多的显出的是经历过风雨后的沉稳。应和松柏的则是佳期刚至的各色怒放的菊花，红、黄、白、紫交相辉映。夏天的主角月季此时还零星地开放着，爬山虎几经霜雾之后已经红了，红的如火焰、如红云，一片片一层层。被秋风梳理过的草地，在秋日的艳阳下不时地闪动着耀眼的亮色。银杏树的叶子此时一片金黄，扇形的叶片在秋风中和着节拍唱着“拍手歌”。不时间，偶有几片离开了母亲的臂膀，张开两只稚嫩的小手快乐地奔向大地的怀抱，欢快地叫着“爸爸，快抱抱我……”

“陈老师，你的信。”在校门口，传达室的纪大爷笑眯眯地递给欣然一个粉红色的信封。

欣然接过信封，摸了摸，里面是硬硬的东西。“谢谢您！”欣然对纪大爷笑笑。看着信封的落款，欣然怦然心动——她母校的来信。她惊喜地打开，一个红色的请柬跃于眼前。

陈欣然同学：

你好！请你于十月十八号上午8:30到我校参加建校四十周年的校庆活动。如有其他同学的地址也请代为转达。我们恭请你能光临。

北京市育英中学校庆委员会

九月一日

欣然有一种莫名的激动，她捧着这张请柬，仿佛又看到了朝夕相处的老师和同学们。转眼之间才发现和母校分别已近十载。由于工作忙，家又远，而且自己这几年没完没了的感情纠葛，欣然已经很久没有回去看看了。

开学后，教学处例行公事检查每位老师两周的备课教案，欣然利用课间到教学处接受检查。对面走来一个胖胖的女子，欣然看着脸熟儿却没叫出名来。

“欣然，看见了也不理我。”对方用手在她的眼前晃着，挡住她的去路。“哟，是你呀，周静怡，你胖得我都有点不敢认了。我觉得眼熟，可没想到是你，你不是暑假前生孩子了吗，怎么这么早就上班了？也不多歇些时候。”

“别提了，我这个孩子生得可不是时候。”周静怡说着眼圈就红了。“怎么了？”她看着周静怡，想不出这个平时大大咧咧的人会遇到什么事让她如此伤心。

“唉，七月十一号，就在孩子出生的前一天，我公公心肌梗去世了，他平时身体好好的，说没就没了。我们家一下子就乱套了。婆婆从此看我们娘俩儿就不顺眼了，她非说是孩子克了她爷爷，你说这叫什么事儿呀！”

欣然没有想到她家出了这么大的事，吃惊之余劝慰道：“老人一时想不开，你也别计较，过段时间等她转过味儿来就好了。不管怎么说，那也是她家的骨肉呀。”

“还骨肉呢，从孩子出生到现在都快五十天了，她还没看过一眼呢，她儿子跟她提出两回，你看她那个恨呀，说什么都不见。唉，现在只好搁在我爸妈这儿了。”静怡说着摸出手绢擦了擦眼角的泪水。

“放你妈这儿不也挺好的吗，离着近，你中午还能回家给孩子喂奶，要不，孩子那么小也太可怜了。”欣然宽慰着。

“还喂奶呢？早没了。”周静怡说着眼泪又来了，“八月份，我老公一下岗，急得我奶也没了。”

“他不是单位的业务骨干吗？他怎么会下岗？”在欣然的印象中，下岗只跟工厂工人有关系，还没听说事业单位有这事的。

“他们单位由国家事业转为企业都快半年了，可是效益一直就不好。他空有一身本事却没有用武之地。领导找不来工程，他这个工程师管什么用呀。结果他一生气，买断工龄回家了。”

“给了多少钱？”

“一共加起来才二万八。”

“怎么那么少？”

“可不是嘛。十几年时间就值这点，刚够我生孩子前前后后的费用的。你说一个夏天就遇到这么两件倒霉事，我能不急吗。结果奶也没了。前些天，嘴上起了好几个大泡，中医说内火大，有毒，还让我吃药期间别喂孩子。我倒想喂呢！你看我这一身的肉，可怎么办呀!”静怡说着让欣然看她身上因怀孕而多出来的勒在衣裙下的一圈圈肉。

“你也别太着急，你老公那么有本事的人，学环境工程的又到欧洲进修过，一定能找个合适的好工作，这只是个时间问题，过了这段就好了。”欣然再次安慰着。

“唉，我也这么想，但愿是这么回事，要不然他这么多年的书也就白读了。”

“孩子现在你妈给看着呢?”“我妈那么大岁数了，我可怕给她累坏了。请了个保姆看孩子，让我妈看着保姆，这样我才能来上班。唉，钱到用时方恨少。怎么小孩的开销会那么大，光上个月的纸尿裤，我就花了两百多。”

“那东西听说不舒服，少给孩子用，还是传统的尿布好。”“我还没敢都用，就是晚上睡觉给她使，唉，真快养不起了！你以后想要孩子的时候可得考虑好了，要不，像我这样，多惨呢!”静怡不住地摇着头。“别这么说，会好的。对不起，我得赶快把备课笔记交去，要不，下节课没得用了。”欣然就此告辞。“你还真认真，我都没时间写，把老教案找了本还算干净的，整理了一下就给拿来了。头儿竟然也没看出来，盖个章就算过关了。”周静怡说到这儿，脸上终于有了一丝笑意，转身晃着她那胖胖的身子走了。

通过检查，欣然回到办公室翻着抽屉找出期末的试卷，开学第一节课主要是分析期末考卷中的具有共性的问题，这也算常规教学的一部分。

“郑老师，您好，我来取毕业证。”一个漂亮的女孩子站在办公室的门口，冲着坐在靠门口的教政治的郑义老师打着招呼。“哟，陈老师也在呀，您好！”欣然抬头，原来是郑老师班刚毕业的学生项飞飞。欣然教过她的课，她的漂亮在这届同学里是公认的。欣然冲她笑了笑点点头。

“哟，项飞飞，拿毕业证你着什么急呀，再说空着手就来了，那可不成。”班主任郑老师一边找着信纸一边说着，一副不着急的样子。

“我现在的工作单位急着要调我的档案，今天我正好休息所以得赶紧办这事儿。我刚才去了档案室，那儿负责老师说还要班主任写个条才给办，所以我就上来找您了，您看，一着急也没给您带点什么。”项飞飞笑着说。

“哟，这么说，你不为了这条子还不会来看我吧，那今儿个说什么也不能就这么着让你把档案拿走了，去，买东西去。”郑老师把原本已经打开的笔帽重又合上了。

项飞飞站在那愣了一会儿，什么都没说就出去了。

欣然看着这一切，心里很不舒服。下课的铃声响起，课间操的时间到了，欣然为了摆脱那份尴尬，混入了学生上操的人流之中。

半个小时后，欣然回到了办公室。项飞飞看样子已经走了，郑老师的桌上堆着一袋香蕉，地上还放着一个大西瓜。郑老师正在给大家分着香蕉，俨然变成了东西的主人。

“陈老师，快来吃，你看这香蕉的成色多好呀，可甜了！看来，项飞飞这小丫头现在的收入还真不低，这香蕉少说也得是两块五一斤的，她还挺会办事，知道我好这口，不错。唉，你怎么不动呀，还要我给你送过去。”说着，一根香蕉从空中飞了过来，落到了欣然的桌子上。

欣然拿起来走到郑老师桌前：“我最近肠胃不好，容易拉肚子。”说着就把它放在了桌子上。

“唉，你怎么就这么没口福呢。算了，我替你多吃一根吧！”说着郑老师已经准确地把一根香蕉皮腾空扔进了办公室门口的纸篓里。然后又拿起了欣然还回来的那根，嘴里振振有词："中午饭又省了！"

随着两分钟的预备铃响起，有课的老师拿着书本走向各自的岗位。陈欣然合上了学生交上来的暑期随笔练习，向后仰了仰因长时间批改作业已有些酸胀的脖子，拿起高二语文书和备课本向四楼服务班的教室走去。

外事服务专业是这所职业高中的老牌专业，也是一般职业高中创业之初的首选专业。这种情况非常适合北京国际化大都市的特点：涉外饭店多，服务员的需求量大。何况用人单位从职高中挑选服务员有若干好处。首先，可以保证稳定的服务员来源且有较大的挑选余地。星级越高的饭店选择机会就越多，因为学校也愿意和这样的单位长期合作，使之成为自己的办学资本。其次，学生在校期间已掌握一定的专业知识、接受了一定的基本技能训练，所以即使不能完全符合用人单位的需要，也只需再稍加打磨即可。第三，由于所用人员为在校生，以实习的形式出现，学生们虽不会少干什么活，但在工资和待遇上则和正式的合同工有很大的差别，也就是说用工单位投入极小的资金可以获得相对较高的利润。第四，管理起来十分便利。实习生所在之处必有专职教师跟班，如出现问题，用工单位还没有做出反应老师已经把教育工作完成。总之，联办单位在聘用实习生方面可谓是省事省力省钱。

走进高二服务班的教室，陈欣然一眼就看到在讲台桌上摆着一个精心包装的礼品盒：一张银色的锡纸上洒满了粉红色的玫瑰花，一条水红色的丝带在盒子的正面系了一个大大的蝴蝶结，蝴蝶结的尾梢在加工后自然地划着圆滑的弧线垂下来。陈欣然像往常一样走上讲台，放下书本讲义，习惯性地环视了一遍在座的同学。她皱了皱眉头：才刚刚开学就有一个座位空着。

"谁送我的礼物？还是哪位同学借我的宝地寄存？"她微笑着

拿起那个漂亮的盒子，观赏了一下。“送您的。”全班大部分同学发出了声音，但声音并不像往日那么洪亮。

“送我的？为什么？”“今天是教师节啊，您忘了吗？”一个靠窗口的胖胖的留着板寸的男生大声地说。他的声音嗡嗡地在教室中盘旋，引起了同学们一阵笑声。

“哦，又是教师节了，”天天早出晚归，已被欣然忽略的教师节转眼又至。欣然停顿了一下，“谢谢大家还想着我的节日。”她习惯性地把手伸进粉笔盒，拿出一支白粉笔，“今天，我们来学习……”她边说边转身准备写课题。

“您为什么不打开看看？”“您难道不想知道我们送您的是什么礼物吗？”下面传来了低低的啧啧声。

“现在？咱们还是先上课吧。”欣然已经不是第一次收到学生的礼物了，不外乎是一些小玩意儿，例如小花瓶、小像册等等。

“不，我们希望您现在就打开。”“我们特别想知道您是否真的喜欢这个礼物。”下面七嘴八舌。“要不然我们上不好课。”有人在敲锣边。

看着学生们期待的目光，陈欣然不忍心再让他们失望，放下粉笔，“那好吧！”她托起那个礼盒，拆得很仔细很认真：先解开那根粉红色的丝带，然后一点点撕开黏在包装纸上的透明胶条。此时此刻，不论里面装的是什么，欣然已经很开心了，因为学生们的心中有她这个老师。

一个印着蓝色小花的玻璃瓶在退去了包装纸和包装盒后呈现在了欣然的面前。她惊呆了，只见玻璃瓶里装着无数个小星星：红的、粉的、黄的、绿的、蓝的，……，把个瓶子装得满满的。“这是……”欣然张张嘴。“这是幸运星呀，我们上课不听讲叠它，您还罚过我们呢。”“陈老师，”班长黄蕊从座位上站了起来，“这是我们班全体同学送给您的幸运星，祝您在新的一年中每天都能平安、幸福、快乐！”“这可是我们用业余时间叠的。”曾经因为上课叠它挨过欣然处罚的一个女生小声说。

“谢谢大家，真是太谢谢大家了，”欣然激动得声音有些颤抖，“那这里应该有三百六十五颗了！”“不——对！”学生拉长了声音，“是三百六十六颗。”“我们不能让您在闰年的时候，有一天不快乐呀。”

欣然的心暖融融的，这是同学们的一片心意。要知道叠这么多的星星要花很大的功夫。她再一次地环视了一遍在座的每一个学生：“真的谢谢大家，我为自己能成为你们的教师而感到幸福……”说到这，欣然不知为什么有些哽咽，她觉得自己的眼睛有点潮，一种热乎乎的东西正一股股地从心里涌出，向上，不断地向上，升腾成一片浓浓的雾气……虽然上班已经好几年了，虽然每年的教师节都会收到学生的礼物，但没有哪一次能比得上这次的礼物来得更珍贵更有价值。

这节课很快就过去了。欣然很投入地讲着鲁迅先生的《为了忘却的记念》，学生们也很认真地听讲做笔记。尽管文中贯穿始终的“悲愤之情”，和这节课开始的格调很不一致。

下课的铃响了，陈欣然像往常一样让同学们按时休息。有个同学过来问她有关的问题。欣然奇怪地发现今天同学们并没有像平时那样蜂拥而出。总之气氛有点怪，她不便多说，离开教室临出门时，她又再次地看了看那个空着的座位。

办公室里格外的热闹，刚刚从教室回来的老师几乎都没有空着手的，和往年一样那些礼物都是花钱买的。欣然默默地走进办公室，坐在办公桌前，把那个重新装入小纸盒的礼物放进了抽屉里。

“欣然，今天收到什么礼物了？”对桌的卢鹭老师问。卢老师是学校的礼仪课教师，平时的着装十分讲究，永远是一身漂亮的职业套装，她今天穿了一身“薄涛”银灰色套裙，越发显得成熟庄重。

“学生送了我三百六十六颗幸运星。”欣然低声说，却无法掩自己的兴奋。“那么多，快给我看看。”欣然把纸盒递过去。“哇，太漂亮了，真叫人兴奋，哪个班送的?”“高二服务一班。”

这时，一位女同学捧着一大束用粉色康乃馨捆成的花束走进办公室。“卢老师，祝您教师节快乐！这是我们高一礼仪班的全体同学送给您的。”卢老师激动地接过来，“谢谢咱们班同学，太感谢了!”。要知道，卢老师对粉色有特别的偏爱。学生高兴地跑出了办公室。

“现如今，教师节的礼物越送越花梢了。”郑义老师不知什么原因发起了感叹。不过，再笨的人也能听出这话中有话。卢老师刚要张口回击。“卢老师，借你只花瓶，别辜负了学生的一片苦心。”欣然拦住了卢老师的话。这两个冤家要是开了火，那卢老师可就要遭殃了。

欣然不知她二人何时结的仇，只知道她们之间不对付，不知是八字不合还是天生就是冤家，特别是郑老师，有事没事话总是横着出来，可能是找茬儿上瘾吧。欣然看不惯但又不便管。要是让郑老师得了理那可就没完没了了，再给你扣个专业性很强的政治帽子，实在叫人吃不消。这可能是教政治的职业病。

“王老师，学生送你什么礼物了?”郑老师一看战斗没有打起就另找他人。“也没什么，”坐在她对面的教数学的王敏之老师一边改着学生的作业一边头也不抬地说：“学生送了我一个微波炉用的碗，挺好看的。”“给我看看，给我看看。”郑老师急切地要求着。王老师腾出左手把礼物递了过去还是没有抬头。“要说，还是这礼物实用，比什么花儿呀，星星呀强多了。”“我倒觉得都不错，其实不在送什么，但都是学生的一片心意。”王老师充当起和事佬。

“别没事找事，学生送什么都是好的，少在这儿挑三拣四的。”一直坐在旁边的组长周世仁似乎闻到了空气中的火药味，连忙制止道。老头在组里还是有很高的威信的。

欣然听到挑衅的话本想回击，但听到周世仁的话也就把嘴闭上了，毕竟，她不想惹事，特别是对某些不讲道理的人。

上课的铃声再次响起，卢老师拿起书本走出办公室，在和郑老师擦肩而过时，她不轻不重不咸不淡地摔出两个字："农民!"在座的人都没有说话。欣然分明地看到郑老师的脸色变得很难看。"该!"欣然在心里说。

四

"嘿，我说你们现在的谱可是越来越大了呀，发钱还得我求着你们。"会计室的蔡姐伴着下课的铃声人未到、声先至。她今年四十出头，一米七几的大个儿，性格豪爽办事倏利，是会计室的出纳，有名的大嗓门。欣然刚到学校时没事从不敢进会计室的门，因为一跟她讲话，她总像是吵架般地嚷着。吓得她几次在会计室办完事就跑。不过，时间长了，大家彼此也都了解了。倒也成了不错的朋友。

"哟，财神爷来了，我们可得好好拍拍。"教旅游地理的祝华老师第一个把椅子递到了蔡姐的屁股底下。"我也得好好拍着财神爷。"郑老师说着把一块剥好的糖送到蔡姐的嘴边。

"甭来这套，我坐了半天了，刚说活动活动，你又让我坐，你要害死我呀。还是郑老师来得实惠，给块糖甜甜我的嘴。不过，告诉你们，对我再好，也不会给你们多发一分钱。"蔡姐还是那么大嗓门地说着。大家跟着笑着。

"今年老板高兴，教师节给大家每人发一个大数——一千块，为的是让大家真实地感受一下改革的成果。"说着，蔡姐打开手拎着的黑提包，拿出一沓崭新的蓝色"四个老头"开始数着。

"对了，蔡姐，咱们这个月的工资有变化吗?"祝老师边问边接过数好的钱。

“当然有了，每个人的工资里加了项校龄补助，另外，每个人的校内效益工资部分都有不同程度的提高。另外，每位老师的课时费全部按原来的标准翻了一番。”“那可涨了不少呢。”祝老师喜上眉梢。其他的老师也都抬起头认真地听着蔡姐的话。欣然在心里暗自盘算着自己的月收入。

“这种大好局面能维持到什么时候，咱们学校有那么多钱吗?”祝老师又问。

“你老瞎操什么心呀，领导能这么定，当然是核算过的。你也不想想咱们这几年这么多学生外出实习，光每个月从各个实习点汇过来的实习费就有多少。另外，差学生为有个学上交了多少赞助费。如果没什么意外的话，现在这种状况维持个两年三年一点问题都没有，更何况我们还在发展呢!”蔡姐如数家珍地给大家吃着定心丸。“你们就好好干吧！没亏吃。”

大家纷纷从蔡姐手里接过过节费。“那税怎么办呀？这我们一个月得交多少税啊？真心疼。”祝老师又问。“你真是咸吃萝卜淡操心。税的事有会计呢，你想那么多有用吗?”蔡姐又是一顿抢白。

“对了，陈妹妹，七月份的课时费你还没领，害得我这边怎么也结不了账。你要是不缺钱就说一声，以后我给你领了得了。”蔡姐说着来到欣然的位子边。

“她可不缺钱，你就给她领了得了。”郑老师接过话茬。

“没问题，有蔡姐这么个好管家给我看着，我当然放心了。”欣然笑着接过钱。

“那就说好了，以后我专门给你开个折子，有点我就给你蓄点，等你出嫁时也好带着陪嫁出门。平时呢，要用的、花的你就到郑老师家去要，去吃!”蔡姐边说边冲着欣然挤挤眼。

“没问题，我们家还就不怕有人来吃，吃能吃多少呀!”郑老师一副大度的样子。

“得了，不跟你们瞎侃了，我还得上四楼呢。”说着，蔡姐拉上书包链，转身走出办公室。

“今天下午谁去逛街？”卢老师点着手里的钞票高兴地发出邀请，眼睛却盯着欣然。

“我今天还有事儿，再说现在还没通知下午不上班呢。”

“这是常规惯例，一会儿就会有人来通知了。不信你看……”

正说着，教导处的黄主任摇进了办公室。“下午放假半天，请班主任看着学生打扫完卫生，一定锁好门窗。请大家互相转告。”

“太棒了！”教外语的张艳青嚷了一嗓子。

“我说什么来着。”卢老师得意地冲着欣然叫。“你到底去不去？”

“我真有事！”

“没劲！那我回家睡觉去了。”

“哟，黄哥，今儿这身衣服可够帅的！哪儿买的？多少钱？”一向关注别人服饰的祝老师在黄主任进办公室后眼前一亮。

大家的眼睛都齐刷刷地看着黄主任身上那件暗花竖纹的T恤。欣然从口袋上同色丝线的绣标一眼看出是“华伦天奴”的产品。这件衣服如果是今年的新品少说也要八九百元。

“没，没多少钱。”黄主任有意淡化祝华的问题。

“领导，够奢侈的，这么贵的衣服你也敢穿？”卢老师显然也看清了衣服上的标识。

“黄哥，别卖关子了，到底多少钱？”大家的举动越发地激发了祝老师的好奇心。

“听我媳妇说，九百多块吧。”

“什么？”祝老师还没反应，郑老师已是十分夸张地张大了嘴叫了出来，“黄哥，哪个小蜜舍得花这么多钱来逗你高兴？”

“什么小蜜呀，是我媳妇。这不吗，我离家外地带队这么长时间，回来后，为表表她的心意，就破费了一把。”黄主任自豪地谈起自家的媳妇，幸福感完完全全地写在脸上。

“哟，都左手拉右手了，还这么浪漫，那黄哥你不在的时候，我嫂子还不想死你了，回来的那晚还能放过你？”郑老师不分场合地提出问题。

“哼……哼……都老夫老妻的了，哪至于呀！”黄主任不好意思地笑笑。

“哟，还脸红呢，这是正常的生理需求，有什么不好意思的。”郑老师还想一竿子插到底。未婚的、已婚的几个女老师已经不好意思地低下了头。

“我说，黄哥，我那嫂子……”郑老师还想问什么，“得了，得了，我说你有完没完，这还有小姑娘呢，别说话那么露骨。”周老头打断了她的话。

“哟，至于吗？现在有几个小姑娘不懂这事儿？连咱们的学生也不见得不懂。”郑老师还想说。

“你有完没完，那么关心人家的事干嘛，想知道住人家得了！”周老师有些生气。

“得了，得了，都是我的错，我赶紧走，还有楼上没通知呢！”黄主任一看情形不对，说着就出了办公室的门。

办公室里没有人说话，大家对刚才的聊天多少觉得有些尴尬。

“真是没有言论自由啊！”郑老师一人独自发着感慨，见无人应和也就没趣地闭上嘴。

对面的吴娟红正在忙着抄着什么。“你下午干嘛去？”“我，补笔记，然后晚上去上补习课。”“补什么？”欣然没有听清。“补习课。我想明年五月份续本，所以想早点开始下手，特别是专业课方面，我在北外报了个英语班，专门强化口语和听力的。我不想明年考试时太被动。”“你还要强化，你的外语那么好。”欣然不解地问。“你是不比不知道，外面那些英语好的人可厉害了。尤其是那些英语专科学校出来后又考大学的，那口语水平就是不一样，整个跟他们的母语一般。唉，其实，我们已经失去了最好的学习语言的年龄段了。”

“那咱们就笨鸟先飞嘛，更何况你们福建人那么聪明，一定行的。”欣然带着自信鼓励她。就好像是自己在备考似的。

“陈老师！陈老师你出来一下！”有人敲着窗子。

欣然抬头，看到了站在楼道窗台前的钱勇恒老师正向她做着出来的手势。“钱老师，您有事儿吗？进来说吧！”钱老师再次做着手势，让她出来。“什么事呀，不能进来说。”欣然放下手中的活，说着走出办公室。钱老师一把拉着欣然的胳膊走到了离办公室稍远的窗口。

“陈老师，最近忙不忙，有空的话帮我个忙，好吗？”“还行，您说吧，什么事？”

“我在外面接了个活，写教学辅导书，对方的稿子催得特紧，高一这部分，正好你也教过好几遍了，要不你就帮个忙，帮我把这部分编出来。”钱老师声音很小地说，生怕被别人听见似的。

“编书？这怎么可以呢，我一点这方面的经验都没有，拿什么编呀？”在欣然的眼里，编书可是一项巨大的工程，都是那些戴着老花镜的或者至少也是生出了白头发的老学究们才会考虑的事。

“你别把编书想得那么难，其实一点也不深奥，特简单，就跟你每次给学生出卷子一样。只不过把一张张卷子给变成书的形式了。再说，每学期总复习时，你给学生出了那么多份练习题，上面不全都是针对教学重点和难点进行考查的习题吗？”

“可那些题中，有相当一部分都是我从别的教学参考书上找来的。并不是我自己编出来的呀！”欣然还是一脸茫然。“要的就是这个。能找到就行。你只需把从其他的辅导书上看到的好题或有针对性的题拿过来，根据知识点相对地合并一下就可以了。”钱老师一边比划一边说。

“那我也得一点点去找题呀，我总得先做一遍才能知道人家的考点在哪？有必要有新意的我才能进行合并，这可费时间了。我现在手里现成的参考书很有限的。”欣然还在说明这事对自己来说的难度。

“陈老师，这可是一箭双雕的好事。你可不要错过了。你也不想想，不但可以增加收入还可以有署名权，这样的话，你以后评职称什么的就有著作了，这对你可是大有好处的。也就是你的业务还不错，换了别人，我还真不给他这机会呢！”

钱对欣然倒没有太大的吸引力，但想到那个梦寐以求的中级职称，欣然终于下定了决心：“那我就试试看吧，不过，好不好我可说不准，不保证质量的哟。”欣然先给对方打了预防针。“这好说，那，明天我就去给你找几套书，一式两份，你照着上面的找就行了。”

“要两套干嘛，一套就行，反正我还得把它们抄在稿纸上或录在电脑里。”欣然不经意地说。“唉，你可真实在，都什么年代了，现在还有几个人编稿子用笔写。现如今可是胶水加剪刀的时代，看到有用的就剪，能归为一类的就往一块粘，然后，在必要的地方加几行字就可以了。最后交给录入员，自有他们去录入。”

“啊？这哪是编书呀？”欣然吃惊不小。“信息化时代了嘛。我已经这么做很长时间了，这样可出活了，快的话一个月一本书。对了，你的稿酬是每千字二十五元，你那本大约需要二十万字。等你交稿时，我会付给你稿费的百分之三十，等出书半年后，我会再付你另外的百分之七十。记着十一月份交稿呀!”她明知时间太紧了，但想到那个重要的署名权也就咬咬牙点了点头。“千万别跟第三个人讲，知道吗!”钱老师不放心地叮嘱着，她再次点点头。

看着钱老师下楼，欣然忽然明白了为什么几次学校给他加课，他都以身体不好回绝了。今年学校新分来几个大学生，其中派给他一个，让他当指导老师，他又以家中负担太重，精力有限给挡了回去。原来，他是在抓紧时间创收呀。

办公室的人在下课的铃响过之后，瞬间便没了踪影，这是本校多年来的惯例：对于采取坐班制的学校，下班的铃声就是命令。多年来学校里一直流行着这样一句唱词：“下班好似马脱缰!”

五

三天后的课间操，陈欣然知道了那个空位子学生的情况。

下课铃声打破了校园的寂静，从教学楼各个楼门里冲出一群群学生，课间操的时间到了。星期一照例是升国旗，讲国旗知识的时间。学生们身穿统一的藏蓝色西服列队站在国旗杆下，老师们也按要求列队出席。国歌响起，国旗冉冉升空，陈欣然望着升起的国旗心中默默地和着国歌……秋天的太阳暖洋洋的，甚至还有点刺眼。看来天气预报真不准。

“今天，我们教导处利用升旗的时间，宣布对几个同学的处分，”教导处马主任在领操台上宣布。

“……”

欣然的脑子里还在想着刚才上课时遇到的一个难题。

“高二服务班的刘颖同学因为在校期间违反校规和男生谈恋爱，导致同学间发生打架事件。为了严肃校纪，更是为了教育本人，现决定给予警告处分。”欣然猛然从深思中回过神来。“刘颖？高二服务班?”那张开学初的空位子在她的脑海里闪过，是她?

散会时，学生们被依次带回教室，队伍懒懒散散的，但没有人说话，整个楼道内只能听到鞋子与地面的摩擦声和偶尔传来的干咳声。

上课的铃声再次响起，欣然从座位上站起，看了看课表：高二服务。她心里一阵别扭。

走进教室，寂静一片，连平日爱说爱笑的几个学生都垂着脑袋，这种沉闷不断蔓延甚至传给了欣然。欣然让自己平静了一下，故作轻松地问：“今天该谁做说文了?”

说文训练是这所学校的一个常规训练，即每天请一名同学利用课上几分钟试着描述事件、论述思想，其目的是为了培养他们的说话能力。

班长黄蕊低着脑袋慢慢地走上讲台。“今天，我说文的题目是……”声音小得几乎听不清。

“黄蕊，能否大点声?”陈欣然提示。

“今天，”黄蕊突然声音猛增，“我说文的题目是”声音又小了下去……停了一会，黄蕊冲着欣然说：“老师，我能提个请求吗?”“什么?”“我心情不好，不想做说文了。”

“为什么?”欣然其实已经猜到了，但还是问了出来。她希望班长找个别的理由。“其实，不是我一个人心情不好，而是我们大家心情不好。”

“老师，中学生谈恋爱真的就是学坏吗?”坐在第一排梳着两个小辫一向不爱讲话的付玮小声地问。“刘颖其实挺好的，在我们班人缘特好。男孩子喜欢她而打架跟她有什么关系？为什么要处分她?”“老师您不是也一直挺喜欢她的吗?”班里一阵骚动,不同的声音从不同的方向冲着欣然发问。欣然真有点不知所措。今天怎么恰好赶上是她的课。

由于陈欣然一向在班内倡导“以诚相待”、“讲真话做实事”的思想,所以学生们往往有什么就说什么,很少在欣然面前回避自己的思想。这一直是令欣然得意的。但今天的局面多少有些令她尴尬,虽然中学生谈恋爱在现今的学校中已不是什么新鲜事,但在课堂上堂而皇之地提出,毕竟太敏感了。

“老师,您有过早恋的经历吗?”一个男生单刀直入。

欣然环视了一遍班内的每一个学生,看到的是一张张稚嫩的脸和一双双迷茫的眼,看来,今天的课肯定是讲不成了。她合上了课本和教案,走下讲台坐在了刘颖的椅子上。

“我没有过早恋的经历,”她清清有些发涩的嗓子,“我并不是想在你们面前表白我好,我没有早恋的经历是因为当时自己比同班同学小两岁,并且性格中男孩子的成份太多,在各方面又不出众,所以大家一直都把我当作小妹妹,有没有男生喜欢我,当时自己也不清楚。每天只知道傻玩。”

“那您怎么看待早恋呢?”

“早恋应该说像……”欣然顿了顿,想了一下:“应该像未熟的青苹果,时时地散发着一股清香,诱人而又亮丽,但咬一口却又哽又涩;或者,可以说像冬天窗户上的冰凌花,看上去晶莹美丽,一旦伸手想拥有它,却又瞬间化为乌有。严格地讲应该属于古人所说的那种‘只可远观而不可亵玩’的事物。”

“您对中学生早恋如何评价呢?”有的同学在下面发问。

“首先,我理解,毕竟那是男孩子女孩子之间刚刚开始萌动的最纯真的情感,不带一丝一毫的功利性。打动男孩女孩的可能只是一句关心的话,一个善意的眼神,一双在你需要帮助时伸过来的手。但是,我不提倡。因为有一点必须承认,在你步入早恋这一情感时，你必然会疏远周围的许多事物：学业自不必说，同学的友情也会从你身边消失。如果未来走到了一起还好说，要是没有任何结果，有一天你会发现：在你最美好的中学生活中除了那个带给你伤害的他（她），再也没有别的回忆，那会是一种无法弥补的遗憾。再有，你明知家长不同意，学校反对，甚至同学有时也会把你划为异类，这种腹背受敌的感觉，你能承受吗？”欣然再次地停顿了一下。

教室里安静极了，同学们的眼睛都在看着她，连平日上课爱趴桌子、打瞌睡的学生也都在竖着耳朵听。

“爱是浪漫的，它有时需要一支花、一个小礼物、一场电影来表达，它需要经济做基础，你们现在自己的开销还需要向老爸老妈伸手要，谈什么经济基础呢？爱在感情的前提之下更多的需要的是责任，你现在自己都需要父母的监护，又拿什么来谈为对方负责？”欣然停顿了一下进一步引导着大家：“如果有一天你步入社会，眼界开阔了，阅历加深了，忽然发现世上有许多比你身边的他（她）更适合你、令你心动的，你如何是好？毕竟你现在可选择的范围太小，干嘛要因一片绿叶而放弃了整个森林呢。总而言之，我对于早恋理解但不支持。”

陈欣然在最后用很冷静的语调结束了自己的谈话，教室中静得能听到同学们的呼吸声。

掌声从后排传来，接着第二个，第三个渐渐连成了一片，这声音持续着……同学们的脸上用代之以平静的表情回复着她的肺腑之言。看得出，他们是用心在听，在理解，虽然可能并不全明白……

欣然走出教室的时候，教室里已经又现出了往日热闹的气氛。孩子们的心情就是这样敏感而善变，欢喜烦恼只在瞬间。升旗时暖暖的太阳此刻不知躲到哪里去了，天空阴沉沉的，显现出一层惨淡的灰色。

欣然低头走在楼道里却没有丝毫的轻松感。中学，她偷偷读过肖复兴的长篇小说《早恋》，但当时她并不明白那其中的很多说法；高中，自己同学中也出现了早恋现象；虽经过了十几年，但教育者的态度永远是那么的一致：扼杀、扼杀、再扼杀。难道他们没有看见“野火烧不尽，春风吹又生”的事实吗？相比之下，自己中学班主任的低调处理的做法值得倡导：密切关注事件的动态，在他们之间没有挑明时，永远让那层窗户纸保存在他与她之间，永远让一切处于朦胧与清晰之间。站在现在的学生立场想想，其实这也没什么不可理解的，他们并非生活在真空里，耳濡目染的不乏情感之事、情感之歌、情感之剧。

路过服务组的办公室，正好遇到了服务班的班主任张老师。张老师和陈欣然年龄相仿，是同一年来到这个学校的。她教外语，但对文学有一种特殊的爱好，对生活的颇多见地和欣然不谋而合，两人成了非常要好的朋友和工作中一对默契的搭档。

“张梅，你们班的刘颖怎么这么长时间没来上学？”

“你还不知道？她正办退学手续呢！”

“退学？为什么？就为今天宣布的这件事？”

“唉，你带我们班一年多了，刘颖的脾气你还不知道，个性极强脸皮又薄，这次打架只因为她跟一个关系较好的邻居男生多说了几句，结果，男孩行侠仗义，打了那个向刘颖表示好感遭到拒绝又纠缠不休的外校学生，这下可捅了马蜂窝。”

“她没有跟学校解释吗？”

“解释？你又不是不知道咱们学校向来是谈打架色变，更别提校内与校外之间了。”张老师边说边看了看窗外，天更沉了，校园里泡桐树的大叶子在不停地抖动，旗杆上的国旗正颤颤地朝向西边。“黄鼠狼专咬病鸭子：爹妈分手，老妈下岗，供她上学挺不易的，她也本想好好学出个样，谁知出了这种事，她觉得对不起她妈又挨了处分丢了面子，所以就不想再念了。”

“何必呢，还有不到一年就毕业了。再说，处分到毕业写个申请就可以撤，又不会记入档案，真是不值得的。学校的教育手段好些都是吓吓人的。”

“我把该说的，不该说的都说了，劝她不成劝她妈，可她母亲竟说听孩子的。没办法，听其自然吧。”张梅无奈地摇摇头。

“陈欣然，办公室有家长等。”同屋吴娟红夹着书本走过楼道时冲欣然喊了一声。欣然冲她点点头，和张梅分手，心里别别扭扭地走回办公室。

推开办公室的门，一股刺鼻的香水味扑面而来。这是欣然很熟悉的CD香水中“水之欢”的味道，可能用得太多的缘故，欣然体味不出它的高雅。抬起头，欣然心里打了个激凌：在她的位子上坐着一位浓妆艳抹的四十岁左右的女人。她的两条眉毛粗黑，像两条肥大的黑虫子趴在两侧，眼线粗重发青，把一双本不太大的眼睛描绘得像国宝大熊猫。脸上的脂粉能看出颗粒，厚厚的一层让人担心打个喷嚏就会洒落一地。厚厚的嘴唇上划着极为夸张的唇线和极为亮丽的红色。总之，用线条分明、色彩艳丽来形容这张已面目全非的脸是再合适不过的。

“您是……？”欣然困惑地看着这张脸。

“你好，你就是陈欣然陈老师吧。我是扈贝贝的妈妈。”那个女人从座位上站了起来，暴露出一双肥腿和一条和她的身材极不相称的膝上短A字裙。在欣然的概念中，这种款式的裙子是属于那些身材苗条两腿颀长的年轻女士的。

“您好，对不起，我刚才有课，让您久等了。”欣然出于礼节应付着。今天让刘颖的事给闹的竟然忘了请家长的事。“没关系，没关系”那女人的口气显出一种大人大量的感觉，转身拉过边上的一把空椅子挨着欣然坐下。

“今天请您来是想和您谈谈您孩子的学习情况，”欣然转入正题，“他上学期期末考试不及格，开学的语文补考又没参加，这样，他上学年就没有成绩了。另外，他这段时间上课情况又不太好，不是睡觉就是说话，作业一次都没交。所以，我想请家长来协助老师督促一下他的学习。”现今一家一个宝贝，爹妈都视其为心头肉，欣然尽量让自己的话有点分寸，别伤了当家长的自尊心。

“陈老师，我们家贝贝的情况我知道。”那女人倒是快人快语。“您知道?”欣然对家长的爽快劲很是惊奇。“这些情况我都知道，我的孩子我还不了解!”那女人用很重的语气强调着“我的孩子”四个字，“跟你说实话，当初，我们家贝贝进这所学校是托了关系交了钱的。”

“您的意思是……”欣然茫然不解。

“我和贝贝他爸两个干个体，开公司，现在业务也大了，一年为贝贝付个万儿八千的学费也不在乎，不就是钱吗!当初，我们选这儿，可不是为了图省钱，就是图个离家近，方便。”那女人露出一付炫耀的表情，“我们可对我们家贝贝没什么大要求，拿不拿毕业证对我们也无所谓，反正买卖是自己的，以后还不都是他的。”

“那您让他到学校干什么来了，每天按点来按点走多辛苦呀。”欣然还是不解。虽说请过的家长也不少了，但这种家长还真是头一次碰到。

“现在让他出去，他还太小，让他跟着我们做生意，我们还得抽空儿照顾他。其实我们的想法很简单，就是把他放在学校里安全，等他再大点儿能做帮手了，我们就让他到公司来。”那女人侃侃而谈，一副财大气粗的嘴脸。

“您这不是把学校当托儿所吗?”欣然的火开始往上顶。“你别介意，说白了，还真是这么回子事。”那女人稍稍站起把椅子拉近欣然，欣然条件反射似的向后躲避。

“那您给他单找个保姆看着他不完了吗?”欣然皱起了眉头，

她努力地克制着。“那不成，那我们家孩子多孤单呀，周围没有同龄的孩子跟他玩，对他的心理健康发展没好处的。”那女人一副严肃的样子连连摆手，“老师，我跟你说，以后我们家贝贝上课睡觉，考不考试，你都别跟他置气，如果他说话影响你上课，你就让他在外面站一节课，你怎么罚他都行，就是别再给我们打电话了，……”。

那张腥红的大嘴在欣然的眼前不停地翻飞，不断地扩大，扩大，再扩大，一直到可以看见里面厚厚的牙石和发白的舌苔。终于那声音停止了，办公室安静了。半天，欣然的眼前再次呈现出那张色彩斑斓的脸。

“您请回吧，”欣然努力使自己平静，虽然她觉得用“您”这个词简直是糟践，但为了表明自己和她不是一个级别的人，因此，欣然特意在“您”字上加重了语气拉长了声调。“您的精神我已经领会，今天给您添麻烦了，我还有事就不送您了。”

“你别客气，”那女人说着站起来，伸出手说：“陈老师，如果以后你有什么事需要请尽管言语。”

欣然看着那双伸过来的涂着鲜红的指甲油但已经露出斑驳痕迹的手，并没有握的意思，而是做了一个请的动作。那只手在空中尴尬地停了一下，收回，转身拉开办公室的大门，自言自语了一句“你别送了”，但回头见欣然并没有送的意思，愣了一下之后，转身而去。楼道里响起一阵重重的鞋跟声。

办公室的门大敞着。一阵凉风迎面吹来，带着一股浓浓的湿气。欣然起身推开办公桌边对开的大窗，由于用力过大，窗框打在墙上又弹了回来。欣然站在窗前，任凉风扑面而来。

这世上没知识可怕吗？不可怕，因为这种人虽然愚昧但至少还有纯朴的一面。没钱可怕吗？不可怕，因为这种人往往还有一种做人的骨气。有知识有钱的人可怕吗？不可怕，因为这种人明是非懂道理。曾经有地位有钱的变成没钱没地位的可怕吗？也不可怕，因为这种人至少还有一种自小受到的良好家庭教育的熏陶。没知识而又没钱的人忽然一天变成了暴发户，那是最可怕的，在他们的身上丧失了人的尊严，人的良知，他们轻视一切比他们没钱的人，在他们的眼里钱是万能的，不但能使鬼推磨而且能使活人推磨。这条真理他们屡试不爽，直至把它用在任何一个角落。在这种氛围下长大的孩子的未来真是太可怕了。

欣然感到一种从未有过的被凌辱的感觉，这种感觉并没有因为那个女人的离去而有丝毫的减退。它积蓄在这间那个女人曾经呆过的办公室里，令欣然难以喘息。她快速地打开抽屉拿出东西扔进书包冲出了办公室。

劈劈啪啪的豆大的雨点打在陈欣然的脸上头上身上，她忘记了从抽屉里拿雨伞。远处传来轰轰的雷声，眼看着一场大雨将至，欣然还是义无反顾地冲进阴沉沉的天地里……

六

走进校门的时候，欣然已经迟到了整整十分钟。这已是她连续第三天迟到了。

“十一”后的北京，不知从哪一下子冒出那么多的外地人，公交车已经被吹成了一个即将爆炸的气球，在拥挤的马路上开开停停像辆苟延残喘的老牛车，随时都有炸裂的可能。这几天，欣然虽然不断地提早出门的时间，可是却无法左右车况和路况。昨天，欣然气喘吁吁地冲进校门时，刚好撞到了教导处当班的于敏华主任。于主任身材颀长，虽已五十但仍不失中年人的儒雅风度。平时他对欣然一向客气，既没有过多的寒暄也没有任何敌意。于主任透过那副金丝边眼镜看着满头大汗冲进校门的她，从嘴里冒出一句不冷不热不咸不淡的话：“你就不能早点。”欣然本来就因挤车迟到而搞坏的心情一下子爆发了，她死死地瞪着于主任：“再早，我住这儿得了，家近不知家远的苦，站着说话不腰痛……。”看着于主任那张白净的脸由白变红，由红变绿，欣然突然产生了一种快意：谁让他今天不开眼撞到了我这个憋气鬼。

欣然曾经向校方多次申请过宿舍，校方以没地方给推掉了。实际上，在学校常住的三口之家就有三户，学校请来的临时工也有专门的宿舍。她曾经自认为当老师的就是条件再差也不会低于临时工。其结果却并非如此。因为，不是随随便便哪个人就可以来学校当临时工的。像夜里值班师傅老宋，就只听方校长一个人的。要不是方校长有次说了他几句，他才不会按时完成总务主任布置的给校园里的树浇水的工作，当然，活也不会让他白干，学校每月多开给他五十元的浇灌劳务费。再比如总务处的临时工保定，一个很老实很勤快的小伙子，在五月底六月初悄然失踪了。开始，大家还以为他不干了，还为失去一个能干的人而失落，可十天后，他就像从地下钻出来一样黑不溜秋地站在大家面前，一问才知，他请假回家收麦子去了。欣然甚至提出过在办公室里架张临时行军床，白天拆了晚上搭，但校方也以形象不好有碍学校正常的教学秩序给否了。她时常会抬起头看着偌大的学校中的那么多间屋子，真想把自己变成桌子或椅子，至少它们还有一个可以栖身的库房。

今天，欣然又迟到了，虽然她已经尽了力，比平时早出门二十分钟，可还是迟到了。当看到当班的于主任又站在大门口时，欣然迎着他的目光走过去，大声地说：“于主任早啊！”然后，在他的眼前甩了甩自己的长发，大模大样地从他的身边走过，如入无人之境。

这学期的每个周三上午欣然都没课，她可以在办公室改改作业，备备课。第二节课铃声响起后，办公室里只剩下了欣然和卢老师面对面地坐在各自的办公桌前。

卢老师刚要张嘴说什么，钢琴制作班的班主任徐宁远急冲冲地推门进来直奔卢老师。

“卢老师，快给我出个主意，你说这可怎么办呀?”“别急，您慢慢说，别再弄得血压高。”卢老师安慰着。“学校不知发什么神经，非要利用我们班的资源建个军乐队，一张口就批下近五万块的活动经费。现在，家伙也买了，队员也齐了，练了快一个月了，却没任何起色。你说我可怎么交差呀!”

卢老师和徐宁远都是学音乐出身的。年过半百的徐老师原来就是学校的音乐老师，学校变成职校后，他也就改行教了政治。上学期，钢琴厂来和学校谈联合办学，结果，学校专门为钢琴厂招了一批学音乐的学生，钢琴至少都是六级、八级的水平。于是，徐老师便重操旧业，既当了他们的班主任，又给他们讲《乐理课》。卢老师是从师范学校音乐专业毕业的，分到这儿后直接改行交了礼仪课。现在终于也有了用武之地，兼任钢琴班的《音乐概论课》。

“钢琴多少级跟军乐原本就是两回事，学校也是异想天开，真把这群孩子当根葱。现在的音乐考级，纯粹是骗钱的，几支固定的曲子用了一年又一年，笨蛋在家练半年也能通过。”卢老师深知现今社会上考级的事儿。

“你说，他们现在最基本的气儿都不匀，几个欢快的曲子根本就找不着调。”徐老师皱着眉头说。“这就是您的问题了，初级阶段，你一定要找点特别慢的曲子让他们来吹，这样既练了运气，又是能让他们有成就感。学生才会感兴趣才会有进步。”卢老师很专业地支招。

“对呀，那什么曲子慢呢?”卢老师话到嘴边却又摇了摇头没说出口，脸上现出坏笑的表情。“求求你了，卢老师，你快说呀，只要你说得出来，我一定能找到谱子。”徐老师已经到了有病乱投医的地步。“那我说出来，你可不许跟别人说是我出的主意。”

说着卢老师在桌子上写着什么。

“啊?!《哀乐》和《葬礼进行曲》，不行，不行，在学校里天天练这个，那不要被人骂死了!”徐老师一个劲地摇头。“你叫什么呀，主意给你出了，你自己看着办!”说着卢老师站起来把徐老师推出了办公室。

欣然听到徐老师的大叫，看着徐老师满脸无奈和惊讶地被推出办公室，也觉得卢老师的玩笑开得太大了。“鹭鹭，你这不是给徐老师雪上加霜吗?亏你也想得出。”欣然冲着卢老师摇着头。“不懂了吧，这就是好用不中听，咱俩打个赌，如果徐老头真能照方抓药，不出半年准见成效。”卢老师坐回位子上却胸有成竹地下着定语。

“对了，欣然，你知道吗，上学期六月份评的一级职称下来了。”卢老师四下看看后小声地转了话题。“是吗，都谁呀?”欣然永远是学校中消息最不灵通人士之一。“还能有谁，不就是上学期报上去的那两个。”卢老师阴阳怪气地说，气都是从鼻子里冲出来的。

“不会吧，上面真批了?那上学期结束时折腾个啥。”欣然以为自己听错了。“你可真是的，那是做给咱老百姓看的，官官相护你懂吗?”卢老师一副不屑地表情。“可，那也太明显了。”欣然还是不愿意接受这个事实。“你呀，政治上太幼稚!”卢老师说完便不再理会欣然。

办公室里重又安静下来。其实，这个结果应该说也是在欣然意料之中的，只是她还对上面领导或多或少地抱有一点希望罢了。但现在，这唯一的一点儿也破灭了。

人们常说学校是一块净土，但是，在铜臭气浓郁的大环境中，这块净土也发生着质的变化。欣然一直认为学校不单是净土更是清水衙门。在经济上不能满足人们需求时，得到某种精神上的认可便成为老师们莫大的追求。职称评定便成了这种精神追求的表现形式之一。

一般来讲，学校的教师职称可以分为：高级、中级、初级。只要是大学本科毕业转正第二年就可以顺理成章地被评为初级；再干五年就可以申报中级；再五年就可以申报高级。在八十年代初，由于历史原因，各校只有那些在专业上颇有建树的人才能评为高级。但随着时间的推移，更多的人只要混到一定的年头照样可以戴上高级职称的帽子然后光荣退休。大学本科生一般工作五年以上都可以申报并评为中级。她的很多同班同学现在其它学校或其它区的都早在两年前就已经先后成为中教一级。

可是，在这所学校却发生了一系列令人费解的怪事：早在一年前，学校有八个评中级职称的名额。可不知为什么，校方已内定给了两名四十出头的“老”教师和六个当初在八五、八六年留校任教的本校职高生（这些人已先后或正在读大专文凭），这其中也确有十分出色的专业教师。当大家知道此事时，申报表已经填完，名额已上报。当包括欣然在内的一群够资格的教师向学校提出质疑时，校方的回答是：你们这些大学生有的是资本，有的是机会，别着急，下次就是你们的。结果呢？由于八个人中有两个没有论文材料、四个没有在一线任课，只有两人过关，白白浪费了六个名额。

六月中旬虽刚入初夏，但由于还未进入雨季所以显得干燥异常。每年一次的评职称工作再次降临到了校园。天气的燥热丝毫没有影响人们的情绪，夏日迷离的气息此时此刻在校园中消失殆尽。人们再一次进入到一种亢奋状态，知识分子的心血、努力将被承认的时刻终于到来了。大家跃跃欲试，由于名额有限，甚至有了点磨刀霍霍的劲头。

周一下午，在校园走廊的布告栏上贴出了一张通知：

本周二下午3:40全体教职员工到学校二楼阶梯教室开会，传达本学年职称评定精神，请准时到会，没有极特殊情况不许请假。

校长办公室

××年×月×日

周二的下午，开会的时间未到，人们已陆陆续续就座。往日常常迟到的几个老师此刻也按时走进阶梯教室的大门。欣然照例和几个要好的女教师坐在教室最后。

校人事干部黄伟兰主持会议。黄伟兰原是一位部队退伍军人，曾任过卫生员，所以安置到学校后一直从事校医工作。她本人中学文化程度，在学校里属于没什么发展前途的。但她却有一份超过常人的把握机遇的能力。她若干年来紧随古副书记之后，党指向哪就打向哪，可谓任劳任怨，毫无二话。对上级绝对言听计从，对下级则有事必上达。四十好几的女人，每天早上一趟打五壶开水上三楼：两壶是校长室的，两壶是书记室的，一壶自用。这样的同志哪个领导不喜欢。于是，在古秋菱由人事干部提拔为党支部副书记后，她就顺理成章地成为校人事干部的接班人。她在部队十七岁入党，担当人事干部的首要条件具备；刚刚四十出头，说老还年轻，有深厚的工作经验。可不巧，上级对干部提出文凭要求。中学毕业——这在当今只有下岗份儿的学历给了她当头一棒。好在领导们有心提拔她。于是，在人不知鬼不觉中，她的档案发生了一个小小的却又是极为关键的变化：学历栏中，“中学”变成了“中专”。于是她“符合”了提干的最低要求；于是她在卧薪尝胆之后如愿以偿；于是在一夜之间，她成为了学校中的实权派；于是她便顺理成章地成了今天这个会议的主持人。

“大家安静了，现在开会。”她的声音不大，声调不高，可是由于会议的内容关系到在场的每个人的切身利益，因此会场即刻便鸦雀无声。“下面，我把上级下达的职称评定的有关文件给大家传达一下。这其中有很多是写给人事干部的，和大家无关，我就挑主要的念吧。”她停顿了一下，为的是引起大家的注意。“能大声点吗。”有个男人的声音从会场的东侧响起。

“今年，”她把声音提高了许多，“上级经过综合评议和具体操作，发现我校的职称评定到本年度，高级职称已经为负一个名额，即已没有名额可操作；中级职称为二个名额。但对中级职称提出了更为严格的要求即：从今年开始没有大专学历的人不能参与中级职称的评定。”

当她宣布高级没有名额的时候，会场上开始乱了，几个打算今年申报高级的教师开始交头接耳。当她把中级职称的评定要求说出的话音刚落，从教室左侧靠后的位置上窜起一个高大的身影，他在座位上站了一下，欲言又止，脸色惨白。他张了张嘴，什么也没说出来，便愤然大步地走出了教室。

陈欣然的目光随着他的举动，直到他消失才又收了回来。她看到了他那张愤怒的脸，感受到了他的无奈。她清楚地意识到这次他彻底地完蛋了，最后一次机会已经永远地离他远去了。

他姓田，是学校的元老。十七岁那年从中师毕业后到这所学校当体育教师。多年来一直勤勤恳恳默默耕耘。每年的校运动会都是他一手操办。每届的区运动会他都能带领学生捧回奖状和奖杯。在开始职评的最初几年，因为有很多历史问题需要解决，也由于他还是名青年教师，所以，学校一直未考虑他的职称问题。他本人也因同龄人的情况和他差不多也就没有什么“非份之想”。随着时间的推移，轮到他这一茬时，因为他是副科老师（虽然教育方针中提出德、智、体全面发展，很少有学校会真正地把体育当作一项主课），所以，领导又一次次地未考虑他。直到前年，领导终于把“关注”的视线移向他。

自学校开始创立学生南方实习工作后，大批的火车票问题就成了令领导们头痛的事情。因为在当时，京广线的火车票相当紧张，更别说每批需要送走四五十个学生了。危难之时，田老师挺身而出，通过自己的社会关系，每次都能把学生按时发往目的地。于是，他成了吸引领导眼球的功臣。那时，他已到不惑之年，和他同年参加工作的妻子已经是别校的高级教师了。去年，经过初评委的讨论，他终于拿到了中级资格的申报表。

这天，校长办公室的胡秘书笑眯眯地走进了他的办公室："田老师，忙什么呢?""哟，胡秘书，什么风把你吹来了?"田老师有一种不祥的预感。胡秘书是校长身边的红人，平时紧随校长之后，很少有时间和同事们谈天更别说能走进谁的办公室来聊聊了。

"没事，路过。真为你高兴啊，田老师，这次职评终于轮到你了，可真不错。"他一改往日的慢条斯理的语速。"有什么不错，"田老师低头写着他的教案，"多少年了，你看周围学校还有我这把年纪的初级教师吗。更何况我还是一直在一线任课的。"

"那是，那是。"胡秘书随声附和，"不过，这也不能全怪领导，主要是历史遗留问题太多。"他三句话不离本职工作。"你甭跟我打哈哈，什么都说是历史问题，难道就没有……"他把没出口的话又咽了回去。毕竟，在这关键时候，不得罪人为上策，更何况是领导身边的红人，他要是给你上点眼药，比你指着领导的鼻子骂人还可怕。

"嗯……嗯……"胡秘书欲言又止。田老师看着他顾左右而言他的样子，于是主动问："什么事，请直说，别吞吞吐吐的，跟我这个平民百姓说话，不用考虑怎么说。"

"那我就直说了。不过，田老师你可不许急。"胡秘书先打起预防针。"你烦不烦呢。"田老师有些不耐烦。"校长让我代表校行政会想和您商量点事儿。"胡秘书弯着腰凑近了田老师耳朵。听着这么客气的开场白，田老师的心不由自主地抖了一下。

"情况是这样的。这次初评委已经定了你参评中级职称。可是现在有点特殊情况，领导希望你能体谅。赵淑兰老师至今也还是二级，今年年底她就要退休了。她在我们学校的图书馆也算勤勤恳恳地干了五年了，过了这次她就再没有机会了。所以，领导想请你帮个忙，毕竟——你明年还有机会，所以，想请你通融一下，能不能把这次的名额让给赵老师。”

“凭什么叫我让，我等这个机会也好多年了。”田老师大声说。虽然他在胡秘书进屋时就做好了有倒霉事的准备，但这个结果是他没有料到的。“这，我也明白，我知道这挺难为你的，可是赵老师不是马上就要退休了吗。”胡秘书打着哈哈。

“谁说退休就是照顾的理由，那我干脆现在就申请退休得了。”田老师寸步不让。“你别说气话。其实，我也知道这样做不合理也不合适，可这事儿，这事儿领导布置下来了。我也为难呀！”胡秘书表现出一副同情但又无可奈何的样子。

“哪位领导布置的，我找他去。”田老师说着站起来就要往门口冲。胡秘书一把把他拽住。“田老师，我劝你想开些。”他压低了声音接着说：“说你们教体育的四肢发达，头脑简单。这事儿你也不过过脑子：要是没有后台，当初她能从工厂调到学校？还干了这么一份舒服的工作吗？要是没后台，这种事谁会为她出头？要是没有上面压着，我能难为你老哥吗？老兄，你怎么不想想呀！”

田老师站在原地没动，他掂量着胡秘书话中的份量。“那，那干啥偏找我？”“唉，你怎么明白人尽说糊涂话。领导能不左右衡量吗。有的在市里获过奖，有的是区里的先进，有的是咱领导的夫人，最后只能是你了，相比之下，你不是没他们根儿硬吗？”胡秘书显出少有的对下面人的耐心。“直言对你说，这事已成定局，上面把这事布置下来，校长也没有办法。如果你拒绝，让校长在上面难堪，你的材料即使报上去能否批下来还难说了，你可别忘了，中级职称是在区教委批的。倒不如，你这次就遂了领导的心。领导也会念你的好，还能亏了你，一定会从别的方面补偿你的。对了，领导还说，明年评职称，雷打不动你第一个。”

“可是……”田老师还想再说什么。“还可是什么呀！这事就这么着了。我在领导面前替你再美言几句，明年，肯定没问题!”胡秘书说着拍拍田老师的肩膀，“把表给我吧，我正好给领导带上去。”田老师很不情愿地打开抽屉，从里面的夹子里拿出平展展的表格，递过去的手在空中又犹豫了。胡秘书手疾眼快地扯过来，连看都没看田老师一眼，转身出了办公室。

事情就这样“解决”了。于是，老实而又无奈的田老师很荣幸地和领导们一起去南方考察了一趟，当然，十几个人的票还是他想办法解决的。于是，内心稍感平衡的田老师又开始等待着他下一个春天的到来。可是，谁也没有料到小草才刚刚吐芽，就遇霜冻，而且是一个永远也无法融化的永冻期。这一点，领导们可能也是始料不及的。

此刻，陈欣然虽然为田老师的不幸而叹息，但更多地她在关注自己的命运。因为她曾经有个梦想：努力地干几年，多出成果，争取成为校内最年轻的中级教师。

“下面，我再代表校行政会宣布对中级职称名额使用的决定。”黄伟兰在田老师愤然退席之后只稍停片刻就继续念她的文件，“由于我校申报中级职称的人员较多，而我校到本年只有两个名额，所以校行政会决定，近期暂不考虑这两个名额。具体安排等通知。散会。”

散会两个字宣布得干脆利落，没有拖泥带水，让人没有丝毫的思想准备。领导们快速地离开会场。没有人做任何解释。教师们在一片喧哗声中慢慢地散去。

七

办公室中一片沸沸扬扬。

“怎么回事，今年出什么鬼了，怎么会连高级职称的名额都没有了，而且还倒欠上面一个名额。”正准备申报高级职称的郑义老师气冲冲地嚷道。

“一年一个新政策，领导们的政策始终制定得那么有学问，总能让自己划在有效范围内。像我们这样的老高中毕业生，上高级算是彻底没戏了。”原本打算顶着高级混到退休的王敏之老师叹息着。

“这么多年来都没有遇到这样的怪事，也不知哪出了问题?”祝华也在摇头。她原本打算今年申报高级的。

“唉，也别总说上面，我看，这下面也要出问题。”周老头好像知道了什么似的。

欣然听着他们的谈话并没有插嘴，她正在给学校的人员大排队，想看看今年到底有多少人参加中级职称评定。

“操那份心干吗，金簪子掉到水里，是你的，就是你的，急也没用。”张艳青一副很想得开的样子，拿起书包走了。她本人也在申报人之列。“唉，回家吧。等来等去，原来只是一场空。”王敏之叹叹气拿起包走出了办公室。

“欣然，还不走?”好友吴娟红收拾起东西拿起车后座上为孩子准备的小软垫问了句。“等会儿就走。”欣然回答，“你还接孩子吗?”“接！她爸忙得没时间，只好我接了。”吴娟红任劳任怨的样子。“你说你当初干吗把孩子放那么远。冬天到了，又该你受罪了。”欣然看着她的发黄的脸色说。“没办法，谁叫我是她妈呢。”吴娟红一副自豪的表情。“你最近脸色不太好，可要当心呀!”“顾不了那么多了，我先走了。”吴娟红忙忙叨叨地走了，办公室里安静下来了。

欣然仔细一算，吓了一大跳。老天爷，怪不得领导决定暂不考虑，原来有这么多人在等这两个名额：四个历史遗留问题，五个到期的大学本科生，三个今年到期的留校生，还有去年没批的六个人。看来，这两个名额的竞争够激烈的。欣然想到这儿，竟然有点替领导担心：这么多的人都要摆平了可真够难为领导的。

一场难得的夏雨在毫无征兆的情况下铺天盖地而来，它没完没了地一气下了三天，把整个北京城由上到下，由外到内浇了个透。密云水库传出好消息：这场大雨使水库的蓄水量大增，缓解了北京用水紧张状况。这场大雨把初夏刚刚抬头的暑热浇了回去，也把校园中的暑气打得无影无踪。

周五下午是学校的例会。上午在校园走廊的布告栏前又贴出了一张通知：

今天下午（周五）1:45 全体教职员工到二楼阶梯教室开紧急会议。

请准时参加。

校长办公室启

欣然走进办公室时，组长正在大声地通知各位老师："下午开会，老地方，别请假，急事。"

"组长，什么紧事呀，你给我们透露点儿行吗？"卢老师开玩笑地说。

"不知道。"周世仁一口回绝。

"领导，你就说一点儿吧，再说，你的党性一贯也不是很强的。"欣然也接过话茬半开玩笑地说。

周老头业务平平，有时还会抄抄欣然的备课笔记，或是拿她出的卷子直接给学生考试，正确答案都懒得做，照抄欣然的。但在组里，他是个老好人，没那么多的事，特别是对年轻人，有错他真说，但决不难为你。领导要是查你，他会拼命地为你说好话，所以落了个好人缘。

“我真不知道，要是知道，我还能不告诉你们。”周老头并非想坚持原则。

“什么事这么急，不会是要发大水了吧?”郑义总是那么敏感。“你神经病吧，乌鸦嘴。看新闻看多了吧你。”王敏之的反应极为强烈。她可是组里最胆小的人。“北京要真发大水，那才叫难得呢。”郑义反驳道。“瞎操心，皇上选的地方准没错，不会发水的。”周老头身上据说有皇族血统，所以冒出这样的大话。

下午的会由古副书记主持。方宏进校长和李宝江副校长都在主席台上就座。一看就知有大事情。因为平时，没正经事时，方校长他们都是坐在会场的第一排的。

“今天，紧急召开这个会，是想宣布一个决定，有关我校两个中级职称名额的问题。经校方初评委一再权衡后决定，此次的名额将按上级要求给具有大专以上学历的同志。我校符合这一要求的有十三名同志，这其中有我校原有的留校生，他们已读完大专，有分到我校来的已满五年的几个本科生。由于名额有限，我们经研究决定按这十三名同志到校的先后为序。最终，学校决定把这两个名额给方虹蕾和付国辉两位同志。”古副书记一口气说完了学校的决定。语速之快，言辞之流利超出了平时的水平。“同时，校行政会在此宣布一个补充规定，以后评定职称要和大家到本校的工作时间挂钩。”

会场上的人都愣住了，有的人大张着嘴，有的人大瞪着双眼。

“如果有意见，请大家举手表态。如果没有意见我们全体举手表决。同意以上二人的请举手。”坐在主席台上的方校长突然发话。只见他圆睁着双眼认真地扫视着开会的人们。在他的视线经过的地方，人们慢慢地一个、又一个举起了手。欣然的手僵持在桌子下，她不想举，她反对这个决定。但看到周围人纷纷举起手她又有些犹豫，她现在明白了方校长为什么坐在主席台上，因为那样，他就可以明明白白地看到谁在反对他的意见。欣然在不断地斗争，虽然她知道，即使她不举手这个决定也会通过，但她就是不想充当任人宰割的羔羊。她的手迟缓地举到半截又放了下去。这时，坐在她旁边的张梅抓住她的手抬出了桌面，脚底下还踢了她一脚。欣然慢慢地把手抬了起来。一会儿，方校长露出满意的笑容，宣布道："全体通过。"

"那么，今天的会就开到这里，请以上两位同志会后到人事干部处领申报表。散会。"古副书记宣布。领导们率先走出了阶梯教室。

"请大家注意，领导为表彰大家在本次职评中的态度，特决定给每人发五百元奖金，会后请到会计室去领。别忘了，要不我们又结不了账了。"会计室的蔡姐宣布着发钱的"好消息"。

"又有钱花喽!"不知谁高兴地叫了一嗓子。

"真他妈的不要脸!"不知谁在会场里大声地骂了一句，"又想当婊子又想立贞洁牌坊。"

人们陆陆续续散去。很快，又聚集在了会计室的门口。大家彼此挨得很近，但没有人主动说话。签字数钱离开，走廊里不时传出呲呲啦啦地蹭地声。

没有人说话，没有人道别，没有人议论。只听到钥匙声，开抽屉声，往包里扔东西声、脚步声和关灯声。一分钟之后，办公室里只剩下陈欣然一个人。

欣然默默地坐在自己的办公桌前，她感觉到自己在不住地发抖。她有过不幸的婚姻，但她没有过遭人施暴的经历。她曾经想象过那种经历带给人的感觉，但那一切都是模糊不真切的。她不明白为什么有的女子在经历过这种劫难后会想到死。但今天，欣然才发现她已经体味到那种痛不欲生的滋味。而且，这种精神上的施暴比肉体上的更可怕。张梅的举动绝对是为她好，这点她很清楚。但这不符合她做人的原则——宁为玉碎不为瓦全。

欣然在这所学校虽然已看到过很多的不公平，但她没有想到这个人们常称之为“净土”的地方原来会有如此的龌龊之举。

方虹蕾、付国辉何许人也？他们就是每次在全体会上没完没了说话的那对年轻人。一个是现任校长的女儿，一个是现任校长的女婿。校内人士常戏称为公主和衙内。难道校长的亲戚就不能评职称吗？否。欣然决没有这个意思。可是凭良心，无论是从业务水平、工作业绩、工作能力论，他二人实在是属于极其一般的，不论是论业绩还是论资排辈，这两个名额都是与他们无缘的。当然，老师们还都给他们一点儿面子，但那实际是给他们的父亲的，因为大家毕竟在一起摸爬滚打了这么多年。方校长也真了解自已的孩子，不然，他也不至于为两个孩子绞尽脑汁想出这么个方法，同时还要撕开老脸亲自督阵。利用职务之便，这在当今的社会人们已习以为常，可是如此地“肥水不流外人田”却是真需要些胆量和魄力。也许，用“不要脸”三个字来为这件事定论真是再合适不过了。

那天晚上，欣然很晚才睡，她在母亲的鼓励下拿起了笔。她给区教委职称科和市教委职称科写信。在信中，她如实地反映了这次职称评定的经过和结果。在信的结尾欣然这样写道：“我不相信也不能接受这个事实。难道党就真的允许下面的人如此利用职权徇私舞弊？难道党就真的同意他的人在自己脸上抹黑？难道党就真的允许他的成员丧失党性和原则？我期待着公正和公平！”那封信是用电脑打的，没有署名。

身后有一个黑影，一个巨大的黑影跟着她。她慢他也慢，她快他也快。慢慢快快中恐怖袭上心头。她不敢回头，她不知道回头会看到什么。跑，她决定跑。于是她健步如飞。可是她清楚地感觉到那黑影也在飞，而且那黑影已经伸出了黑色的大手，那双黑手正向她一点点地靠近。她狂奔如受惊的烈马，她能感觉到自己的长发在如缎幅般地抖动，但那抖动传递的只有无尽的恐惧。她从没有跑过这么快，她的耳边连风声都消失了，她好似进入了真空状态……她跑进一条狭长的山谷，两边是刀割斧削的峭壁，没有一棵树，一片草，一朵花……腿已经不是自己的，没有了累的感觉，只是机械地前进，她甚至已经不用喘气了。忽然，她发现自己站在一块大石坪上，平滑如冰能照出人影。想看看那个追赶她的是谁，可石坪上只有她一个人的影子。更可怕的是，她发现自己无路可逃——这大石坪竟然悬在半空中。她忽然有了勇气，死前要明白自己是败在谁的手里，她猛然转身……身后只有空空的山谷，空空的山路，惟一的一个活物就是她自己。山谷里静得出奇，她能听到自己砰砰的心跳、呼呼的喘息，她一下子瘫在地上，山风吹得她瑟瑟发抖。阴森森的山谷中出现一道光，她开始去追寻那道亮色。眼前是一片云海，由黑灰变成银白变成雪白变成浅橙变成金黄，在色彩最浓重的地方，她知道太阳就要出来了，太阳是一天的开始。她决定在看完日出后一切从头再来。她怀着期待的心情盯着那片云海。一声巨响在山谷中回荡，她四下寻找，寻找那声音从何而出。突然，她发现脚下的大石坪裂开了，并且在一块块地坍塌，速度快得瞬间只剩一只脚的地方，恐惧再一次向她袭来。她的身体在向下掉，她快速地抓住身边的石头，可是那块石头也塌了，去抓另一块石头，她又失败了，她知道自己完了，再也没有生的机会了。她突然有一种莫名的解脱，她开始变得异常冷静。她抓着刚刚脱落的那块石头向下坠，她的眼睛一眨不眨地朝着太阳要升起的地方……有太阳陪伴真好！……

她在恶梦的伴随下怀着紧张的心情期待着结果。

四天后，学校里一片混乱。初评委们被一次又一次地叫去开会。几名符合申报中级职称条件的老师被请到了区教委职称科了解情况。欣然静观这一切，她重又看到了希望。

星期五的下午，老师们都在处理各自的工作。三点半，周老头才从会议室回来，他是被领导临时叫去充当初评委的。欣然很想知道开会的内容，便拿起水杯。

“领导，辛苦了，给你也倒点水。”欣然在倒满自己的杯子后随手给周老头也倒了水。

“可不，能不苦吗。什么事都是事后擦屁股，早干嘛来着。这大热的天，我们招谁惹谁了。”周老头用卷子一边扇一边拿起水杯诉着苦：“让我们补选票，一次还不行，还要两次，每次还不能一样，还要有个过程，结果还不就是那么回事，骗上面呗。也不知是谁把这事给捅了，添这份儿乱！有什么用啊！”

“这次的事有人给捅了，谁呀?”郑老师最爱打听这种事。

“不知道，听说是用电脑写的信，领导想查都没法下手。”周老头喝了口水说。

“不过，这次他们也真是太不像话了。”王老师接过话茬儿。

“不像话怎么着，这儿还是姓方的天下，有意见也得忍着。被叫去的那几个小青年傻乎乎的，还以为真有自己的出头之日了，过几天就有他们的好了。姓方的没背景敢这么干?这上面和下面都是通着的，他们在上面说什么，下面用不了半个小时就知道了。幼稚!”周老头语惊四座。

欣然为自己的天真感到可笑，同时又为自己的小聪明暗暗庆幸。

下班时，路过学校浴室的窗下，欣然听见里面有两个声音在说话：

“你可得把开会的记录补好，千万别出什么错了。”古副书记的声音。

“放心吧书记，我一定让会议记录和选票不出任何问题。”黄伟兰的声音。

“这事要再有什么闪失，老板怪下来，我们可担不起啊。”

很快，陈欣然失望了：她听说那封信被领导从区教委要了回来，校方正在调查谁是告密者；她听说几个被请去了解情况的老师反映的情况被一字不漏地反馈回了学校，领导正找他们几个单独谈话；她听说，区里已经认可了校方所谓的书面材料……

一切的一切在一片沸沸扬扬中慢慢地趋于平静，欣然除了气愤和失望之余还有一份愧疚，因为学校中有位老师不知什么原因被校方怀疑是告密者。她几次和他擦肩而过，却没有勇气承认这个事实。

八

十月十八日，星期六，欣然一改平时周末睡懒觉的习惯，早早地就醒了。拉开窗帘，外面阴沉沉的，没有太阳，但这一点也没有影响她的好心情。她站在衣橱前看看这件试试那件，不知该穿什么才能表达今天的心情。最后，还是妈妈帮她拿了主意：雪青色的套裙配浅雪青色蓝花衬衣，一副干练的职业女性形象。临出门时，她叮嘱着妈妈：

“妈，您一会儿别忘了穿漂亮点儿，今天可也是你的节日呀！”欣然一边吃着早点一边提醒着。欣然和哥哥都是从妈妈的学校毕业的。这样的盛会也是为她开的。

“我哥呢？他今天去不去？”欣然在门口一边穿鞋一边不自觉地向哥哥屋里探探头，床上空空的，只有叠得整整齐齐的被子。当过兵的人就是不一样，什么时候内务整得都是方方正正的。

“他呀，没谱！他说这种活动这是为那些有出息的学生准备的，像他这么一个出租车司机，谁会在意你是哪个学校毕业的。

他说有空就去看看。”

“神经病。咱们学校的老师才不会那么势利眼呢!”欣然为自己的母校辩解着。

八点半,欣然已经站在了母校的大门口。

到处是熙熙攘攘的人流,把本不宽敞的马路塞得更加拥挤。特意请来的交通警正在认真地维持着秩序。校门的正对面停着一大溜各式各样的小汽车:奔驰、宝马、欧宝、福特、桑塔那2000、夏利、松花江……。校门的一边则是一片数不清的自行车:最新型的山地车,轻便的城市跑车,各色的公主车……,还有老掉牙的二八红旗,凤凰。欣然原以为自己是来得早的,殊不知还有更积极的校友。四十几个近两米高的大花篮从校门口一溜排进校内,那花鲜艳欲滴,正带着满脸的爱意欢迎着孩子们回家来。四只巨大的升空气球在操场上飘舞,像妈妈张开的手臂,迎接着爱子的归来……一派节日气氛。

校园已经全变了,变得陌生而新潮:以前欣然初中三年所在的一幢灰色的大楼已经被一幢外墙贴着白瓷砖的新楼所代替;高中三年所在的红楼现在只剩下一小堆还没有完全运走的瓦砾;原先校门口的一排平房,现在已是一幢高楼;以前炉渣铺垫的操场此刻已被塑胶操场所替代;就连原先打水的黑乎乎的锅炉房也已变得宽敞明亮。惟一没变的就是那个进出实验楼的小月亮门还在。欣然真想重温一下往日的生活,但却很难找到上学时的影子,哪怕只有一点儿点儿。她不免有些小小的失落。

“欣然,陈欣然。”听到有人在叫她,回头,只见从人群中跑出一个带着小男孩儿的妇女。“欣然,你还认得我吗?”“你,你……你是宋婷婷吧。”欣然飞快地在记忆中搜索着这张脸,有点不敢认,但那样子又有点像。“哇,太棒了,真没想到你还认得我,我的变化挺大的。不过,我可是一下就认出你来了,你一点都没变，比以前更漂亮了。”宋婷婷还像从前那样快人快语。她兴奋地弯腰拉着身边小男孩儿的手指着欣然说：“快，叫阿姨，这是妈妈的中学同学。”“阿姨好！”小男孩儿仰起天真的小脸看着欣然奶声奶气地说。欣然蹲下身，拉着小男孩儿胖胖的小手：“你好！很高兴见到你。”她说着又仰着头问：“你儿子？都这么大了。”她有点吃惊但更多的是无法言说的嫉妒。“你怎么样，也有小孩儿了吧。”“我……”欣然不知该如何回答。正在这时，她从人群间看到了那个极为熟悉的身影——她中学六年的班主任陈老师。“陈老师！”她大叫了一声，跑了过去。

“欣然，是你呀。”陈老师上下打量着眼前的她，“大姑娘了，我都有点儿不敢认了。头发也留起来了，这么漂亮！”陈老师说着用手摸着欣然的长发。“可您不还是一下就认出我来了吗？”“那是因为你的声音没变。我们班的小百灵。”欣然激动得声音有点发抖，她紧紧地抓住老师的手，那双手还是那么有力温暖，只不过手背上多了几个老年斑。她仔细地看着自己的老师，老师的头发已经平添了许多白发，而且眼角的皱纹比以前更多了，但她依然那样的精神焕发，神采奕奕。

几个同学聚了过来。“你们看看这几个是谁？还认得出吗？”陈老师笑容可掬地把欣然推到了一堆男生面前。“蔡包子，小脑袋，不长，是你们呀。”欣然脱口说出了他们的绰号。“啊，只记得我们的外号不记得大名了吧。”“哪儿能呀，这不是我们当年最亲切的称呼吗！”他们曾经是在一起战斗的组员。“欣然，还记得我吗？”一个穿着军装的少尉军官站在了她的面前。“你，你是……”欣然有些迟疑。“认不出了吧。”对方得意地用手去摸了摸自己的鼻子。摸鼻子的动作竟然一点没变。欣然一下子想起了他的名字：“侯小明。”“他，你可不该忘记。”边上的“不长”坏乐着说，“这可是真正的同桌的你！”“你少讨厌啊，要不你怎么光长心眼不长个儿呢。”欣然回敬道。

“看看，真是一点儿也没变，以前在一起你们两个就老吵，怎么十年后一见面还吵。”陈老师在一边看着这一对小冤家乐着说。“同桌的你，很可惜，我没能把你的长发盘起。”侯小明一直用眼睛盯着欣然，一脸正色，丝毫没有开玩笑的成份。“你瞎说什么呢。”欣然低声地责怪他的不分场合，“怎么回事？一会儿可要讲给我们听听哟！”“蔡包子”开始在旁边起哄。

“陈校长，陈校长，请你马上到主席台前来，请你马上到主席台前来。”校园的喇叭在叫。

“我去去就来，你们一个也别走，我一会儿就过来，一定等着我。”陈老师说完急匆匆地冲入了人群。

“不会吧。”“不会吧？”“不会吧！”同学们你一声，我一声地怪叫着，忽然大家兴奋地喊起来：“陈老师当校长了。”“陈老师成领导了。”“陈老师以后要叫她冒号了。”十年前，陈老师当他们班主任的时候，还是刚刚调入到这所学校只有一年的“新”老师。

“嘿，你们好，大家好。”一个领导模样的胖子从人群后面钻出来。“大班长，是你呀。”宋婷婷看着他。他是这个班的头儿，大家一直管他叫“大哰儿”。这是由于他上小学时说话不熟练总在不该停顿的地方停顿而得的绰号，并一直延用到初中、高中。他虽学习一般，却有一副热心肠，于是落了个好人缘，一度是班里的核心。“这么多人，我还担心没人来呢。”他习惯地摸摸脑袋。

“张涛，你现在干什么呢？”他开始关心起大家。张涛曾是班里的大帅哥，可惜当年校园里没有这样的流行词。他因男子200米和400米打破校纪录而成为关注的焦点，属于女生一见眼发亮，回头率很高的那类男生。“我现在做室内装饰设计与装修。大家如果有新居的话，我愿为之效劳。”张涛一边用手摸着他那已头发渐少的脑袋一边忙从口袋里往外掏名片。“怎么年纪轻轻头发见少呀？”“不长”是哪壶不开提哪壶。“挣钱累的。”他调侃道。“成果如何?”“现在除了一辆汽车和一套未装修的坯房就什么也没有了。”班长拍着他的肩膀狠狠地说:“那我看，你快成我们主打方向了!”

“啊呀，你们这么早就到了，我还以为自己是早的呢。”女性的声音。“郭小慧，怎么十年没见你还是这样。”宋婷婷一眼认出了这个先声夺人的家伙。“唉，这叫江山易改本性难移。”郭小慧还是一副快人快语的样子。“怎么样呀，外语课代表?”“蔡包子”发难。“我，挺好的。咦，欣然，你怎么和以前不一样了，头发留这么长了，人也变得文静了。”她并没有回答问话反倒关注着欣然。

欣然在上学时就不喜欢她，虽然她们属于同类，都外向开朗，但欣然最讨厌她的张扬劲。她曾经靠打小报告而夺取了外语课代表邹雷的权。为此，欣然和“不长”、侯小明他们就公然在早自习和她作对，直到把她气得哭着跑出教室到老师处告状为止。

欣然只是出于礼貌地对她笑笑并没有回答。欣然的怪毛病:不喜欢的人她很少去理会。“谁像你呀，一点儿没变。女孩子应该稳重一点儿。”侯小明接过话茬儿。

“得了，得了，别刚一见面就开战。”班长打断了他们的对话。“说说你的情况，对你，我们可早有耳闻，”班长停顿了一下向大家挤挤眼问:“特别是你的个人问题。”“我有什么问题，不过是在一家德国公司作业务。至于个人问题至今还没有解决，你们可要关心关心我。”“哇……我们可不敢越俎代庖，不然人家蓝眼睛白皮肤的人可要找上门来了。”“蔡包子”扔出一句话。男生们坏笑。欣然莫名其妙地望着大家。“一看你就是在学校关的，太闭塞了，”张涛笑着对欣然说。

学生们越聚越多，大家已经没有了年级的界限，班级的界限，男女生的界限。不管是认识的，不认识的，当初合作过的，叫得上名，叫不上名的，一团亲热。真没有想到一个校庆竟然让大家如此兴味盎然。欣然裹在一大群同学中，被一种久违的情绪包围着，感染着，所有的不快已无影无踪。

主席台上一派热闹景象。著名的中央电视台的主持人在为大家主持演出。原来，她是校友。人艺的女演员在表演诗朗诵，原来，她也是校友……此时此刻，欣然又一次体会到了当老师的快乐：桃李满天下！她感到自豪：自己是其中的一份子，正用青春和热血完成着太阳下最伟大的事业。

一个小记者走到了他们中间："陈校长叫你们到她的办公室等她，请大家跟我来。"

同学们跟着他走进了校长办公室。宽敞明亮的办公室充满着现代化氛围：棕红色的大班台和黑色的高背软椅；白色的电脑显得格外醒目；传真电话正接到一份文件；窗台上一个由玫瑰、康乃馨、勿忘我、红掌、泰国兰做成的花篮正散发着阵阵清香；两个三人沙发对称地排在两侧；一台白色的冰热饮水机立在进门的地方；东面的墙壁上挂着一幅山水油画，落款上写着敬献的学生名字和班级。

"让大家久等了。"陈老师，不，陈校长一溜小跑地进了办公室，虽不热，但她的额头还是沁出了一层细细的汗滴。在她的身后，跟着两个人：一位女士，手持话筒；一位男士，扛着摄像机。

"这是我调到这所学校来教过的第一批也是惟一的一批从初一带到高三整整六年的学生。"陈校长向那两个人介绍。

"大家好，我是北京有线电视台的记者，今天正逢你们学校四十周年校庆之际，我想采访一下你们的老师，结果，陈校长就把你们介绍给了我，下面我们就一起聊聊吧。"女记者在自我介绍后发出了邀请。

"地方有限，大家挤挤吧。"陈老师说。同学们三三两两人座，有的挤在一起，有的落在一块，很是亲热。班长把大班椅从桌子后面搬到了前面，让陈老师坐下。

“大家离开学校已经有几年了吧，想母校吗?”女记者发问。

“想——”大家又拿出了上课回答问题的腔调，同时又忍不住为这久违的腔调笑了。“我们都有十年没回来了，能不想吗。”班长快人快语。“别听他的，假惺惺，我怎么没听你主动提出回学校看看。”“不长”揭发着。大家开始起哄，“他，还忙陪女朋友呢。”“别闹了，安静，现在是答记者问时间。”班长嚷了声。

“回想起学校的生活，你们最留恋的是什么?”女记者又问。

“当然是想各位教过我们的老师和相处融洽的同学们了。像教数学的韩老师、教地理的张老师、教历史的耿老师、教外语的——”有人提醒道“潘老师呀!”。毕竟时间太久个别老师的名字一下子叫不出来了。

“那，你们的班主任给你们的最深影响是什么?”女记者又问。

“我觉得是一种责任感。”宋婷婷说：“这是我工作之后才体会到的。陈老师的认真负责，给我的影响很大，同学们可能也有体会。不过，我觉得这是母校很多老师的身上共同的品质，陈老师只是他们中的一个代表。”

“你们这次回母校最大的感触是什么?”

“学校的变化太大了，大得我们都不敢认了，以为走错地方了。”有人说。“我回来以后很失落，以前的一切都找不到了，就好像回家，家的影子已经没有了。”欣然在角落中发出了声音。“没错，要是我们以前上学的大楼还有一座在的话，感觉都会不一样的。”有人附和着。

“真没想到，我工作的失误，只想着赶紧把校园搞干净，却没有想到同学们的感受。”陈老师在一边抱歉着。“也不能这么说，这只能说明我们的学校变化太大了，只能说明陈老师的业绩出众。”郭小慧接了句。

“你们能轮流介绍一下自己现在的工作岗位吗?”女记者把话筒交给大家。“你不是要找我们开后门吧。”张涛调侃着。“哈——哈——”大家笑了。话筒一个人一个人往下传着:

“我在中国工艺品进出口公司总裁办公室当主任,主管法律事务。”当初的班学习委员王爱莲说。“我在‘找到啦’网络公司,任部门经理。”豆芽菜董立仁先生介绍道。“我是中国人民解放军上尉参谋,在今年夏季的抗洪救灾工作中荣立了三等功,已经上报为副营级干部。”侯小明边说边从上衣的口袋里取出一枚奖章递给陈老师:“陈老师,这枚军功章是我特意带来送给您的,要不是您当年在我最彷徨的时候,给我摆事实讲道理,就不会有我的今天。”

“军功章是对你工作的肯定,你还是自己保存着吧。”陈老师在接过军功章仔细地端详之后又把它递给侯小明。“不,陈老师,这是我今天特意带来送给您的。它只代表我的过去,我相信以后还能得很多奖章,请您一定收下。”说着侯小明郑重地向老师行了个军礼。

“陈老师,您就收下吧!”“收下吧!”“学生的一片心啊!”许多同学都在劝说陈老师。“那,那我就不客气了,这是我收到的礼物中最特别的,我一定好好珍藏。”陈老师在同学们的呼声中收下了这个特殊的礼物。这一切都被摄入了采访记者的镜头。

“你在哪工作?我还真打算找你走走后门。”女记者笑着问张涛。“我现在是中国装饰集团工作部的项目经理,主要搞室内装饰装修,你分了新房可以找我。”“你呢?”女记者把录音话筒送到欣然面前。“我在学校当老师,在座的人中,我是惟一继承了陈老师的事业的人。”欣然简短地介绍了自己,话语中更多的是一份由衷的自豪。

女记者把话筒拿到自己面前:“从你们和老师的交流之中,

我可以感受到你们之间的关系很密切。由此，我可以想到当初陈老师为你们付出的心血，我更可以从中看到陈老师的付出得到了你们发自内心的认可。我想多问一句，回首以前的岁月，你们觉得陈老师在实施教育的时候有没有什么欠缺的地方？”

大家被这突如其来的问题给问住了，办公室顿时安静了下来。“有什么欠缺的？”大班长自言自语地说。“怎么问这么怪的问题，真有点出人意料。”张涛看着大家。宋婷婷和陈欣然互相对视了一下，不由自主地笑了起来。她们觉得这个问题很无聊。

“我能说说我的感受吗？”郭小慧在一角大声地说了一句。“当然可以，请。”女记者说着把话筒递了过去。众人的眼光盯着郭小慧，不知她又要发表什么出人意料的感受。

“我觉得陈老师给我们的正面教育太多了，太正统，结果到社会上才发现根本不是那么回事，让我们特别失望，一点儿思想准备都没有，结果走了好多弯路。要是陈老师能给我们早打预防针就好了。”听着郭小慧的表白大家不约而同地把目光转向了陈老师，陈老师十分认真地听着她的发言，不时地点头，并在思考。

“这是你的看法，可不代表我们。”有人在人堆里发表见解。

“陈老师，”女记者把话筒递向陈老师，“我也和学生们一起这样称呼您了。对学生的这种想法，您能谈谈自己的看法吗？”“我，我一时还没想好应怎样回答这个问题。”陈老师停顿了一下，换了个姿势。

“我来替陈老师回答这个问题。”欣然在一边跃跃欲试。陈老师微笑着看着陈欣然。

“老师这个职业太特殊了，他担负着培养人的伟大工程。因此教师有着多重角色，这其中更为重要的是他代表着社会的主流思想和正统道德规范，因此教师在对学生进行思想教育和知识教育时必然要把正统的、正规的、正确的东西传授给大家。至于刚才郭小慧提出的回避社会阴暗面的问题，我的看法正好相反，我非常感谢我的老师，如果没有她当年给了我那么多正确的思想，我想我现在可能早就丧失了信心和信仰了。”陈老师听完欣然的谈话，不时地点点头。

“没错，要是没有当年老师告诉我们什么是对的什么是错的，就现在的社会我早就不知该干什么了。”宋婷婷附合着。

“陈欣然同学以前在我们班一直是最小的一名学生，她活跃但也淘气，甚至有时爱恶作剧，那时她身上的男孩子气十足。没想到几年不见，她成熟了！听了她的回答，我真是太高兴了，她在自己的工作过程中真正地理解了教师这个职业的内涵。不过，有时我也很矛盾，我也时常想是否该给大家一些社会阴暗面的东西，但我一直没有这个勇气，我担心这样做会影响正确人生观的树立。当然，我会接受郭小慧今天的建议，想想用什么方法可以让学生在接受正面教育的同时又能客观看待一些社会现象。”

大家为陈老师的话鼓掌。

有人提议：“什么时候我们能再坐在教室里听您讲节课呀？”陈老师笑了，“你们还愿意听吗？我想现在该听课的应该是我，你们在各行各业干得都那么出色，知识更新得快，我常常有落伍的感觉。”“两回事，我们听您的课是想重温一个往日的学生生活。”

“陈老师，如果以后您有什么事要我们出力请尽管说。”有学生听出了老师的话外音。

“对了，王爱莲，你是学法律的，我还正有事要请教你呢，学校现在有件烦心事，过半个月就要开庭了，但有些相关法律法规我还不清楚。”陈老师向学生请教着。“这是我家里的电话和单位电话，您随时可以给我打电话，打官司我绝对是内行。”王爱莲说着递上了一张自己的名片。

“非常感谢大家。”女记者起身要跟大家告别了，“我真的很羡慕你们的老师，她有你们这么多的好学生，希望我们大家以后还能有机会见面。”

“没问题，你不是还等着我给你装修呢吗?”张涛又开始了他的业务宣传。“你一定是落毛病了，三句离不开你那个破业务。”班长拍着张涛那已毛发稀少的脑袋打断了他的话。

陈老师站起来把女记者和摄像师送出了门。

九

“咕哝、咕哝哝……”从人堆里忽然传出了十分清晰的声音。墙上挂钟已指向了正午时分。

“你们光顾了聊天，饿不饿?”张涛开始叫喊，打破了办公室里短暂的平静。

“饿——”一呼天下应。

“你要请客怎么着?”郭小慧一副热情百倍的样子。

“干吗? 你们要干吗?”张涛看似紧张的样子。

“我们想打土豪分田地。”“我们想斗地主分浮财。”几个男生开始起哄。

“凭什么都冲着我，我招你们惹你们了。”张涛按住口袋向外撤。

“谁叫你穷得就只有一间房和一辆车了呢。”侯小明大叫着。

“对呀。”“就是吗。”几个女生开始跟着叫，欣然也跟着嚷着，声音很大。

“欣然，你叫什么，陈老师刚夸了你几句就不知道姓什么了，刚才的那点淑女味都哪去了。”张涛开始个别击破。

“有饭吃我太兴奋了，我今天早上的那顿还没吃呢，早就饿了。”陈欣然又现出了上学时的调皮样。

“今天中午我请大家。”陈老师笑盈盈地走进办公室。

“那哪成呀。”同学们都冲着张涛，“让老师请我们，这可有点不像话，是吧，张涛。”大家地眼睛齐刷刷地冲着张涛。

“别，您可别，我和他们逗着玩哪，今天中午我请客。”张涛终于说出了实话。

“你们今天来看我，当然应该我请客。”陈老师坚持着。

“说实话，我早在附近的餐厅订了位子，请您和大家吃中饭，只是我估计不足，没想到来了这么多位，只好临时加位子，大家可别嫌挤呀。”张涛把底牌亮给了大家。

“我说什么来着，张涛原本就是个好同志。”班长开始进行总结性发言。

“下面，听我指挥，”张涛转向班长，“有点儿越权，你没意见吧。”“去你的。”班长给了他一掌，“啪”地一声很脆。“同学各自想办法到学校左侧路口的大酒店集合，我订的是八号台和十号台。陈老师请在楼门口待命，一会儿会有车来接您。”

“没多远，别麻烦叫车了。”陈老师反对着。

“不叫车，是让您等我会儿，我开车拉您过去。”张涛说着第一个冲出了办公室。

学校所在的这条街并非繁华地带，平时的人流车流都不大。街左侧把角的大餐厅常常是门可罗雀。今天，这里却出现了少有的繁荣景象。门口，各式各样的自行车和汽车一溜排开，把餐厅的大门口给封锁了。走进餐厅的大堂，只见桌桌都是超员。每一桌上都有一、两位白发老者坐在主宾席上，两侧都是一群群男男女女的大人，有的还带了小孩子。由于欣然在这所学校读了六年书，许多桌的老师她都认得，因此，一看便知这都是来参加校庆的校友们。妈妈正和另外一位头发已经花白的男老师坐在离她很远的一张桌子前，围在她周围的是比欣然高一年级曾经获得过市级优秀班集体的学生们。挨着门口不远的落地窗前的两张大台还是空的，一看便知是被人预订了。欣然他们看清楚台号就说说笑笑地落座了。

跟着陈老师走进来的是教数学的韩老师，后面跟着张涛。“谁要是再做错这道题，我就在全班点他的大名儿，让他现眼。”同学们看着韩老师，便在张涛的启发下说出了韩氏名言。这句名言曾经一直在班里的数学课上流行。为了让学生能记住自己所犯的错误不再出现，韩老师便想出了这么一个不同寻常的“好办法”。每次考试后，她从不批评任何一位同学，讲一道题就把本题出错的人名点一遍，数学不好的学生名字便会高频率地出现在课堂上，大有点示众的味道。于是，大家都拼命地学数学，在大家看来，上课点名实在是一项最有效的惩罚。

大家说着笑着纷纷落座，没有位子的同学就叫服务员加座。两大桌人满满当当地挤在一起好不热闹。已经没有人关心吃什么，此时此刻能和自己爱戴的老师坐在一起就是一种莫大的幸福。

忽然，张涛重重地咳了一声，吓了大家一跳。

“下面，我郑重地向两位老师宣布一件事，并提出一项申请！”他一改前面嬉笑的样子一脸严肃地说。

“今儿，不会是鸿门宴吧，我说他怎么那么痛快呢。”“不长”在边上又上眼药。

“别闹，我是认真的。”张涛打断了同学的话。“我要结婚了！今天，原本是我结婚的日子，为了参加这个校庆，我把婚期推迟了。今天，见到了最想念的老师，所以，我恳请您二位十一月八号参加我的婚礼并当我的证婚人。”

谁也没有想到是这样一个请求，谁也没有料到会有人因参加校庆而推迟了婚期。

“你们不知道，当初，我从重点中学落榜后来到这所普通中学是多么的消沉。那时，我觉得这辈子完了，什么考重点大学的理想，什么学建筑工程的理想全完了。要是没有陈老师对我的循循善诱的引导，没有韩老师对我数学的严格要求，我就不会考进理想的大学，也就不会有我的今天，所以，我恳请两位恩师能在十一月八号参加我的婚礼并为我主婚、证婚。”张涛激动地站起来向老师发出了邀请。

陈老师和韩老师面对这个不同寻常的请求先是惊讶后是惊喜。她们高兴地接受了这个请求。于是，在场的同学都要求参加。于是，张涛振臂一挥，引出了课文中的句子：“同去！同去！”

在不断响起的碰杯声中，在不断跃出酒杯的泡沫影里，在不断飞出的一阵阵笑声中，宴会进入一片欢快而热切的气氛之中……

走出餐厅大门的时候，男同学们称兄道弟，勾肩搭背，女同学们互相挽着胳膊，大家都喝了不少酒，每个人的脸上都显出片片红晕，或深或浅，煞是好看。同学们和老师道别，说着各种各样祝愿的话，同学们再次和亲爱的老师握手，有的竟然和老师拥抱在一起……妈妈和她们班的同学相约去了玉渊潭，看着妈妈远去的轻盈脚步，欣然实在想不出她也是个六十有二的老人了。

道路上的车流人流还没有减少，那位执勤的交通警还在疏导着交通。陈校长走过去和他说了几句，他庄重地向陈校长行了个礼。陈校长介绍了这位值班的民警，他是本校的校友今天是特意来此上岗的。

欣然已经很久没有这么开心了，在和老师的沟通与交流中，在和同学的交往中，欣然再一次感受到了当教师的快乐：受人尊敬、受人爱戴、桃李满天下，一种无以言表的成就感。欣然曾一度为自己的选择失望过，后悔过，但是，校庆的经历却又让她重新认识到自己的选择是对的。虽然，她的学生不可能像自己的同学那样成为这样或那样的红花之材，但是能在原有的基础上把他们培养成一群在各行各业中有用的绿叶，不也是一样的成功吗！

人世间有许多种情感：父子情、母女情、夫妻情、友情、亲情、爱情。纵观之下，人们常说天下最伟大的爱是母爱，但是，此时此刻，欣然觉得惟一能和母爱相比美的就是这师生之情，因为它才是真正不需要有任何回报的。自古以来，中国的历史上就流传着这样的一句名言“妻以夫贵，母以子荣”。人们常常可以看到这样的景象，母亲为了孩子牺牲一切，但当孩子让她伤心落泪时，母亲常常会痛心疾首地说：“你让我这么伤心，怎么对得起我呢?”但是，教师则不然。古时的教师尚可选择弟子，于是孔子用了一生的时间才有了“弟子三千而贤者七十二”的说法。现在的教师没有选择学生的权利，不论是好的差的，不论是高干子女还是平民百姓的孩子，他（她）都要面对并付出，他（她）都要担负起“传道、授业、解惑”的职责。他（她）用一生可以教出至少四千人。当学生毕业了，无论是成为国家总理还是一名普通的工人，在老师的心目中却是完全平等的。有一天，他们能够回来看看曾经为自己呕心沥血的教师，在老师的脸上就可以看到人世间最灿烂的笑容。所以有人曾这样评价教师的工作——是太阳下最光辉最伟大的职业。

林荫道上来来往往交织的人流和喧嚣的汽车喇叭声丝毫没有影响陈欣然的好心情，慢慢飘飞的落叶带给欣然的也是一种秋归大地的壮烈之美。她想起了郁达夫的散文《故都的秋》，但此刻她却没有感受到作品中所描述的那份清、那份静、那份悲凉……

秋风把欣然的长发吹起，有几丝飘到了她的眼前，她习惯性地甩甩头，想让那几丝头发从眼前消失，但是，更多的头发飞到了眼前，她心里不禁又颤了一下，想起了早晨出门前的情形。

穿好衣服，她站在镜子前，仔细地为自己梳头，她想让自己变得更成熟更职业化一些，因此想把长发盘起来，可是试了几次头顶上的头发却总是不平滑。妈妈看在眼里再次伸出了援助之手。

妈妈一边接过梳子慢慢理通她如瀑的长发，一边叨唠：“看把你给急的，平时挺巧的手，今天是怎么了。”

“妈，你不知道我今天有多兴奋，我今天又可以看到那些教我的老师了。都十年了，也不知他们还认得我吗？那时，我的头发是那么短，也许会吓他们一大跳的。”当年在校时，妈妈为了让她有更多的时间睡觉，也为了让她少在头发上花费不必要的精力，所以一直把她的头发剪得短短的。

“今天想梳成什么样的？”妈妈听着女儿的话问。从小到大，欣然在母亲身边最快乐的一件事就是什么都可以跟妈妈说，而妈妈又总是最耐心最专注地倾听着女儿的每一句话。

“我想让自己成熟点，要不，把头发盘起来？！”

“老师们见你的都是短头发，现在头发养这么长了，要不，今天就梳个披肩发吧！”妈妈建议着，女儿的一头长发也是做妈妈的骄傲。

“那，您看着办吧！”欣然总是最相信妈妈的审美眼光。

妈妈在欣然头发的两侧各分出一股头发，然后编起细细的小辫，再把两根小辫互相交叉着把发梢藏在发根里。

“然然，我有多长时间没给你梳头了？也不知以后还能给你梳几次。”妈妈精心地做着手里的活，一边不紧不慢地说。欣然心里一紧，一丝酸楚涌上心头。上次妈妈给自己梳头还是几年前出嫁的那天早晨。当时，欣然的头发虽然不长，但妈妈也是这样慢慢地梳着。那天自己哭了，她从妈妈缓慢的动作中分明感受到的是一种不舍和不安。她从女伴那儿知道，母亲在给她梳头时流泪了，那泪中充满着对女儿的未来婚姻生活的牵挂。

“妈，你能快点吗，行了吧，不然我就要晚了。”欣然不想让不快影响到自己今天的好心情，便催促着妈妈。最后，她站在镜子前照着妈妈给她梳的发型，她对妈妈设计的自己很满意，在庄重、大方中平添了飘逸的女人味。毕竟她已经是个成熟女性了。

梳得好好的头发，此时却飞到了欣然的眼前，不知这三千烦恼丝又会给欣然带来什么……

趁着白天的兴奋劲，欣然重又坐在了写字台前，原以为今天的快乐能一直延续到梦中，但现实的残酷却又把她从快乐中拉了出来。

编书，编书，说着简单，可做起来还真不是件容易的事。欣然白天要上课，要处理作业当然没有时间，晚上回来后又要备课写教案。于是，这件事就只能占用她宝贵的睡觉时间或是周末的休息时间了。钱老师不但在单位见面会问，就是在家里，他也会有事没事地打个电话过来催。弄得欣然真有些后悔应了这件事。但是，为了那个所谓的署名权，为了能在职称评定时加重自己的砝码，欣然只能咬紧牙关忍着。她先把以前出的有关高一语文总复习的重点、难点和要点方面的提纲从电脑里调出来，然后又找出以前给学生们出的练习篇，再买来好多相关的参考书，然后对着提纲一点点地捋着编书的思路。先把参考书上的题一道一道做了一遍，然后再有针对性地做上相应的记号，最后，再把它们分门别类地录到电脑中。她可不想干那种剪刀加浆糊的事，那不是在骗人吗。献血前，书稿已经算出来了，利用休息的日子，欣然又把内容从头到尾过了一遍，不管怎么说，当老师的一定要负责，要对得起做这些题的学生才行。

十

“妈妈，我回来了。”欣然和往常一样进门先通报自己的行踪。

“咦，今天破天荒了，怎么这么早，我还没来得及炒菜呢。”妈妈系着围裙从厨房里迎出来。手里还拿着一把菜刀。“今天命特好，刚出校门就赶上一辆空车，到了站没等下一辆又来了，所以今天根本就没花时间等车。”欣然像占了大便宜一样。

“得，我赶紧加油。”妈妈转身进了厨房，转眼就从里面传出了抽油烟机的喘气声和青菜入锅水与油发出的爆溅声，锅碗瓢盆交响曲开始上演。

“然然，饿不饿，要不要先吃点啥?”爸爸关切地从书房里走了出来。“没事，一会儿吃饭再说。”欣然看着老爸的样子很是好笑。只见他边和欣然说着话一边手指不停地弹动，一看就知刚才又在练习弹钢琴。

“老爸，最近成果如何?”欣然走上前搂着爸爸的脖子。这在家中是一种特殊的见面礼，只适用于她和爸爸之间。爸爸是一位出生入死的老军人，因为工作繁忙，所以耽误了要孩子，等到他们想起来的时候，老爸已经三十三岁了。于是，他们有了一个儿子，就是欣然的哥哥。后来，哥哥看到小伙伴们都是兄弟姐妹一大堆很是羡慕，便向母亲要求再要个伴儿。那年，父亲已经四十岁了。为了满足孩子的要求，为了不让孩子觉得孤独，夫妻俩决定接受这个建议，就这样欣然来到了这个世界。因为是老来得女，所以宠爱之至，以至于到现在，欣然每次回家，老爸还会在见到女儿后说着十几年前的那句老话：“好闺女，让爸爸抱抱。”

“我正在苦练圣桑的《天鹅》，准备参加这个月底老年活动站举行的汇报演出。”老爸得意地向女儿汇报着工作。“天哪！你也太酷了，竟要弹圣桑的《天鹅》。”欣然说着走过去摸了摸爸爸的脑门，“发烧了吧！脑袋进水了吧！”她就是这样和爸爸没大没小的，好在老爸已经习惯了女儿的“打击报复”。“你怎么对我这么没信心，过来，我弹一遍给你听听，不听不知道，一听吓一跳。”爸爸一把拉着欣然的细胳膊走进书房。

其实，欣然并不是真想打击老爸，而且，她也知道爸爸在音乐方面还是有一定的造诣的。不然，他也不会在《音乐家名人大辞典》中榜上有名；不然，他也不能娶了一个校学生会文艺骨干做老婆；不然，他也不会有一个百灵般歌喉的女儿。但是，一个年近七旬的老人，在并没有很深的钢琴基础的情况下完全靠一股子韧劲，选择了这个难度较高的曲目，欣然多多少少有些替他担心。最主要的是：爸爸是一个完美主义者，万一达不到自己的目标，他会难过的。

爸爸坐在钢琴前，连曲谱都没有翻开，就投入了表演。圣桑的《天鹅》在父亲的指下流泻而出，虽没有大提琴那么低沉、委婉、凄凉，却有着同样的哀怨、缠绵。欣然靠在钢琴边闭着眼睛听着，仿佛看到一只即将面对死亡的小天鹅正在努力地挣扎着想要重新飞上天空，最后，在无奈之中静静地死去，但死得那么从容，没有丝毫的遗憾和恐惧，因为它已经努力过，因此无怨无悔……

“爷俩儿，吃饭了。”妈妈的招呼声打断了欣然的思绪，打破了书房中的寂静。

“怎么样？”爸爸的脸上明明写着得意。“不错，真的不错。”欣然由衷的赞叹。爸爸合上了钢琴，好像又攻克了一座碉堡，又打了一个大胜仗。

“你爸练到今天这份儿上，可真不容易，我的耳朵都快磨出茧子了，也不知死了多少细胞。”妈妈一边把碗递给欣然一边抱怨道。“要不怎么说军功章里有我爸的一半也有您的一半呢。”欣然可以想象出妈妈在家受了多大的刺激。

“好闺女，给爸爸说说，还有什么不足。”爸爸一副认真的样子，但脸上分明期待的是表扬。“你不怕我打击你？”她想逗逗老爸，“你可要有思想准备哟。”欣然顿了顿，清清嗓子，非常认真地看着老爸：“说真的，真不错。”“那是。”爸爸得意地敲着碗边。“瞧，刚夸你就翘尾巴。”她不满老爸的喜形于色。“你爸就这样，不能夸。”妈妈在边上下了极具高度的定论。

“老太婆，你别打岔。”爸爸还沉静在女儿的肯定中。“不过，我觉得如果你左手部分能再轻柔一点儿，效果会更好，现在有点抢主旋律，喧宾夺主了。”欣然采用的是欲抑先扬的手法。

“你看，我说什么来着，我跟你爸说了他就是不听，看看，女儿也这么说你了吧。”原来老妈也有同感。“你烦不烦呢，我又没问你，我在问我女儿。”老爸一副不屑的样子。“这么说，我和我妈的看法是一致的，如果你不虚心接受，以后就不要来问我们了。”欣然摆出一副没关系的样子。“我没那意思。”爸爸赶紧变得谦虚起来。

“爸，你可要搞明白了，你的音乐可是半路出家，我妈可是受过正规训练的。虽然很多人在你的身上罩上了音乐家的光环，但在我们这儿对您的评价才是最真实的哟！”欣然揭出了老爸的老底。“那是，那是。你妈是你的心中偶像。在你眼里，你妈什么都比我强。”老爸终于低下了头。

一顿饭就在说说笑笑、吵吵闹闹中过去了。“然然，碗你放着吧，累了一天了，去歇会儿，一会儿我有话跟你说。”妈妈拿过她手里的筷子。“妈，还是我来吧，回来吃现成的，已经过意不去了，哪能还让您洗碗。”她收拾着碗筷。自打她搬回来住后，心里总有一种说不出的欠疚，她不再像未出嫁前那样能懒就懒，她不肯让妈妈替她多干一点儿。严格地讲，欣然觉得自己现在已经是一个寄宿在此的客人而非主人。这也许正应了人们常说的：

嫁出去的姑娘泼出去的水。

“妈，什么事呀。”欣然一边擦着手上的水一边走进客厅。爸爸和妈妈都坐在沙发上。

“然然，你回来也快两年了，有没有什么打算呢?”妈妈和家里每个人一样总是刻意地在回避着“离婚”两个字。

“没什么打算，我觉得这样挺好的。”欣然的心情一下子跌入了低谷。她有些怕这个问题，不论是面对朋友同事还是父母。

“老这样也不行呀，你毕竟还要嫁人的。”父亲叹了口气。

“爸，妈，你们是不是觉得我住在家里有点烦了，想让我走。”欣然低着头小声地试探着，她觉得喉头发紧。

“你说什么呢，”妈妈接过话茬，“要是指着我们的想法，我们巴不得你一辈子不离开我们呢。有女儿在身边陪着多幸福呀!可是，我们要对你负责。”

“妈，我已经是大人了，我能对自己的行为负责，我的事以后你们就别操心了。”欣然说着站起来，想停止这个她不愿多谈的话题。

“你站住，你别走，”爸爸忽然提高了嗓门，完全没有了吃饭时的和蔼，“你说，你是不是还放不下那个人，你和他现在是不是还有来往?如果你真放不下，想回去，你就直说，我们也不拦你，就当我们没有你这个女儿算了。”爸爸就像打机关枪一样，一梭子子弹打了出来。

“您说什么呢，”欣然忽然一阵委屈涌了上来，“我，我现在不想谈这事不行吗?”她的话里带着哭声。“你干吗你，”妈妈看着女儿的样子冲着老头就急了，“说了不用你谈，你非要谈，还没两句呢就戗戗上了，这能解决问题吗?什么时候才能改掉你这个军人随便放炮的习惯。”“得，得，我不说了，交给你来处理。”爸爸说着重重地摔门进了书房。

"然然，你也别怪你爸，那个人打过两次电话，刚巧有一次是你爸接的，你想你爸能不生气吗?"妈妈把欣然按在沙发上，平心静气地开导着女儿。"什么？他竟然打电话来了?"欣然有些吃惊，这点不像是他处事的风格。

"你跟妈说实话，你跟他到底还有没有来往?"妈妈看着女儿的眼睛。"没有了。开学的时候他找过我，我已经回绝他了，我不会再和他有来往的。"欣然实话实说。"你能保证吗?"妈妈盯着女儿的眼睛问。"妈，我有必要骗你们吗？你还要我怎么样，才肯相信呢?"欣然的心在滴血，是一种伤口又一次被撕开的痛苦。

"我们真的不希望再有什么事情发生，我和你爸都这么大年纪了，可再也经不起折腾了。"妈妈叹了一口气。"不会的，我不会让你们为我再受一点点伤害。我正在努力地做个好女儿。"欣然声音极低，她觉得很累。

"那天校庆，以前教你的张桂珍老师看到你了，她给我来电话，聊起你的情况，她想给你介绍一个男朋友。"妈妈引出了一个新的话题。"再说吧。"欣然的声音很小，想打断妈妈的话。

"听说，那个男的三十几岁，据说很有才，具体的条件张老师也没细说，只是希望你能去见见面。"妈妈还在介绍着。"他是有才呀还是有财呀。"欣然对这个提议一点兴趣也没有。"妈，再说吧。我这样的人，别人条件好的看不上，别人能接受的我还接受不了别人。太难了。"

"没见，怎么就知道不行。你去试试嘛。"妈妈的执着劲上来了。"我不想去。"欣然一口回绝，没有丝毫商量的余地。"我说你再想想，别辜负了张老师的一片好心。"妈妈还在试着说服。"再说吧。妈，我累了，我想早点休息。"欣然说着走向自己的小屋。"去洗洗吧。一天到晚的也够你受的。不过，你再想想。"欣然把妈妈最后一句话关在了门外。

当爹妈的可真够可怜的，女儿不够年龄时，担心是否会过早地交了朋友；女儿到了年龄，又担心交错了人，把一辈子给耽搁了；到了年龄没出嫁时，又害怕自己的女儿成老姑娘嫁不出去；嫁出去了，又担心日子过得不好不顺心受委屈；如果女儿离婚了回来，又害怕名声不好听；如果离婚后不思再嫁又担心藕断丝连。真是可怜天下父母心。看来大凡天下养女儿的父母这辈子就别想踏实了。欣然为自己给父母带来那么多的变故而惭愧，她躺在床上翻来覆去地睡不着，任由眼泪似小河淌水，直到弄湿了枕巾……

第二天一早，欣然灰头土脸地走进了办公室，眼珠发红眼皮肿着。不时地引来同事们的关心和猜测。

“欣然，怎么了，谁欺侮你了。”在楼道里，欣然迎面撞上了胡秘书。“没事，不小心撞到门上了。”欣然把眼睛揉了揉，把昨晚掉在嗓子眼里的泪水咽下。“你现在有课吗？校长和教导主任让我请你去校长室谈点儿事。”

“什么事呀？”欣然有点肝儿颤，不知为什么她一听到校长找她就有点发怵。更何况出马的是胡秘书还用了个“请”字，还是“谈点儿事”。

“反正有事找你谈。”胡秘书滴水不漏。“好事还是坏事？看在我比您小的份儿上，透露点儿，我好有个思想准备。”欣然希望能从胡秘书的口中探听点消息好让自己心里有个底儿。

“说不上好事还是坏事，反正是受累的事，你要是没事就赶紧去吧。他们等着你呢。”

欣然快步赶往校长室，私人家事的不快只能暂时忘却，毕竟有更重大的事等待着她去面对，欣然必须全力以赴。

对于校长，欣然一直是敬而远之。这个看似和蔼的老校长的多面性欣然已经不止一次地领教过了，刚入校不到一个月，欣然被请进了校长室。

“陈老师，昨天你在领卫生纸的时候说什么了?”方校长头也没抬地问她。欣然一贯大大咧咧地，她想了半天也没想起来，于是，校长一本正经地看着欣然极为严肃地谈开了影响问题。欣然更是莫名其妙便非想搞个明白。原来，欣然因工作不到一个月的时间里领了两次卫生纸而无法掩饰她的兴奋，就毫不动脑子地说了句“嗯，怎么又发纸了!”虽然她一再解释自己决无领导分析的对发卫生纸有任何不满的想法，可方校长根本不听这套。并且对她的态度表示了极大的不满——学校至今还没有一个人敢当面反驳他的意见。最后，他只给了欣然一句话：“以后，你对学校发东西有意见的话，你可以不领，少说三道四的。走吧。”欣然本想再解释，一看校长已无意理她，也就只好退了出来，不过到了她也没明白校长为什么批评她。

从那以后，只要一听到校长有请，欣然就会不由自主地发怵，紧接着就会快速反省自己是不是哪句话又说错了。好在经过了几年，她已成为了校长手下的业务尖子，校长也慢慢地了解她的为人，这种事才越来越少。

“陈老师，这节没课呀，快坐这儿。”刚进校长室，于主任已经主动和她打起招呼了。领导的主动热情多少让她不太习惯。

“领导找我有事，我还是站着吧。”欣然给了于主任一个软钉子。

“陈老师，你坐吧，我们有工作要和你谈。”校长放下手里的报纸抬起头。欣然只好坐下。现在的方校长已不是以前的方校长，校长负责制后他成了欣然及全体老师的“老板”，“老板”是不能得罪的，不然以后就可能没饭吃了，因为他有否决权。

“陈老师，我们想和你谈点事。烹饪班的班主任郝老师因为身体不好，在一个月前提出辞去班主任工作的申请。当时，我们也出于照顾老同志身体的角度就同意了。可现在，调配了很长时间也没有合适的人选来带烹饪班。你不但有能力而且还教他们班的课，所以，我就向校长推荐了你，想让你接这个班，不知你意见如何？”于主任的开场，已把意图表达得明明白白。

“方校长，于主任，您们开什么玩笑呀。咱们学校可从来没有女老师当烹饪班班主任的先例。”欣然推脱着，因为烹饪专业从来就没有考虑过让女老师当班主任，“再说，我到学校这么长时间了，您们可一直没有考虑过让我当班主任，我还没有经验，一下子让我管烹饪班，一大帮男孩子，我可无法胜任！”

欣然对当班主任之事一直耿耿于怀。工作转正的第一年，她就向学校提出申请要当班主任。当时学生在校一年就外出实习，所以原来各班班主任都不用考虑地就下到下一个学年接着当，根本没有年轻教师的份。同为青年教师的张艳青来学校第二年当了班主任还是因为跟学校的主要领导有关系才搞定的。在这期间，欣然倒也当了一回临时班主任，那是因为外来的培训生素质太差，好多老师不肯带才给了她，当时分配这项工作时，领导还信誓旦旦地许愿说下个学期班主任工作一定考虑她。结果，活也干了，以后什么也不提了。从那以后，欣然就再没有提出过当班主任的申请，因为争来的东西没意思，这是欣然一贯的办事原则。现在花落她手，她也没有一点高兴劲：让她捡别人剩下的，没兴趣。

“我知道你以前有过这方面的要求，现在机会来了，你怎么又不干了？”方校长盯着欣然的眼睛似乎要看穿她的想法。

“我不想成为别人谈论的焦点，也不想在学校出这个风头，更不习惯从半道接活。再说，我家那么远，我要是迟到了，耽误了学校的工作怎么办？”欣然一下子罗列出若干个理由。

“我和校长已经想到你的实际问题了，你尽量争取吧，偶然有个一次两次迟到，我们也不会计较。”欣然原想把家远当作挡箭牌，没想到方校长把她的这条路给堵死了。

“我当男生班的班主任也不太方便呀?”欣然又找到了一个理由。

“有什么不方便的，再说，你和他们年龄相近更好沟通，而且你是年轻的女教师他们一群秃小子肯定喜欢，这叫异性相吸原理。没准还有利于班级管理呢。”于主任在一旁插话了。

“我怕干不好，我一点思想准备也没有。”欣然被逼到了角落。

“你可真傻，干得好，别人会说，你看陈欣然多棒，一个男生班都带得那么好；不好也没关系，别人会说，一个男生班让一个年轻的女教师带够不容易的了，再说还是半路接的，原来的基础没打好。”人嘴两张皮的可怕，欣然领教了不少，不过今天这种话从一向儒雅的于主任嘴里说出来，却使她有了更深刻的认识。

“我能再想想吗?”欣然最后只能做出可怜状，以缓解对方步步进逼的攻势。

“还有什么可考虑的，”方校长在边上发话了，“这事就这么定了，你想得通要干，想不通也要干。知道吗?回去准备一下，下个星期准备投入新的工作。”没有丝毫回旋余地，这就是方校长布置工作的作风。

“我下个星期要……。”欣然在脑子里飞快地搜刮着可能存在的理由。

“那就等你回来以后上任。”方校长并没有去听她下星期要干什么就打断了她的话，口吻异常坚决。

“你看，校长对你多信任，宁可等你回来，你可要珍惜这个机会呀。”于主任也并没有听清欣然要干什么，就在旁边不失时机恰到好处不露声色地拍了领导的马屁。

俗话说得好，这人要倒霉，喝口凉水都塞牙，放个屁都砸脚后跟。欣然跑到张梅的办公室翻着墙上的一本挂历，快速地找到今天的日期，仔细地端详着那上面的一行黑字“诸事不宜”。看来老祖宗的话真是有道理。

十一

下午，第二节下课后，所有的人都回到了办公室。有的在大谈学生上课表现怎么怎么差，有的在埋头批改学生的作业，有的在大口大口地喝水，一看便知两节课连堂上得很辛苦。

“咱们的人都到齐了，下面，我们抓紧时间开个小会。上面分下来两个献血的指标，今年分给咱们组一个，我们得讨论一下这个指标怎么处理。”组长周世仁介绍了开会的内容。

献血工作一直是企事业单位的大难事。每年一到要献血的日子，各单位的领导就会先开小会，议出一个非常诱人的奖励方案，然后再开大会，先从政治上进行必要的宣传，再从学校工作需要上提出一定的要求，再对大家施以一定的利益，最后往往还要进行例如抓阄一类的活动，才能把这件事定下来。到了献血的当天，单位还要派出一位高级别的干部，亲临现场进行协助安抚工作。同时，后勤部门还会为每一位上站的同志备一份丰盛的营养品，并另派一名负责医务的人员进行跟踪服务。最后，在皆大欢喜完成任务之后，领导还要带领上站的和完成任务的同志去大吃特吃一顿。当然，吃得最香的不是那些献了血的，而是那些不合格的。最后，领导和同志们把完成任务的同志送到家，一切才算是圆满了。当然，也有的单位玩得很高明，把献血指标卖给“血头”，让他们组织人员顶替上站。这样做的好处不但可以完成上面交给的任务，而且还不会影响单位正常的工作，同时又可以节省相当的人力、物力和财力。

办公室里一下子安静下来。大家互相望望然后低下头。

欣然很坦然，第一，她一直认为献血是一件利国利民的好事：每人只需要付出 200CC 血，就可以起到救死扶伤的作用，因此她觉得这是一个公民应尽的义务；其次，她认为献血有益健康：去年秋天也是这个时候，欣然去献血了。冬季，北京流感横行，全办公室九位老师只有她一人逃了出来，这在以前是绝对不可能的，她从小就是一个病包子药缸子，向医生请教才知和献血后刺激骨髓造血有直接的关系；第三，她去年刚去过：在二十四个同事作为上站队员却只完成了六个名额的任务后，欣然作为候补队员和另外两个同事冲上去，并顺利地完成了另两个名额的任务。说白了，今年怎么着也不会轮到她了。不过，她心里还是有点不平衡，凭什么像评职称、选优秀、3%提前晋升之类的好事总到不了这个组，这种“倒霉”事却总也少不了他们。

“组长，还哪组分到名额了？”张艳青问。

“楼上金融组。”周世仁答道。

大家霍然明白，这是领导的特别“关心”和“照顾”。“谁让我们是姥姥不疼，舅舅不爱呢”，周老头冒出一句俚语。

“领导，我可先说明，我有胃溃疡，这种病是不能献血的。”郑老师带头表态。郑义这位政治老师平时一直以道德理想等教育别人，说起话来从来都是一个有觉悟的有素养的党员，今天这话一出口摆明了“非不为也，实不能也”。

“组长，我在大学的时候献过血，后来就发高烧了，一个月都没好利索，这次我可说好了不去呀。”教英语的张艳青老师也说出了自己的“困难”。

张艳青和陈欣然来自同一所大学，但是，她比欣然会来事，会讨领导喜欢。她有事儿没事儿地都会上领导的办公室转一下，有空还会到领导的家中拜访一番，为领导的孩子义务地补习英语。结婚之时，她和先生一起把喜糖送到了领导家中。当然，有些秘密的事都是听小道消息来的。可一件事却是真的：上个月，她刚交了入党申请书，领导已经派周世仁帮助她进一步提高认识，在全校大会上党支部还宣布她为入党积极分子。

“组长，我也不去呀！现如今我一个人带着个孩子过日子，要是我去了，谁来接我儿子上下幼儿园呀！”一直对自己离婚一事讳莫如深的卢老师在这个关键的时候拿出了挡箭牌。

“如果实在是没人去的话，我就去吧。”王敏之老师很低调地说，“不过，丑话我先说在前面，我不能保证到血站时我的血压能正常，也省得有人说我骗吃骗喝的。”

“骗吃骗喝”一词是近几年来学校在献血工作中改善福利待遇时出现的新名词。有些老师明明知道自己血压高、血糖高、血液有这样那样的问题，可是，一到献血的时候他们就特积极地往上冲。结果，营养品领了，饭吃了，献血当天的课不用上了，结果血还不用献。他们还自诩道：不是我不想献，是人家不要我的血。几次下来，学校也有了经验，这些人也就渐渐地失去了机会。但“骗吃骗喝”这个词却保留了下来。

余下的人没有说话的。看来，这一个名额也还是件比较麻烦的事。不知为什么，郑义和张艳青的眼睛总是不自觉地盯着陈欣然。欣然只当没看见。

“陈老师去年才献过血，今年她就不要再去了。”周老头还算记性好，把欣然排除在外。“对了，我刚才怎么忘了，这次献血后，学校给献血的人一个星期的休假时间，另外还补助两千块钱。”

听完周老头的补充说明，郑义有点后悔。她可是个在全校出名的会过日子的人，她的精打细算无人不知无人能比。有一次，学校发洗头水，由于商店的存货不多，所以送来了两种牌子的。结果，她抱着发给自己的那瓶“力士”就去找负责人，非要换一瓶“沙宣”不可，理由很简单，“沙宣”比“力士”贵一块二，结果负责的老师没办法只好从别人那儿好说歹说地换了一瓶给她。两千块，“四个老头”的大票就是二十张，她可以把它存在银行里，一年就可以得到几十块的利息；或者，用它去买那套令老公心仪已久的灰色西服，一定会博得他灿烂的笑脸和……她有些后悔，不，她简直是后悔极了，如果刚才她不表态说自己不能献血，那这份奖励不就顺理成章地进了自己口袋，而且，自己还可以美其名曰：为学校做出应有的贡献，表现出一个共产党员的党性和觉悟。可现在，她只能叹息了，她甚至在怪周世仁说话为什么大喘气。她不甘心就这么失去一个发财的大好机会，她得不到的东西别人拿着也要让他心里不舒服才行。

“哟，这次学校还真下本儿呀。陈老师，去年你们献血给了多长的假，发了多少钱呀?”郑义在座位上转了一下屁股的方向，把脸扭向欣然。“三天，给了一千块钱。”欣然冷漠地回答着她的提问。

“哟，”她把声调拉得长长的，显出一付替欣然惋惜的神情，“那你可太亏了，还不如今年献呢。同样是200CC的血，学校的待遇怎么能不一样呢，这让过去的同志心里多不平衡呀!”

“我可没什么不平衡的，我看有的人是偷鸡不成反蚀了把米吧!”祝华在一边看着笑话。

“我能有什么不平衡的，我还不是为陈老师报不平吗。”她有些没趣地撇撇嘴。

“您刚才说什么了，我们也没听见，这么好的机会您可千万别放弃了。再说，您又是共产党员，这种事上应该起模范带头作用。”祝老师给她一个台阶的同时还给她带了顶高帽子，但言语中分明是奚落和挖苦。

“唉，我要不是有这病，我肯定报名。”郑义叹息着。突然，她向一直在欣然边上的座位上沉默的吴娟红发起了攻击：“小吴，你到这学校已经十年了，还没有献过血吧?”

欣然着急地看着坐在她右手的吴娟红。这是她的一个死党。吴娟红是从南方一个美丽的城市远嫁到北京的。在这儿，她除了先生、女儿之外，没有什么朋友更别提亲戚。由于欣然一到这所学校就和她分在一个组，平时接触较多，而且两个人的为人很相似，因此，久而久之也就成了好友。吴娟红这段时间身体特别差，最开始是脸色不好，直到上个礼拜，在欣然的竭力劝说下才去医院做了全面检查，结果非常不妙，体内长了一个肿块，导致血色素降至正常值以下，虽然医生凭经验认为没什么危险，但还是建议她近期接受手术治疗，不然血色素老上不去，情况会更糟。她没有跟任何人提起这件事，且要求欣然替她保密。但现在，有人开始发起进攻，欣然觉得这时候如果还保持沉默的话，可就太笨了，常言道“人不犯我，我不犯人，人若犯我，我必犯人”。但是，欣然几次用着急的眼神提醒她，她却只是张了张嘴，该说的却没说出口。

“行了，大家也别找理由了，要不是我老头近期血压高，我就不跟你们费这么多话了。过去什么都没有大家不是该去也去了。”说着，周世仁看着郑义又接着说：“郑老师，以前你不是也献血吗，那是哪年来着?”

“您瞧您说的，好像我不想……”郑老师有点没面子了。

“对了，想起来了，”周老头打断了郑义的话，“就是你入党的那年。我还是你的入党介绍人呢。”

“我又没说我不想去，我不是不能去吗。”郑义有些尴尬。

周世仁也不想把话说得太白了，他停顿了一下，然后下了决定：

“得了，这样吧，其他的同志如果不反对的话，就听我的主意，除了陈老师外，我们抓阄来决定谁去。”周老头在万般无奈的情况下想出如此下策。

看着这个近六十岁的老党员想出的办法、郑义这个四十岁的中年党员的一番“此地无银三百两”的表白，还有刚刚交了入党申请书的张艳青的毫不隐晦的表态，用道貌岸然几个字来概括是再合适不过的了。其他的人没有说话，既不同意也不反对。欣然为好友暗暗捏了一把汗。

周老头撕了八张纸，分别写一个“去”和七个“不去”，然后把它们揉成纸团，放在他的蓝色的帽子里，让大家轮流抓。

“啊，老天爷真可怜我这孤家寡人呢，”卢鹭兴奋地大叫：“嘻嘻，没我！”

“我这张不是。”王敏之老师平静地打开自己的那张纸。

“哟，没有我。”郑义老师暗藏着失望小声地叫了声。

“我来。”周老头把手伸进纸堆里，随手拿起一个，打开，只听一声击掌声，他也没有抽到。

吴娟红从座位上站了起来走到周老头的身边看着那个蓝帽子有点儿发怵，拿起又放下，放下又拿起，最后挑了一张打开，她呆住了，那上面分明地写着“去”字。

“啊！太好了，不用再抽了。有福之人不用愁！”张艳青兴奋地从椅子上跳了起来，在办公室里转着圈跳着。

吴娟红拿着那张纸什么也没说，回到了办公桌前坐了下来。

欣然呼地从位子上站了起来。“大组长，这不公平。”她大声地抗议。

“有什么不公平，再说，又没你什么事，你着什么急呀。”张艳青在一边嚷道，并且用她那本来就白眼多于黑眼的眼睛瞟着陈欣然。

“你给我把嘴闭上。”欣然大叫道。

“怎么了？欣然，发这么大的火。”卢鹭看着她。

“吴娟红她不能去献血，她，她最近身体不好。”欣然现在才发现替别人保守秘密真是太难了。

“身体不好，我身体还不好呢。”张艳青在一边叫。

“你这人怎么一点同情心都没有，您身体不好还有爸妈还有老公呢，吴娟红找谁去？她孩子怎么办？”欣然冲着张艳青狠狠地瞪着眼。

“欣然，你别这样。”吴娟红站起来一把扯住陈欣然，“她昨天没睡好，你别介意。”吴娟红拉着她的胳膊给张艳青解释着。“欣然，求你了，求求你，别这样，有什么事咱俩呆会再说。”看着吴娟红急得满脸通红，欣然无法再坚持，只能坐下了。

“她手气不好只能怪她自己。装什么好人呀，心疼她，你替她去呀!”张艳青在一边不依不饶。

忽然，陈欣然从吴娟红的手里抢过那张纸，对周老头说：“这次献血，我还去。”

“你有病呀?”卢老师叫道。

“我太累了，正想休息一下呢。平常还没有理由向领导要这么长的假。”欣然故作轻松地说。

“你不是为了那两千块奖金吧。”郑义的思维方式总能与众不同。

“你怎么那么了解我呀，我就是缺这两千块钱。没想到吧，这机会多好呀，带薪休假，上哪找去。”欣然回应着。

“欣然，你别这样。”吴娟红拉着欣然的手，“你的心意我领了，可是……”

“得了，得了，哪那么多可是，只要你在我献血回来后能去看看我，我就满足了。”欣然一副大大咧咧的样子。

“我怎么跟领导说呢?领导一看你去年刚去过今年又去，肯定会问怎么回事的。”周老头有点为难。

“你放心，领导现在关心的是如何完成这个任务，至于谁去完成，他们不会在意的。再不行，你就说我缺钱花，穷疯了。”欣然手里摇着那张皱巴巴的破纸，走出了办公室的门，留下的是她那长发飘逸的身影。

欣然的内心在流泪：同事一场，大家天天你好我好大家好的，到了关键时候却都往回缩。有的人可以美其名曰地当好人，有的人又可以占便宜卖乖，有的人可以为自己的小聪明而喜不自胜，不就是献血这点小事嘛，要是真像国歌里唱到的那样：“中华民族到了最危险的时候”，这些人又会怎么样呢？她的泪水在眼眶里打着转，她只能昂起头，不让那泪水掉下来，她不想让有些人太得意。

下班了，老师们三三两两地走向校门口，有人会不时地皱皱眉头。二楼的一间教室的窗户里传来了缓缓吹奏的军乐声，节奏很慢，气流也不连贯，时常会跑调，不时地还会传出学生们的哄笑声。但仔细听，还是能听出《哀乐》的旋律。徐宁远老师有病乱投医，还真听了卢老师的“馊主意”，顶着烈日跑到军乐团去讨了份《哀乐》和《葬礼进行曲》的曲谱，回来后连夜画谱复印，终于在最短的时间内让学生们吹起了这并不美妙却很练内功的乐曲。但愿，这种训练方法真会带给徐老师的军乐团的学生们带来意想不到的效果吧。

十二

欣然从医院回家来享受她难得的一星期假期。

别看爸爸是扛过枪、过过江的，但一提到献血，老爸的头就摇得像拨浪鼓一样，这可能是祖辈古老而传统的观念在作怪。当年，欣然的哥哥被公司抽去献血回来，老爸把他按在床上躺了一个星期不让动，而且每天是大鱼大肉的供着，还不让欣然分食。那情景跟产妈做月子没什么两样。最终，哥哥被抽去二百CC补回来的大约倒有四百CC，于是他成了个胖子。欣然可是怕了这样的结果，于是串通了妈妈和哥哥对老爸封锁消息。老爸对她为什么突然不上班了很是奇怪，妈妈就骗他说，欣然补休上学期加班的假。老爸竟然忽略了学校的上班特性真相信了。于是每天欣然都可以随意外出、照玩不误。妈妈当然心疼女儿，就变着花样地做各种各样的好吃的，采购的任务总是分配给老爸。一天中午，老爸偷偷对欣然说："也不知你妈最近是怎么了，老想吃好的。一会儿让我买只鸡，一会儿又让我买条鱼，可馋了。"欣然只能在心里偷着乐，表面上还开导老爸："反正是老妈出伙食费，我们跟着享福就得了，想那么多干嘛。"爸爸于是也随声附和："没错，反正是吃你妈的了！"

中国人对作大媒好像有一种特殊的爱好，欣然在几次推脱之后，还是没能逃脱妈妈同事的热心肠。在妈妈的软磨硬泡软硬兼施之后，欣然终于答应妈妈去和那个有才或是有财的人见面了。不过时间是欣然自己有意定的，在她献血后的第三天，一来是因为那天是周末，介绍人那天会有时间，对方应该也会有时间；二来，欣然希望自己刚献完血的不良脸色能把对方给吓回去。这种小伎俩妈妈是不会深究的。于是，全家包括欣然的哥哥都对这次的见面拭目以待。见面前的晚上，妈妈一再叮嘱欣然应注意这儿，应注意那儿，甚至穿什么衣服、梳什么头都为她想好了，那上心的劲儿就好像要去见面的是她自己。欣然不愿意再让妈妈生气，都一一答应了。

这夜，欣然一直没能睡踏实，但她最终想明白了一件事：应该认真对待这次见面，不论是为了父母、为了介绍人还是为了自己。欣然的第一次感情就开始在初冬的季节里，结果带给她的是心寒的感受，但愿这次能有个好的开始、好的过程、好的结果，如果自己真能有个归宿，也算是对自己、对家人有个交待。

周末的早晨，欣然还没起床，所有的一切想法都又烟消云散了，这一切源自外面的天气。今年的秋天格外地漫长，以至于立冬的节令已过，北京城到处还是一派深秋的景色。但是，就在欣然决定重新开始新生活的早晨，窗外却扬起了漫天的黄沙，掩蔽了视线，让所有的一切都黯然失色：窗外那高大的杨树枝上的叶子已经在萧瑟的冬风中飘落一地，空有几片还在风中颤栗不止。欣然喜欢晴天的丽日、傍晚的彩霞，喜欢阴天的迷离、绵绵的细雨，她最痛恨的就是这种狂风，它把一切都搅扰得烦躁不安。看着这漫天的黄沙，欣然气不打一处来。她有一种不安的预感，她想取消这次见面，但是，话到了嘴边又咽了回去，她不忍再看到父母失望的眼神。

走出家门口，迎面而来的是漫天迷眼的黄沙，白色塑料袋也趁机凑热闹，借着风势上窜下跳。看来，大西北的植被在这一年中又被破坏了不少。西北风在楼群中显示着它的威力，让每一个想前进的人都不得不向它弯下了腰，它却不时地怪叫着，尖叫声阵阵刺耳，那股得意忘形的样子让人咬牙切齿。

欣然一边走一边为自己的决定后悔，这样的天如果能呆在家里该多舒服啊！明知自己对这个陌生人没有兴趣，却还要去照顾别人的心情，可自己的心情有谁知道有谁照顾。人不能没有亲情、友情和爱情，可有了这些又会无端地多出许多烦恼，看来什么都不能两全，正所谓甘蔗没有两头甜。她有种想逃出这个城市的冲动：到一个谁也不认识她的地方去生活和工作，虽然会感到寂寞，但也会很平静，至少没人来烦她。

城里的风也没有丝毫的减弱，只是风沙少了些，让人可以睁开眼睛看这个脏兮兮的世界。站在金伦饭店的大堂，挂钟上的时间显示她早到了十分钟。

这虽是涉外四星级的饭店，但大堂并不刻意地追求富丽堂皇，浅黄色花纹的大理石地面让整个大厅显得温馨自然，一棵高大的椰子树带来南国的勃勃生机。几张小圆桌摆放在大厅的东侧，每张桌子各有几把椅子围拢着。有几位客人正在闲聊着。西侧是一个小型的商务区，是专为团体住宿的宾客准备的。一架电脑控制的黑色的钢琴立在大厅的一角，无人弹奏却正在流淌着克莱德曼的《秋日的私语》。

欣然在一个角落的椅子上坐下，不时地看看饭店大堂的大钟，她是一个很守时的人，她不希望约见的人迟到。饭店的大门不时有中外宾客出入，欣然看着走进来的每一个中国男人，同时判断着哪一个才是那个扰乱人心的家伙。

十点整，介绍人还没有到，欣然开始有点急躁。这时，从门口进来一位穿蓝色夹克的中年男子，他胳膊下夹一个黑色手包，站在大厅中央环视了一下像在找什么人。他个子不高，头发侧分着向后梳，亮闪闪的眼睛大大的，神采飞扬又极不安分地转动着，不时地扫向每一个角落，当漂亮女孩儿从他身边走过，他的眼睛会跟着那身影移动。欣然看着他，猜测他一定是个花心萝卜，但愿他不是那个烦心人。

介绍人张老师急冲冲地走进大堂，她直冲着那个中年男人走过去说着什么，欣然心里“咯噔”一下，坏了，还真是他！他们一起转过身看着大门外，欣然知道他们正在等自己。

“张老师，您好。”欣然站在他们身后。“哟，陈欣然，你都到了，我们还以为你没来呢。”说着，张老师指着那个男人对欣然说：“这位是孙若为，我的学生。”接着，张老师又把欣然介绍给了那个男人。

“对不起，让你们久等了，路上有点堵。”张老师边说边往头上系着纱巾。

“我们到里面坐下来聊吧。”孙若为边说边想把欣然和老师让进边上的古堡餐厅。

“不行，我今天临时有点儿事，我还得马上走。这不，你们也见到了，有什么要问的，你们自己谈吧。”说着张老师就往外走，这是介绍人惯用的伎俩。欣然没说什么和孙若为一起把张老师先送出了饭店的大门。

古堡餐厅的咖啡吧里没什么人，大概还没到上人的时间。整个餐厅就像它的名字一样幽暗而神秘。大理石的地面是粗糙的，所有的家具都是古铜色的，只有靠近窗户的地方，才勉强有一缕缕的阳光，但因为今天刮大风，所以光线也并不强烈。每一张桌子上都铺着蓝白格的桌布，每个桌子的上方都悬下来一个米色的筒灯，灯光很柔和，带着一种弥散开的柔情浸渍着每一个人的心。

欣然和他找了一个不起眼的角落坐下，欣然要了一杯爱尔兰咖啡，那是种在咖啡里加冰淇淋和酒的饮料，她喜欢那种独特的味道。他要了一壶红茶。两个陌生人无言以对。他看着欣然，手却在不停地忙活，往茶杯中倒入浅褐色的液体、撕开一袋白糖放入、用小匙慢慢地搅拌，井然有序，不忙不乱。欣然第一次面对这种见面的方式：毫不相干的男人和女人为了共同的、明确的、毫不掩饰的目的坐在一起，用言词向对方表白自己的优势，从中寻找着对方的劣势，以决定是进攻还是放弃，就像两只处于发情期的动物，其中一方向另一方显示自己的与众不同之处，以期捕捉对方的好感。欣然突然有点后悔自己要的这种咖啡，无法用小匙子去搅动那深褐色的液体，也无需再放入白糖之类的伴侣，因而手也成了不知该放在哪里的一对多余之物。

“看来，你不太适应这种见面方式，尤其是和一个陌生男人。其实，这对我也是第一次。”他先打破了僵局。那声音低沉而浑厚，表现出中年男人特有的沉稳。这种沉稳而富有磁力的声音和刚才在大堂里捕捉漂亮女孩儿的眼神很不相称，欣然很难在这么短的时间里把这两个异常矛盾的事物统一到眼前的男人身上。

“不，我是不太适应和一个陌生男人面对面地谈感情问题。”欣然也说不清自己为什么要做这样的表白。“那好，这种情况一般来讲男人应主动一些，下面，我就开始极为认真而细致地介绍我自己了。”他停顿了一下，端起杯子轻轻地喝了口茶：“姓名孙若为，性别男，今年四十一岁，在一家报社工作，现在的职务是常务主编，月薪就先回避了。我毕业于北师院中文系。”

“你是师院的？你也是学中文的？”欣然没想到眼前这个男人还是老校友，只不过他应该算是大师哥级的了。“没想到吧，其实，我早就知道你是我的小师妹了。大师哥和小师妹在一起聊天的感觉应该是不错的。好！我下面接着介绍，有什么不明白的地方欢迎随时提问，……”

也许是校友的关系把他们之间的陌生感降到了最低点，也许是因同出中文系而让他们彼此间的距离拉近了。欣然的大脑开始随着这位孙先生的自我介绍而快速地旋转，她努力地汲取着各方面的信息，不光是为自己，还要为家里人，回家后，家里肯定会开一场“记者招待会”。她必须回答每个人提出的问题，而且更可怕地是不能以无可奉告作为答案。

欣然知道了他的家庭情况，这其中包括他爷爷的情况、父亲的情况、姥姥的情况、妈妈的情况、他以前的情况、他现在的情况，他总结了他的家庭是一部体现中国历史变革的现、当代史，他总结了自己的经历，是一部大起大落、分分合合、合合分分的交响乐，欣然在知道他以前，一直认为家庭是一个极为简单、极为温馨、极为让人依赖的地方，现在，她才知道原来世上还有经历如此坎坷、命运如此不济、人生如此不顺的人。欣然一直想让自己能平静地对待他所讲的每一个问题，但实际上，每一个问题在她的心里都砸出一片水花，使她难以平静。她努力地想使自己表现得很平静，她努力地想让自己始终保持微笑，但是她知道自己脸上的微笑此刻一定很难看，最起码已经是僵硬的了。她从低着头听他讲到抬起头、甚至开始用自己的大眼睛盯着面前的这个男人，她开始萌发想了解面前的这个男人、看透这个男人的欲望，她想知道是什么使他在困境中活得那么出色。

那壶红茶已经被侍者添了好几次水，烟灰缸里躺着糖袋干瘪的躯壳。欣然发现他竟然不抽烟，这可是个难得的优点。他笑了笑对欣然说："没想到吧，一个坐在你面前的陌生男人会讲这么多，没想到我这个人的经历这么复杂吧，你吸收得了吗？"

欣然也向他微笑了一下："还好，我是学中文的，听故事的能力还是很强的。不过，孙老师这么多的内容，我一下还真吸收不了，好多事情还是没有搞清楚，如果可能，请你以后有机会再给我讲。"

"我说了这么多，下面该你说说了。"对面的男人看着她启发着。

"我，我没什么好说的，我的情况没你那么复杂，家庭也挺简单的。"欣然出于礼貌向他大致地介绍了一下自己的情况。有好多的细节，她都略去了。对于一个陌生男人，在没有想好下一步之前，她不想让对方知道的太多，尤其是她在个人感情方面出现的问题。她只是简单地用"感情不和"几个字一带而过。

最后，孙先生给她留了电话，说好以后联系。孙若为想请陈欣然一起吃午饭，但欣然找了一个下午还有事的理由推托了。

欣然不欣赏现在的很多女孩子见面就让男士请客的行为，她始终认为女人挣钱不容易，好男人挣钱也不容易。至少面前的这位孙先生在她的眼里还算得上是一位好人（至于是否能算一位好男人还不得而知），欣然不想在没有任何理由的情况下就让对方破费，她可不想无任何原因地就欠对方点什么，也不想让对方小看自己。

坐在车上，欣然想着眼前的这个男人：应该说还算一个优秀的男人，他有很多方面都令她肃然起敬。但是，一想到他那四十一岁的年龄，欣然心里就有点儿没着没落的。介绍人也不说清楚了，如果开始就知道他有四十岁，欣然说什么也不会答应见这个面的。自己又不是真的嫁不出去了，干嘛要找个比自己哥哥还大好多的男人做先生，这要是进了门，谁叫谁哥呀。

但是，欣然从骨子里讲却又是一个很欣赏四十岁男人的女人。

十七岁刚上大学的那年，她应同班同学张新影之邀去她家玩。刚巧新影的父亲下班回来，当时，欣然看着走进家门正在换鞋的男人出神了，她无法用语言来形容面前的这位男子，更说不清楚是什么吸引了她的目光让她那样毫不掩饰地如醉如痴地看着这个男人。直到张新影在她的眼前晃动着手挡住了她的视线，她才回过味来。新影向她介绍了自己的父亲——二七机车厂的厂办主任，厂里的笔杆子，四十岁。从此，欣然的心里对四十岁男人就产生了无尽的好感：那种成熟与稳重，那份儒雅与活力完美地结合在这个年龄段的男人身上，这种优势是年轻男子的年龄资本所无法比拟的。欣然回宿舍没心没肺地向同学们喋喋不休地夸耀新影的父亲，同宿舍的人都笑话她这辈子不嫁给四十岁的男人会后悔。

现在，当她真地要去面对一个四十岁的男人谈感情时，欣然有点儿退缩了，难道真怕自己嫁不出去？难道真要和这个男人谈情说爱？难道会和他共度今生？难道爱情真的就不分年龄？

走进楼道，欣然从信箱中取了报纸和一封来信，她看着那信封上的地址高兴地跳起来，张新影从新加坡寄来了第一封信。这个家伙一个月前突然从新加坡打来一个国际长途，只说了大约两分钟的话，直弄得欣然莫名其妙，一个月前她们还在北京通电话，可不知为什么她又突然跑到外国去了。欣然来不及打开信封，电梯已经把她送到了家门口。

“我回来了。”欣然习惯性叫了一声。

“欣然，这么快就回来了，怎么没和那位先生共进午餐。”哥哥从房间里窜了出来。真难得他今天在家，要是平常，欣然会高兴地跳起来，可是今天，欣然看他在家还真有点烦，他是最会出难题的家伙。“欣然，回来了，吃了吗?”妈妈和老爸也停止了午休从卧室里出来了，脸上带着关切的神情。

“见面怎么样?”老哥最沉不住气，“要不为了等你了解了解情况，我早就走了。”老哥一向是单刀直入。“别听你哥的，他今天要在家背书，明天要代表单位参加市旅游局的比赛，可不是为了你才在家的。”妈妈揭发了哥哥的老底。“那也要说说情况?他请你吃饭了吗?”哥哥可把是否请妹妹吃饭看成是情感交流的第一信号。

“有什么好说的，他都四十了，你们不会让一个四十岁的男人成为你们的女婿兼妹夫吧。我也没和他吃饭，不是他不请，是我不想吃。吃了就等于表态，我才不会让自己那么被动呢!”欣然觉得这是最好的一个回答。如果他们不认可这一点，那么其他的情况都不必讲了。

“怎么会这样，张老师介绍时可没说。”妈妈一点儿思想准备都没有。“现如今，这爱情不分年龄，其它情况怎么样?”老哥倒是想得开，穷追不舍地问。

“你烦不烦呢?其它的情况都好得跟朵花儿似的，这样的好事还能轮到我，缺心眼儿哪你。”欣然现在迫切想回屋去看那封来信，没心思回答他们那么多问题，“这样吧，你们先商量一下，要是能接受这一特殊情况，我晚上再跟你们好好说说，如果不能接受，那就什么都不用问了。”说着她也顾不得家里人的复杂表情溜进自己的小屋关上了房门。

十三

亲爱的欣然：

你好！自从上次给你打了一个国际长途后，我们已经有一个月没有联系了。这段时间，我一直忙着安顿自己的生活。直到昨天才算踏实下来。所以今天赶紧给你写信省得你挂念。

你一定很奇怪我为什么要来新加坡打工，也一定很奇怪我为什么走得那么急，而且你也一定想知道我最近都在忙些什么。真是一言难尽。我们家的情况你也知道，小弟自从大学毕业交了女朋友后就和家里闹得不可开交，小弟的不懂事，未来小弟妹的没教养，让我爸妈很是头疼。我夹在他们中间就像一个灭火器，谁有了烦事都跟我说，可他们谁又知道我在中间的难处呢。再说我的个人问题，都快二十九的人了还没着没落的，更可悲的是，我还不如你呢。严格地讲感情对于我来说什么还都没有开始过，不是我看不上人家就是人家看不上我，其实，我这个人你最了解，绝对是一个有责任感、顾家的女子，可见过我的人竟然都说我是事业型的，不可能顾家。虽然你的婚姻失败了，但最起码还有过，可我倒好，却还如一张白纸，所以，我想让自己也换个环境，也许对自己能有好处，同时学点东西，让自己更充实些，也许能为自己的以后打下个好基础。

前一段时间，偶然从报纸上看到新加坡需要中文老师，我就去报了名，结果通过了他们的面试，从办手续到办护照到买机票到出国前后用了不到一个月的时间。新加坡教育部实在可恶。当时讲好的条件，管住月薪二千新币，可到了这以后，人家的条件变了。住宿不管，只付给住宿费，害得我这个月一直忙着找地方住了，更可怕的是开始还住了几天大酒店，我一共就带了二千美金，差点在这方面全给消耗了。好在上天有眼，可怜我这个飘泊异乡的人，现在终于安定下来了。不过，我可要提醒你，以后，咱们的孩子上大学，不论专业多差，一定要上个名牌大学，北师大的学生到这儿来教课月薪三千，可咱们师院的才一千五，活一点儿不少干，而且还比他们教得好，可是人家就是不承认。咱们只能吃哑巴亏。

得，光顾了说我的情况，你现在怎么样，还一个人呢？为那样的男人不值得，只能说那个男人不懂得珍惜你，这辈子他没福气。你也别太伤感了，如果有机会一定要振作起来重新开始，很多外在的条件都是虚的，主要的是看这个人是否对你好，是否有本事，是否能读懂你这本书。如果遇到了，千万别错过，我期待着你的好消息。

今天就先聊到这儿了，希望你以后能常给我写信，我期待着你的来信。

代问你爸、妈、大哥好！

新影于狮城

十一月一日晚

欣然捧着这封来信，不知是喜是悲，一个大学时代的好友就这样漂洋过海到外面去了，她们曾经是无话不说的好朋友，新影在欣然最难的时候支持过她，可现在她却一个人在外，身边没有一个亲人，一个朋友，甚至连走的时候都没能和好朋友见上一面。这一去不知要到什么时候才能再见面，也不知她在那边习惯吗。欣然从书架上拿下徐小凤的专辑放进录音机按下开关，喇叭里传出了徐小凤低回哀婉的歌声：

忘不了，忘不了，忘不了你的泪，忘不了你的笑，忘不了雨中的散步，也忘不了相思的烦恼……寂寞的长夜，而今斜月清照，冷落的秋千，而今迎风轻摇……

这是当年欣然她们宿舍里最流行的一首歌，大家经常在入睡之前一起听这首歌，好多次大家都是在关灯之后让欣然再放一遍，欣然曾经还试着为它写了 MTV 的分镜头剧本。现在，歌声依旧，唱歌的人依旧，但听歌的人已经天各一方了，惟有那份真挚的友情是忘不了的。欣然的泪水顺着眼角流了下来，慢慢地滑过她的面颊，滴落在胸前。

介绍人来了电话，说对方对欣然挺满意的，问她的想法。欣然以年龄差别太大回绝。张老师动之以情、晓之以理地劝说着欣然，大有不同意就不挂电话的意思。欣然没辙只能妥协。经过全家三口人的家庭会议讨论，她接到了会议决定：对方的年龄虽然偏大，但如果有其他的一些优势的话，请欣然再接触几次，毕竟现在下决定还为时过早。欣然面对这样的一个决定心里已经有了自己的打算，拖一段时间再说，也许对方只是在敷衍自己的老师，也许他本人根本就没有看中这个其貌不扬，走在人海中就会消失得无影无踪的普通得不能再普通的女人。抱着这样的想法，欣然决定以静制动，看对方的反应再说。

一个星期的假很快就过去了，欣然面临着新的挑战，去接那个被别人带了一半儿的烹饪班。

距离早读的时间还有三分钟，欣然便动身向“自己”班的教室走去。

刚上到二楼，只听见一阵喧哗扑面而来：男孩儿们低沉而叫嚣的声音在楼道内乱窜，震得人头皮发紧。学生们就像没头的苍蝇一样在追跑，打闹的脚步声震得楼板直颤，让人能感到地震的征兆。欣然不由得皱了皱眉头，她开始有点发怵：这样一个无人肯接的乱班，自己当时怎么就让步了呢。事后，她曾在校门口试探着问过于主任，要是自己真不同意，学校会怎么办？于主任看着她得意地笑了笑说：“其实，我和校长心里一直也没底，只是想试试，真不接，我们也没办法。”欣然真是后悔：她怎么就忘了“狭路相逢勇者胜”这句话呢，其实，自己要是坚持不接，领导又能拿自己怎么样，真是一失足成千古恨。

早读的铃声响了。欣然站在了教室门口。只见男生们忙乱不堪：有的从身后同学的桌子上抄过作业本；有的正在大讲什么有趣的轶事，引得周围的几个人大笑；有的站在教室的后面正从纸袋里把皱巴巴的校服拿出来往身上套；有的嘴里在大嚼着方便面，手里还在不停地为其配着调料；老实点的没说话的也有，可那是趴在桌上睡大觉的。个别几个守纪律的学生都是这班里平时最老实的孩子。欣然教他们的课，对他们中的一些同学多多少少有一定了解。

她站在门口看着这群学生没有说话。欣然决定不去打扰他们，倒要看看他们什么时候才能安静下来。这是她第一次看他们上早读，她以前都是赶在下早读铃响起的时候才进校的，她没有想到学生们的早读会上得如此糟糕，已经完全失去了设置早读的意义。看来，这群男孩子们以前在课上还是很给她面子的，他们上她的课可没见过这种景象，最多是有人接接下茬或是提一些令欣然意料不到或是哭笑不得的问题。个别几个爱睡觉的也在她的教育下放弃了初中三年的爱好。

“别说了！”小班长刘宇大声地喊着。“别说了赵凯，你还是班干部呢！”刘宇冲着体育委员批评着。“别说了，你还是班干部呢！”淘气的赵亮在边上阴阳怪气地模仿着班长。

“别说了，班主任都来了，你们没长眼睛！”刘宇的脸有点微微泛红，当着新班主任的面没能把早读纪律维持好，实在是件很没面子的事。

同学们这才真正地看到了站在门口的陈欣然。班里渐渐地安静了下来。看来学生已经得到了通知。一双双眼睛望着这位年轻的曾经和他们朝夕相处了三个月的常常微笑着走进教室的说话声音很好听的女老师。

欣然借着这瞬间的安静走上了讲台："大家很诚实，让我真正地了解了大家的另一面。这在以前的语文课上还是没有过的。"

"那是我们喜欢您给您面子。"有同学在下面接下茬。

"我需要你们给我面子，但我也希望大家能给自己点面子，给咱们班点面子。不然，大家的脸上都会不好看的。"欣然一改往日的平易严肃地看着大家，用着学生爱用的"给面子"这个词，虽然她很讨厌这个说法。"其实，大家都知道该如何在早读时保持安静。但为什么做不到呢？这就是古人常说的'非不能也，实不为也'。"欣然说着转身把这几个字写在了黑板上，大大的。"以后，如果大家是'非不为也，实不能也'的事我不会追究，相反，我也决不罢休。我是一个很认真的人，你们以前可能还没有机会体会，我不希望到时大家都不愉快，"欣然说着把粉笔扔进了黑板槽里。

"陈老师，以前你对我们班一直很客气，以后能怎么样？"有人开始试探这位既熟悉又陌生的班主任。

"我不能怎么样，不过，如果有人愿意，我们可以试试。"欣然面对学生的挑衅笑了笑。"以前，我是你们的任课教师，我对你们很客气，你们对我也不错，我希望我们之间能保持这种和平共处的关系，但是如果有同学想试试我，请你最好别冲在第一个。记住新官上任三把火，烧在谁身上都不好受。"欣然停顿了一下加强了语气："下面，我宣布一项纪律：从今天开始，上学来必须按学校要求穿相应的校服，不允许到校后再换来换去。如被我发现，我就让他天天背着所有的校服一直背到毕业。第二，班委会的同学和团支部的同学和各科的课代表在下午放学后留下，我们开会一起研究一下班级工作，请你们每个班委提交一份工作计划。"

下早自习的铃声响了。"好了，下面请大家把第一节课的学习用具拿出来，准备上课。”男生们开始翻书包扒拉抽屉找着有关的学习用具。欣然惊奇地发现，这些男孩子竟然没几个有铅笔盒、笔记本的，真是一本课本打天下，甚至于有的同学连书包都没有每天拎个纸袋就上学来了。于是欣然又补充了一条：“明天上课前，我检查每个同学的学习用具，包括书包、铅笔盒、书、笔记本、作业本。没有的同学今天回去准备。听到了没有?”

“听到了!”学生们拉着长音，但却掩盖不了敷衍的成分。

迎进任课老师，欣然用严肃的目光又扫了遍全体同学后才轻轻地关上了门。教室里还算安静，可能学生们还没有回过味来。她从早读已经深切地感受到：这个班要管理调教的地方太多了，这将是一项浩大的工程，但既然受命于危难之时，也只能尽心竭力了。

下午的班委会和团支部会一直开到快六点。欣然向他们了解了班内的具体情况，共同商讨了近期的工作计划，并让他们畅所欲言谈对班级建设的意见，。最后，大家一致同意班内的工作首先从纪律抓起，它是落实一切管理条例的先决条件：包括早读和课间的迟到问题，上操的缺人问题，上课的说话睡觉问题，不交作业以及抄作业问题，其次是卫生问题，毕竟班级的卫生是集体的一张脸，每天的脸都不洗，还谈什么其它的。欣然和班委们明确分工，并且列出了相关的管理条例，以及具体的奖惩措施等。大家都希望有一个新的老师的同时能有一个新的开始，毕竟人都是有自尊心的，尤其是这群十五、六岁的大男孩儿。欣然从他们跃跃欲试的眼神中看到了希望，也许，这将是一群很出色的男子汉，这会是一个很不错的班集体。

欣然把打印得整整齐齐的书稿认真地捧着交给钱老师，那情景就像鲁迅笔下那个捧着十世单传孩子的华老栓。钱老师漫不经心地很随意地翻了翻打印好的稿子，说了句：“年青老师就是好，还真是挺认真的。”

“有电子文件吗?”他又问，“省得录入时出错，我还要找你校稿。”

欣然答应把电子文件给他。

然后，他从外衣的兜里拿出一个小信封交给欣然，那是钱老师答应欣然的百分之三十的稿费一千五百元。

“要签字吗?”欣然问。

“没那么麻烦，后面那部分过段时间再给你。有事还找你呀!”说着钱老师拿起稿子哼着小调就下楼去了。

陈欣然正在经历着前所未有的辛苦。她要求学生的每一点，自己都要身体力行地去做。看到班里的地面脏了，她既让学生打扫自己也去拿扫帚；为了检查学生上操，她自己每天第一个到操场，并且会和学生一起完成全套动作；检查学生是否迟到，她每天都提前十分钟到校……也许，榜样的力量是最具有说服力的。

十几天后，烹饪班的一群秃小子已初见成效了。首先，班内的卫生发生了质的飞跃，再没有以前满地纸屑、方便面袋的现象，教室后的臭球鞋也消失得无影无踪。卫生委员柳义很负责，每节课后都盯着值日生用清水把黑板擦干净。讲台桌上干干净净地只放着一盒粉笔，黑板擦按要求入了黑板槽再也不能躺在讲台桌睡大觉。纪律上的进步最先体现在上操，只要第二节下课铃声一响，军体委员赵凯就会第一个冲向操场，站在指定的位置上，其他的同学也会快速地跑到各自的位置，以前稀稀拉拉溜溜达达的情况少了。军体委员每天点人数，向班主任汇报。于是，不想上操的学生没有了蒙混过关的机会。再后来，上课睡觉的少了，接下茬的少了，迟到的少了……。看着学生们一点点地发生着可喜的变化，她发自内心地高兴。同时，她很有些暗自得意：有什么了不起的，谁说男生班女教师不能带，纯粹是一种偏见。

十四

处理完手里的工作，天已经全黑了，冷风飕飕。欣然坐在回家的车上，满脑子都是将如何进一步深入实施班内管理的事。BP机突然响了，打断了她的思路。欣然摸出BP机，并且接通了手机的电源。借着闪过的昏暗路灯，欣然看到一个极为陌生的电话号码。她有点犹豫，但还是拨通了那个电话。

对面的声音很模糊，信号不是很好。

"你是陈欣然吗？我是孙若为。"

"谁？你是谁？"欣然在记忆中快速搜索了一下，"你呼错号了吧，我不认识你呀。你怎么知道我的名字？"

"我是孙若为，张老师的学生。那天我们在金伦饭店见过面，不是你给我的号码吗？"对方有些不悦。

欣然猛然想起了那个四十岁的男人。"对不起，真对不起，我忘了，我刚才走神了，一时没想起来。"欣然很为自己的失礼感到狼狈。

"你这些天好吗？前几天我忙着发稿子，也没跟你联系，不介意吧。"

"没关系。"欣然才无所谓他会不会跟自己联系、是不是有时间呢。"你有事吗？"

"我这两天病了，感冒发烧，还挺厉害的。直到今天才好点儿，所以，就想给你打个电话。"电话里传来两声咳嗽声。

欣然的心里莫名其妙地抖了一下：他病了？需要人照顾。没有人在他的身边，他一定很孤独。那滋味欣然是体会过的。"你吃药了吗？"她关心地问。

"我太难受了，家里的一点药早吃完了，我也没能下楼去买。"对面一副可怜巴巴的样子。

“要不要我去看看你。”欣然自己也说不清是出于什么想法决定去关心一下这个陌生人。

“那太麻烦你了。我住在……”挂上电话，孙若为异常兴奋。这个年轻的女孩儿会来看自己，在他们仅仅一面之交之后，在她听说他病了之后。看来她很善良。

欣然觉得自己很鲁莽，但是，想到一个重病在家的人需要关心，又觉得自己这么做是对的。毕竟他们在一起神聊过两个多小时，毕竟她在心里还是由衷地佩服这个男人，毕竟四十岁的男人对她还是有一种无法言表的吸引力。她和妈妈通了电话，报告了自己的想法取得了妈妈的同意。她迅速地下了车，走进一家大药店，买了退烧药、消炎药、止咳药，走出药店她犹豫了一下，看看高高在上的冷月，她伸手打了一辆车。

开门的人灰头土脸的，已经没有了往日的神采：大大的眼睛深陷下去，黑黑的眼眶格外引人注目。脸消瘦了许多，连脸上的笑容都显得分外的疲惫和勉强。欣然看着这个陌生的因生病而格外需要人来关心的男人，忽然有一种说不出的心痛。他把欣然迎进家门，有气无力地说了句：“你来了，请进吧。”就自顾自地转身进了大屋一屁股坐在沙发上围上条毯子。

这是一个不大的一居室，进门的地方正好能看到客厅和一间大屋。家具是很传统的棕褐色的，使整个房间愈发显得阴暗。小客厅不大已没有了会客的地方：一组大衣柜占了一大半过道，其余的两面墙从下到上杂乱地堆着成摞成摞的书，这让欣然再次肃然起敬：一个背靠满屋书的男人该是有深度的。大屋里有一张大床、一张双人沙发和一张写字台。家里惟一的休闲品就是一台电视机。墙上挂着一幅水墨山水画，纸发黄可能有些年头。

欣然走进大屋，把药放在写字台上。

“你坐吧。”他有气无力地招呼着。

“怎么样，现在觉得哪不好？”欣然边说边脱下外面的大衣。

“比昨天好多了，就是觉得头重脚轻的，浑身没劲儿。”他又忍不住咳了两声。

“晚饭吃了吗?”

“家里什么也没有，又懒得下楼去买。”

“不吃东西怎么行?”欣然说着拿起床头柜上的杯子：“你先吃点药，然后我给你好歹做点儿吃的。”欣然给这个陌生人倒了点开水服了药就走进了厨房。“对不起，我自己动手乱翻了。”欣然嚷道。

“你自己看着办吧。”那声音吓了欣然一跳，他已经倚在了厨房的门口看着欣然。

“你去坐会儿，这不用你，呆会儿好了，我叫你。”

厨房不小却空荡荡的，甚至连煤气灶也没有。巧妇难为无米之炊。欣然打开橱门找到一口电饭锅，又看到一个小小的红桶，摇了摇，有米的声音，她麻利地把稀饭烧上。打开冰箱，空荡荡地，只有两包不知什么时候的咸菜。

“这儿有卖东西的地方吗?”欣然站在大屋门口。

“楼下有个商店。”

“那我下去一下。”欣然说着穿上大衣快速地下了楼。

她在门口的食品店里快速地采购了一些主食和小菜，不但有今晚上吃的，还有这个人明后天的。很快，稀饭的香味飘满了整间屋子。

大屋里，欣然和这个陌生人一起吃晚饭，这是他们第一次在一起共进晚餐。家里只有两双碗筷和三个碟子，她很不习惯。没有什么山珍海味，但他却吃得很香，额头上冒出了汗珠。

“真香!”他一边用纸巾擦着嘴一边说。

“平时，你怎么解决吃饭问题?”欣然想不明白这也能算个家。

“大多数时间有人请，没事一个人就在楼下餐馆吃。”他边说边夹起一块火腿肠。

“你不自己做饭吗?”

“很少，最多是熬点儿粥。”

“以前，你们两个人的时候也不做饭吗? 噢，对不起，我不该问的。”欣然发现自己问得太多太敏感了。

“没事，”他倒是一副无所谓的样子，“以前，她很少在家，在家也懒得做饭，想吃什么都是去餐厅。”话音极为平淡。

欣然有些吃惊，她想象不出一个家庭中，女人不做饭是什么样子。看来大千世界什么样生活方式的人都有，也许自己的许多想法还是太传统了。

收拾完碗筷，欣然和这个陌生人一起坐在沙发上。在热粥的作用下，他的脸色已经好看了许多，说话的底气也足了不少。他给她讲他的工作，有许多事是欣然从没有接触过的。欣然听得津津有味。欣然一边听他讲一边仔细地观察着这个男人：虽然他面容有些憔悴，但欣然还是能感觉到他是一个很爱干净的男人，下巴下短短的胡茬，一看就知是早上才剃的，衬衣的领子很干净，一看就知是新换的。俩人的距离很近，欣然能够感觉到他的呼吸，能够闻到他身上一种很独特很纯粹的气味，没有难闻的烟味、酒味、汗味，一种这个男人身上所特有的气味不时散发出来，飘进欣然的鼻腔里。她不知道应该用什么词来形容，她觉得那股气味很亲切，很好闻。灯光是昏暗的，他的脸色比刚见面的时候好多了。他滔滔不绝地讲着，不时地用眼睛盯着欣然，欣然能感受到他的目光，有些直白，有些灼人，欣然低头回避着那目光。

“你最近在忙什么?”若为随便地问。

“也没忙什么，为了以后评职称方便点，前段时间帮一位老师编了点稿子，刚弄完，这不，前两天才拿了部分稿费。”欣然随嘴说。

“千字多少钱?”大主编没想到眼前这个会做饭的女孩还会参与编书。

“什么多少钱?”欣然没反应过来。

“我问的是你的稿酬?”

欣然扬扬眉毛得意地说:“二十五!”

“这么少，是分期付吗?”大主编叫着。

“不少了，我上一节课四十五钟才不到五块钱!”欣然觉得这个人怎么这么贪婪。

“你被人给骗了,”大主编果断地下着定论,“你肯定是叫人给蒙了，不可能这么低的，如果是分期付，一般可能拿到三十到三十五元的。”大主编很在行地说。

“是吗?”欣然有些失落，被自己单位的老师给骗了，她有点不信。但，面前这个男人的话显然又不像是在骗自己。

“算了算了，不说了，以后你可要盯紧着点你那个同事，一定小心他，催着他让他尽快给你结账。还有啊，书出来了一定要拿回来看看，看看是不是有你的名字。”于是，这个大主编就开始向欣然面授了许多相关的事宜。经他这个懂行人一说，欣然心里真有点不平衡了。但当着生人的面，也只能漫不经心地安尉自己：就当是练兵了吧。

墙上的钟响了九下，欣然要走了。孙若为站起来要送她。“你别出去了，外面挺凉的，会着凉的。”欣然拒绝着。“那哪成。我多穿点儿，没事的。”欣然不好再坚持。

初冬的风不大，但凉嗖嗖的有些刺骨。路上行人不多，都是一副赶路的样子。想到有一个温暖的家，人们都会加快脚步。他们俩下了楼，欣然往车站的方向走。

“太晚了，你打个车走吧。”他打破了沉寂。

“算了，不安全，还是坐公共汽车吧。”欣然可不舍得花那么多钱，要知道打这趟车她要上好几节课才能挣回来呢。

“那你得几点才能到家。还是听我的吧。”若为伸手叫出租。

“那我要是被绑架了怎么办?”欣然不好意思明着反对，

“我会记车号报案的。”两个人相视着都笑了。欣然不好再坚持，但有些心疼。

一辆的士停在面前。是一辆夏利，欣然的心更疼了，她有些犹豫。若为看着她，伸手拉开车门把她推上了车，一股暖风吹在欣然的脸上。她决定咬咬牙，就这一回。

“自己多保重，有需要的话给我打电话。”欣然进车后摇下车窗对他说。

他把头探了过来，把一张钞票递给司机，“请把这位小姐安全送到家。”

“别，我有钱。”欣然没想到他会这样。拿过那张钞票推辞着。

“别跟我客气了，你能来看我我已经很满足了。请到家给我回个电话，我好放心。师傅开车。”说完，他在她不经意之时亲了一下她的面颊。她愣了一下，有点儿不习惯。

车开了，欣然回头看看，他还在原地站着没动。用手摸摸自己的面颊，有些发烫，虽然天很冷，但那嘴唇的余温还在。她久久地体味着那已远离她很久的某种陌生的而又熟悉的感觉。

“陈老师，电话。”同屋的卢老师叫着欣然。

“喂?您哪位?”欣然拿起听筒。

“我，大明”，听筒对面是欣然开书店的朋友打来的。

“你怎么今天有空想起我了?”

“急事，十万火急的大事要请你帮忙。”对方的声音很大。

“你小点声行吗?我的耳朵都快掉了。”欣然边说边坐在了桌子上。

“房劲辉你还记得吗?就是我在河南教委的那个好朋友，咱们一起吃过饭的，那个长得挺帅的大老爷们儿。”

“好像有点印象，但已经记不太清楚了。”欣然努力地在脑海里寻找着那个长得很帅的大老爷们儿的样子。

“你们教育系统不是每年都评职称吗？他今年评高级落选了，原因是没有论文发表，结果因硬件不够，被刷下来了。以前吃饭时听你说起过你写的论文，他想跟你要两篇，拿去发发，这样的话明年可能还有戏。”

“什么，你开什么玩笑，这种东西也有借的。”欣然的声音高了八度。

现在，人们为了职称真可谓是绞尽脑汁。唉，别说别人了，自己不也一样吗。

“职教杂志方面我都安排好了，就等你一句话了。再说，你和他之间又没有名额问题，你就帮帮他得了，就算是帮我还不行。”对方讨好地商量着。

“这跟你有什么关系呀？”欣然不解。

“我的小姑奶奶，他一年以河南省教委的名义从我这儿定几百万码洋的书，他可是我的财神爷，我能得罪他吗！”

欣然本想推辞，但想到朋友的全家是靠这个书店吃饭的，便有些心软。“可我那几篇论文在有些地方已发过了，会不会有事儿呀？”

“这个，你放心，我保证不会连累你的。”对方听出了欣然的意思满口许愿。

“那只好这样了，不过说明白了，我可是冲着你的面子来的，要不然，我才不……”

“我知道，我一定会好好地谢谢你的，你说你要什么吧？只要我能够着，我一定给你摘去。”对方再次许诺。

“得了，得了，你就从书店里给我找几套职业教育语文方面的教学辅导书就行。”欣然正好要去买这方面的辅导书。

“说吧，什么时候要，我一准差人按时给你送到。”

“你先准备着吧，等我电话。”

“那稿子你什么时候给我？”

“你有 E-mail 地址吗？”

“有。”

“我给你发过去得了，省得你还得找人打印。”

“得，多谢了！”

欣然顺手拿过一张纸记下了对方的电子邮箱的地址。

“当着你们老师的面，说说你上课都干了些什么？”第三节下课，班上的王肖被教健康课的高慧明老师扯进了办公室。

高老师是去年才从一所区重点学校调来的。开始大家很是尊敬她，毕竟重点中学的老师应该有点水平。由于还有某位领导的关系，大家又都让她几分。新来乍到的她却很是张扬：在这个班批评学生没文化，在那个班批评学生没素质。于是，学生们在背后就给她起了个“素质高”的绰号。大凡被她盯上的学生，那可真是碰上了难过的槛儿。

高老师一进办公室就直冲欣然而来。她拉过一张椅子在欣然的身边坐下，然后翘起二郎腿晃着对王肖说：“当着你们老师的面，说说你上课都干了些什么？”全然不顾办公室里还有很多老师和学生。欣然只得放下手中的工作抬头看着他等着他的回答。

“我，我打预备铃的时候剪指甲来着。”听了他的话，欣然松了一口气，在职业高中的课堂，这真不算是什么大问题。“你怎么能这样呢！”陈老师照例要当着老师的面批评批评学生，好让老师消消气。

“剪指甲！怎么就你爱上课干这事儿呀？啪啪的，成心不想让我上课，你对我是有意见怎么着？”高老师开始上纲上线了。

“你上课怎么能做与学习无关的事呢。还不快向老师认个错，以后上课可不许这样了。”陈欣然赶紧采取主动，教育起学生来。

“老师我错了，我以后再也不……”王肖倒也聪明赶紧照办。

“得、得、得，认个错就完了。你们家是不是有这个爱好呀，你们祖上是不是剪指甲出身的，要是……”王肖听着老师的数落，开始还低着头，但见数落到他家里人的头上，脸开始涨得通红。

“要是你有这个嗜好，我一定满足你的愿望，我让你也给我剪剪得了，十个手指头不够还有脚趾头，我的不够，我还可以动员你们陈老师，还有全办公室的老师……”高老师只顾自己说着过瘾，丝毫不去关心学生的表情和陈欣然的表情。

办公室里的老师纷纷停下自己手中的活，都把注意力集中到这边来了。

陈欣然看着王肖，王肖的脸色已是惨白惨白的，他开始现出一种无所谓的神情，不时地用嘴吹着眼前耷拉下来的头发帘，刚才笔直的身体开始左右地晃着。欣然无法拦着高老师的嘴无法挡住高老师的话，如果她这会儿说句什么，有可能就落下护学生的话把儿。她只能看着王肖，希望他的忍耐力能大点，千万别扛不住和高老师发生冲突，那可就麻烦大了。

“铃……铃……”上课的铃声响了，陈欣然长长地出了口气。

高老师终于停下了。她喝了口水，然后冲着陈欣然：“我还有课，他就交给你了。”欣然冲她一笑劝慰道：“您放心吧，我一定会好好教育他的，您千万别跟学生质气，别伤了身体。”

高老师扭着屁股走了。王肖还站在那儿运气。陈欣然狠狠地瞪了他一眼，语气很严肃地说了句：“下回长点记性，听见没有。上课去吧！”王肖见班主任并没有批评他，先是愣了愣神，忽然给陈老师鞠了个躬低声地说了句“老师对不起！给您添麻烦了。”转身出了办公室。

欣然摇摇头坐了下来，对面的吴娟红冲着她吐吐舌头：“亏是打上课铃了，不然可快要打起来了！”卢老师在一边接口说：“说学生也不能这么损呀，连人家长都捎上了。还老说别人素质低，我看呀，就她‘素质高’！”

十五

周一早读时间，陈欣然照例按时走进了教室。课代表吴旭正带着大家读外语。外语是烹饪专业的弱项，因此每周的五个早读中有三个给了外语。有时，欣然还要亲自出马给他们讲一些课堂上没听懂的知识。欣然一边看着吴旭领着大家上早读，一边习惯性地检查着学生的仪容仪表。走到中间一排的最后，欣然在一个空位子前站定了：这个学生已经三天没来上课了，加上双休日的两天，他已经有五天不知去向了，书包都没拿回家，课本和作业本从书包里掉出来散了一地，上专业课的白色工作服也因掉在地上不知被谁踩上了个黑脚印。欣然一边想着应该和家长取得联系看看到底发生了什么事，一边弯下腰去拾地上的课本和衣服，然后把它们一一放进书包中，把书包扣好。

“你干嘛？”一个桔黄色的东西立在欣然的面前，发出很大的声音，吓了她一跳。欣然抬头看，是书包的主人韩健。他几天不见染了一脑袋黄毛，一条橙色牛仔裤，裤口肥大得遮住了脚上的鞋，还拖着长长的被人为剪成一绺绺的穗子，一件极艳的桔黄色的外衣，和他的头发十分协调地搭配在一起，衣服的腰身线收得甚是讲究。欣然不由得皱了一下眉头，也不知教导处天天检察仪容仪表的老师怎么会让这个“怪物”进校门。陈欣然还没来得及开口问他什么时候漂的黄发，为什么没穿校服，怎么迟到了，这些天为什么没来上课，为什么不把书包带回家等一系列问题，他却用更大的声音嚷道：“你少动我东西。你动我书包干嘛？想哄我走呀！”一副准备打架的小公鸡样。

班内的早读顿时停止了，同学们都回过头来看着他们，没有人说话。

“你的东西掉到地上了，我帮你拾起来。”欣然看着他，面对叫嚣的人，以静制动为上策。

“用不着，你要想让我走，早说，别在这儿装好人。”韩健说着一把从欣然的手里夺过了他的东西。

“你这是什么意思？你在跟谁说话？”欣然被搞得莫名其妙同时也很恼火，“你大清早吃了戗药了，拿着你的书包，到我办公室等我。其他同学继续上早读。”说完，她不再看他，走向教室的门口。她不想在班里当着那么多学生的面解决问题，一方面她怕自己会压不住火，同时也想考虑照顾韩健的面子。

“我去得着办公室吗？”他一副极不买账的样子，斜眼瞟着这个比他低一头的女班主任。

“你是我的学生，你就得服从我的管理。”欣然转身冷冷地看着他，声音并不大。

“我干嘛要服从你？”一副挑衅的口吻。

“那你来这儿干嘛？你还打算上学吗？”欣然的声音抬高了，当老师很久以来还没有哪个学生这么让她下不来台。

“有什么稀罕的，不上就不上，我正不想上呢！”说着他抓起已经扣好的书包，抡到肩上，转身就向教室门口走去，书包带掉了好几个同学桌上的用具。

“你站住！”欣然叫他，火往上顶。

他径直出了教室门，头也没回。

“你站住！听见没有！”欣然抬高嗓音叫着追了出去。“有什么意见，我们一会儿可以谈，但你不能现在就这么走了。”他见她追了出来，撒腿就跑。

“王丰、张强，快去拦着他。”欣然知道自己追不上，在窗口冲着班内两员体育健将求助。

王丰、张强应声冲出了教室，冲下了楼梯。

欣然这时才发现自己站在那里被气得直发抖。星期一第一天，一大早就遇到如此窝心事，怎不叫人心烦。欣然自觉并未得罪于他，他却像只小疯狗一样见谁咬谁，实在让人难以接受。必须让他家长来一趟……

欣然追到了校门口。

两员大将正和韩健说着什么，张强还去拉他的书包。突然，只见韩健从地上抄起一块砖头挥动着，嘴里叫着："谁再过来，我就开了他。"

两员大将不得已只能后退，王丰还在劝说："刚才陈老师是在帮你收拾东西，你误会了。"

欣然从没有想到她的学生会这么野蛮，她气得不顾后果地冲了上去："你砍呀，你要是男子汉你就要说到做到。"她死死地瞪着韩健的眼睛，"但是，我必须提醒你，在这所学校打架是惟一不可原谅的错误。到时候，我也帮不了你了。"

韩健抓着砖头的手停在了空中，他愣了一下神。

"你曾经还对我说：你喜欢这个专业、喜欢这个班、喜欢班里的同学。现在，面对喜欢的同学你真下得去手？"欣然发现自己失态了，泪水已经在眼眶里打起了转转。她忍着，不能在学生面前流泪，那样，学生会笑话她的。

韩健看着这个年轻的女班主任，看着这个个子不高、眼圈发红的女生，看着眼前两个和他朝夕相处了近三个月的同学，他定定地站在那没动，砖头从他举着的手里滑了下来掉在地上发出"砰"的一声闷响。

欣然冲上前一把抓住他说："你要是真不想上了也可以，但也要跟老师说清楚再走。"

"有什么事，你可以跟老师好好说。别那么冲动。"张强也过来拉住了韩健的书包。

“第一节课你就先别上了，跟我到办公室去解决问题，”她的手还死死地拉着韩健生怕他再跑了，又扭头对两员大将说：“谢谢你们俩，先回去上课吧，但刚才的事谁也不许跟同学们讲，知道吗？”她要考虑韩健的面子。

教导处的黄主任正好从教学楼里出来，看着三个男生和一个女老师正拉扯着，赶紧跑过来问：“怎么了？怎么了？陈老师，出什么事了？”欣然故做轻松甩了甩头说：“没事，学生忘带作业本了，想回家取，我怕他们耽误课，让他们中午再说。”然后，她又冲着三个学生大声说：“你们三个先上课去，有什么比上课还重要。”机灵的王丰明白了老师的意图对张强说：“那咱们中午再去吧。”说着向教室走去。黄主任听着陈老师的解释半信半疑，留下句“有事说话。”便走了。

办公室里其他的老师都上课去了，只有陈欣然和韩健。欣然用清水洗了把脸，冬天的水很冷，她借此让自己清醒一下，然后在办公桌前坐下。韩健站在那笔直笔直的。

“你也坐吧。”欣然把身边的一把椅子拉过来，让他坐下。“我站着。”他硬声硬气地说。欣然知道对这种学生急是不能解决问题的，必须以柔克刚，她压了压自己的火气，尽量把声音放得柔和些：“你坐下好吗，要不，我只能站着了。你太高了，我仰着头和你说话，太累了。”他有些不好意思，迟疑了一会儿，慢慢坐下。“我们谈谈吧。问题很多，我希望你能一一回答我。”他低着头没有说话。

“这几天干嘛去了？”“病了。”不出欣然意料的答案。“我看不像，要是病了，今天你就不会是这样了。”他沉默。

“这个问题我们一会再谈。今天为什么迟到了？”

“车不好坐。”

“你可以早出来会儿吗？”

“我已经是赶头班车了。”

“你们家住哪?”

“通县北关环岛”他冷冷地回答。

这情况有些出乎意料。“我看过班内的工作日记，你从开学到现在迟到过好多次了吧。”

“嗯。”

“你们家没有亲戚住在城里吗?”

“没有。”

“那你当初报这所学校的时候知道这儿没有住宿吗?”

“知道。”

“知道你干嘛跑这么远来上学?”

“我喜欢这个专业，家近的学校这个专业办得不好。”

“那你以后近三年的时间，要是老这么迟到会影响班集体的。”

“我对这边不熟。从京通快速路下来后，我只知道有一趟车可到学校，可那趟车特别少，所以总是迟到。每天要花好多时间等那趟车。迟到时我也挺烦的，会影响我一天的心情。好几次我都怕门口执勤的老师抓着给咱班扣分，所以只好等到八点五分撤岗了才悄悄地溜进来。”他表白着。看来，他还是很珍惜这个班的荣誉的。

“你可以换一种方式，例如在车站放一辆很旧的自行车，这一段可以骑过来。”

他忽然抬起头眼睛一亮，“这倒是个好方法，我怎么没想到，试试，没准还真行。”

“这方面如果还有什么问题你尽可以来找老师帮忙。”

“行。”

谈话已经进行到一种相对放松的状态。

“那么，今天为什么没穿校服?”

“我特讨厌穿校服。”

"为什么?"

"多难看呀，一点儿也不酷。"

"头发什么时候漂的，家长知道吗?"

"知道，上个礼拜五漂的。"

对这个回答欣然很吃惊，真不知现在的家长是怎么回事，要是自己的孩子把头发给弄成这副德行，她早就一巴掌上去了。

"你刚才还说这几天病了，看来我没说错吧!"，他知道自己露馅了便不再解释。"那你觉得这身打扮美吗?"

"我觉得挺酷的。"

"挺酷的? 适合你吗? 符合你的身份吗? 假设同样是在车站挤车，人家看你是个学生会原谅你上学着急，但你今天这身打扮，我想没人会谅解你。"欣然虽然也不喜欢学校的校服样式，但她必须这样要求学生。"你能听听我对你今天的评价吗?"欣然进一步引导。

"你肯定不喜欢，我猜得到。但这是新潮，你懂吗?"他很是得意。

"我不反对赶潮流，但也要看它是否符合你的身份。你现在是学生，学生就应该有学生的样子。你这样出去，像不像在社会上流窜的社会青年。"

"有那么差吗?"

"我不知道别人怎么看，反正我是这样认为的。也许你会觉得我很老土。"

他低下头，没有再反驳。

"这样吧，以后你在外面穿得怎么酷我都不管，但是，只要是在学校内就必须按学校的规定穿校服。听到没有。"他没有说话，只是点点头。"还有，今天放学后就去把头发的颜色给我变回来。"

"陈老师，这可是刚漂的，三百多块呢。"他心疼地咧着嘴，看着欣然的眼睛，请求着。

“我不管，你自己看着办。要想成为咱们班的一员就得听我的，否则……”欣然故意停顿了一下，其实结果到底怎么样，她也没想好。

“那，那就这么着吧。”他很勉强地答应了。

“那你现在能告诉我，你这几天干什么去了。”他愣在那半天没有说话。欣然看着他的眼睛，从那双大大的眼睛里她看到了茫然、愤恨、无奈和伤感。他开始回避她的眼睛，他害怕他心中的隐秘暴露无遗。

“是不是不好说。”办公室里又沉默了。

第一节课下课的铃声响了。学生们冲出教室的声音打破了楼道的寂静。郑义老师已经率先走进了办公室。“哟，韩健，怎么了，让陈老师给提拉到办公室来了。”韩健愤愤地盯着郑老师的背影。“好了，这样吧，你一会儿先去上课，但是你必须在两天之内主动找我把事情说清楚，否则我就是请家长报教导处了。”“那如果我说了实话，你会不会处分我。”“这我可不能保证什么，因为首先你违反了校规校纪，就应该受到批评。你不能说因为讲了实话就来和老师讨价还价。至于我能保证的就是如果你配合我工作，我可以把批评降到最低限度。”“那我想想吧。”“记着，我只给你两天时间，而且是你自己来找我。你现在回班吧。”

“陈老师再见。”他说着往外走，转身撞到了刚进门拿着一大堆书的吴娟红身上，书掉了一地。“同学，你慢着点儿。”“对不起，对不起。”他边道歉边去捡地上的书。“对了，这几天你不许以任何理由请事假和病假，否则我都给你算旷课，听见没有。”陈欣然看着他补充着。“听见了。”他回答着走出了办公室

“欣然，他犯什么错了？”郑义在一边看着韩健的身影问。“没什么事。”“哟，还不愿意说。”“是没什么大事。”“你尝到这男生班的滋味了吧。不那么好干吧！”郑老师一副早在意料之中

的样子。“还行，我觉得味道好极了。”欣然有再多的苦和累也不想表现在她的面前。

一天的时间过得真快，下午两节课和一节班会后，下班的时间到了。

路过教导处，欣然决定去查一下韩健的家庭住址和联系电话，虽然她已经给了他两天的时间，但她必须预防他不按期来。黄主任正好在。欣然从他那儿查到了所要的东西。刚要走，突然在于主任的桌子上发现一份北京师范大学在职研究生的招生简章。她好奇地打开来看。内容很令她兴奋。有中文专业的招生名额。

“黄主任，这份简章哪来的。”“寄来的吧。我也不知道。”“咱们学校有人报吗?”“不知道。”“小欣然，你还不报一个，考考试试。”“我是想呀，可不知咱们学校同意吗?”“这事儿你可得找于主任，他主抓教学。”正说着，于主任走了进来。

“领导，这份招生简章什么时候来的?”

“这个?都快有一个月了。”

“那您怎么没通知我们呢。”

“人来人往的，我也没看谁问起过，你这是第一份。”

“那，我能报考吗?”欣然试探着，因为简章上有一条要脱产学习一年半，所以必须由考生所在学校同意后方可报名考试。

“这，说不好。”于主任漫不经心的样子。

“为什么，你不是管教学的吗，这还不是您一句话的事。”

“得了，没那么简单，这事儿得上面研究研究才行。”

“那您觉得同意的可能性大吗?”欣然再试。

“没谱。再说，你们都去上学了，谁来教课。”

“可您也得考虑我们学完了会给学校带来多少好处吧。”欣然提醒着领导。

“学完以后？那你们还不全跑了。研究生到哪不能找份更好的工作，偏要在这儿?”

这个回答是欣然没有想到的。她还真没想过学完之后跳槽的事。于主任的想法也许太极端了，难道怕咽着还不吃饭了。“您想得也太偏激了，不是每个人都不愿意当老师的。您能不能和学校研究一下，反正我想报，希望到时您能批准。”欣然一边表态一边请求着于主任。

“这事儿最好的解决办法是直接去找老板。”于主任给她支了个损招。一听“老板”两字，欣然就不舒服。“这份简章您还有用吗？没用我可拿走了。”她说着就把简章往书包里装。“送你了。反正也没人要。”

欣然坐在回家的汽车上，仔细地从头到尾地看了三遍具体的招生细则，同时她也开始为自己的以后进行了各种各样的设计。

十六

第二上午，欣然利用空课的时间开始运作考研的工作。经过昨晚的思考，她再次明确了一个事实，学校现在的状态决定了事无巨细都必须去找方宏进谈，只要他点头，下面的一切事都好办了。

她来到三楼的校长办公室，门虚掩着，可以听到里面正在接电话。“我们刚刚拿下了省市级重点校，就要把对面并过来，这样的话工作压力太大。……什么，全国重点，领导，你饶了我吧，我都快六十的人了，说话马上就要退了，你还是让我消停几天吧……什么，上面已经议了好几次了，那你们也得听听下面的意见吧……好，我明天去区里，我们见面再谈。”电话挂上了。欣然在门口站了片刻，定了定神轻轻地敲了门。

“进来。”欣然走进了校长的办公室。

"方校长，您好，您现在有空儿吗，我有点事想和您商量。"

"陈老师啊，坐吧，什么事?"方校长在大班台前换了个姿势，把身体整个靠在大班椅上，一副居高临下的样子。"听于主任说今年你又去献血了。怎么样，身体还行吗?"

"还行，谢谢领导的关心。"欣然没想到领导会提起这件事，有些受宠若惊。

"唉，年轻呀，真让我羡慕。你看虹蕾比你才大几岁呀，可身体真不行，这不，前些天又查出心脏不太好，连我们家下一代都耽误了。"方校长的言语中显出了父亲般柔情，"对了，找我有什么事?"

方校长有两个女儿，一个在本校教书，一个正在读研究生。方虹蕾由于学历不高，人长得又不太漂亮，父亲便从学校的男孩儿中精心挑选出一个做了上门女婿。他们婚后感情很好，只是结婚五六年了，还一直没有要小孩儿。当父亲的等着抱外孙的心情可想而知。欣然本想劝劝领导，可想好的话还没能说出口就被打断了。

"教导处收到了北师大的在职研究生招生简章，今年中文专业有招生名额，我想去考，主任说这事要您点头才行。"欣然说着把那份招生简章递了过去。方校长戴上眼镜，用了极短的时间扫了一遍,抬起头,把眼镜摘了下来看着欣然说："现在什么事都要我拍板,这么点小事儿他们也来烦我,商量着定了不就行了!"

"于主任说这事儿一定要您点头。你现在是学校的'老板'!"欣然不失时机地用上了领导最喜欢的新名词。

方校长得意地笑笑，"你现在不已经是本科毕业了吗?学它干嘛。在咱们学校，你现在这样已够用了。"欣然没想到这个在上面一直以创新精神、超前意识闻名的校长，怎么会说出这样的想法。

"我想多学点儿东西，以后好更好地教学生。"

“现在，咱们学校的师资挺紧的，这你也知道。如果要进新老师，大家的福利待遇又会受到些影响。所以，要是你去上学，那你的工作怎么办?”

欣然没有回答，因为她觉得这是领导考虑的事，不应该她想，如果领导想让你去那后面的问题他们都会替你想到的，如果不想让你去，只是一个借口。

“咱们学校还有谁想去考?”方校长换了个问题。

“听于主任说好像就我一个。”

“学费这么高，三年下来要好几万。这个，学校可不能替你出。”

“我根本就没想要学校替我掏学费。”欣然觉得问题有缓，就赶紧表态。

“你要是去上学了，那对你的待遇……”

“只要你让我去，什么都没有也行。”欣然为了能去上学，什么都想过了，还和妈妈谈了。妈妈和爸爸特支持，爸爸说得好：“就凭我的离休工资，你就是没工作了，我也能保证你有饭吃。”所以现在，领导提出的每一个可能不利于她上学的因素，她都要坚决地挡回去。

“那倒不至于。学校也不能那么不仁义呀，至少总得给你开国拨工资吧，你总得吃饭吧！再说，这是一件大事，对于学校来说也是第一次遇到，这样吧，你先等等，我们开个会商量一下再答复你。”

领导决定研究已是不易，但欣然怕他们研究得太久就问：“大约要多久？报名的时间可截止到十二月三十一号。”

“我们尽快吧，到时于主任他们会通知你的。”

欣然无话可说，只能退出校长室。看来，只能祈祷老天爷保佑了。

真不错，韩健如约来找陈欣然解释为什么几天没来上学的问题了。看来，这小子还是可以教育好的。从他如期而至的举动，欣然看到了希望。

但谈话的内容却令陈欣然始料不及。

韩健承认了他这几天确实是逃学了，但也没在家，他每天早上四点半起床，吃过早点五点钟出门，然后下午六点半进家门，这其间的时间，他去过以前的中学，在一个开歌厅的朋友那儿呆过，还到发廊呆过。他回家后不写作业，也不看书，妈妈问过一次也没深究就过去了，也就是说他三天没上学，家里根本就不知道。

欣然很想知道他为什么这么做。韩健在沉默了一段时间后，突然哭了，而且哭得很伤心。那份男孩子特有的哭相让欣然看着心痛。他告诉欣然，在他上初二的时候爸爸和妈妈就分手了，开始他接受不了这个事实，但后来看到同学家也有类似事情发生，慢慢也就习以为常了。他被法院判给了妈妈，但是他很少和妈妈住在一起。姥姥和姥爷一直照顾着他的生活。姥姥常问他想不想爸妈在一起，如果想，那他这个做儿子的就得在中间不断地牵线。他当然希望有一个完整的家，于是就经常找出各种各样的理由把爸爸和妈妈拉到一起。于是，爸爸和妈妈经常带着他回原来他们自己的家，他还住他的小屋，爸妈还住在他们原来的大屋。可每次都好景不长，几天后爸妈肯定打架，而且一次比一次打得狠，甚至到了动手的程度。每次听着他们打架的摔东西声、尖叫声和说出来的不堪入耳的脏话，他都会后悔自己的举动。但是，爸爸和妈妈好像已经习惯了这种生活方式，不几天又到了一起，然后再打、再分开，再在一起再打、再分，这种局面持续了两年了。

最近，这事再次地发生了。他从没有如此地恨过爸爸和妈妈。随着年龄的增长，父母在他的眼里越来越丑陋、自私，他们就像两只发情的动物，为了生理需求聚在一起。可是姥姥还在成天地向他灌输那个老掉牙的理论。他没心思上学甚至不想回家，有时他甚至想离家出走。这几天，他在原来的学校门口游荡想找自己原来的班主任聊聊，可又不好意思。他无处可去，只能到朋友那去坐坐，一块侃侃，心情才会好点。那天，当他无聊地把自己的头发漂成黄色时，他得到了一种反叛的快感：他设想着妈妈会问他，会关注他，他想好了对答妈妈的话，他想着把妈妈给噎得一愣一愣的样子。但是他失望了，妈妈只是漫不经心地瞅了他一眼，轻描淡写地问了一句，并没有真的想管他的意思。除了听说他为此花了三百块钱而嗓门大了点儿外，她并没有什么特别的反应。他本想用这种方法引起妈妈对他的关注，哪怕对他发火嚷嚷一顿儿也好。可是，他没有得到。最后他只能来学校了。也许，老师会关注他。

欣然在听他的诉说时，十分震惊。她不知道世上还有这么不负责任的父母：分手本没有错，但这之后的做法可是太出格了。即使没有法制观念，但至少也应考虑到对孩子的影响。更何况他们的儿子都那么大了，他已经懂得了合法与非法，他已经知道什么是同居什么是性什么是离婚。父母只考虑了自己一时的快感而忽视了孩子的感受，这样的家长真是太少有了。

她知道了韩健问题的症结。她觉得如果这时很随意地报教导处给孩子一个处分是极不恰当的。她必须从根本上帮他解决问题，否则这个孩子的今后可能就完了。欣然感到了自己肩上的责任，同时她也感到了他对自己的信任。这两天他一定很矛盾，但最终他还是向老师说出了自己的隐私。

最后，欣然安慰他并问他希望自己做点什么，他说希望老师能和家长谈谈。欣然答应了，其实这也是她的想法。她让他先回去上课。看着韩健的背影，欣然思考着该以什么样的方式找他的家长。

临上课，欣然接到了孙若为的电话。他已经身体痊愈正在投入新闻出版署的主编上岗考试。他说周六就能全部考完，希望能在考完试后见到她。欣然想了想就答应了。虽然已经过去好几天了，可对孙若为的那个吻，她依然记忆犹新。

上课的预备铃响了，欣然拿着书本往外走，下午是金融专业班的课，他们的教室在四层，欣然必须在上课铃儿响起之前到岗，一方面这是教师的职业道德，另一方面现在学校各级领导正在查这事。

“陈老师，我把手割破了，您这儿还有创可贴吗?”学习委员孙扬举着直往外冒血的手指冲进了办公室。

烹饪班的学生每周有两天是专业课——刀工和雕刻，由于刀太快，这些孩子又很少做家务，所以，一到这两天学生会发生“流血事件”，欣然为此给学生备了整盒的创可贴，每次上课前都要拿出十个、八个交给课代表，以防不测。

“怎么搞的，这么不小心。赶快先用清水冲一下，把血挤挤，别让脏东西在里面。”陈欣然看在眼里急在心上，她一边说一边赶忙放下书本，转身从办公桌的抽屉里拿出一个创可贴，撕着表面的纸，帮孙扬贴在伤口处。

“李楠那不是有吗，还跑这么远，流这么多血。”欣然心疼地责备着。

“今天刚磨过刀，切东西特快，您给的创可贴今天早就被用完了。”孙杨咧着嘴说。

欣然知道今天又有八个男生挂彩了。“自己小心点儿，一会儿让同学帮你洗砧板，伤口千万别再沾水了。”欣然嘱咐完拿起书本，撒腿向四楼冲去。

“这节是什么课?”一个男人的声音大吼着。

“语文。”

“老师是谁?”欣然已经听出那是校长大人的发问。

“陈老师。”

不打勤不打懒就打不长眼的，欣然今天算是撞到枪口上了。门口的阵势吓了她一跳：方校长挂帅，古副书记、于主任、黄主任陪同一起站在教室的门口。

“对不起，我来晚了。”欣然喘着气冲到教室门口。她知道今天的的批评是少不了。

“你干什么去了?”古副书记抢先问道。

“我……我”欣然不停地喘着，没有说出第二个字。

古副书记打断了她的话：“我什么，你知不知道应该按时上课。”

“我知道，可是……”欣然终于喘匀了气。

“可是什么，你还想不想干了。”古副书记瞟着欣然，声音很大。

“校长，今天有点儿特殊情况，呆会儿我向您解释，请您当着学生的面给我留点面子，行吗?”

“什么，你还要我给你留面子。”古副书记尖声叫道。

“你怎么这样，我们老师来晚了，肯定有事，你干吗这么不依不饶的。”有学生在下面喊。“就是的，陈老师平时从来不迟到的。”同学们开始七嘴八舌。

“呀。学生还挺替你说话的。”古副书记酸溜溜地看着欣然。

“你们现在把嘴闭上行吗。”欣然冲着学生吼了一句，她知道这种情况下，同学们越是帮她越会让领导生气。

“老于老黄，今天这事咱们一会儿得好好议议，不能就这么完了。现在效益和工作是挂钩的，不能让有些人钱拿得舒服可活不好好干。我先走了，一会儿你们到我办公室来，咱们得想个处理方案。”方校长说着头也不回地背着手走了。

“一会儿，你们过来商量一下。”古副书记转身跟着方校长也走了。

于主任看着欣然摇了摇头，什么也没说也走了。黄主任过来拍着欣然的肩膀说："小欣然呀，我知道你挺辛苦的，工作也挺认真的。偏巧，今天领导有空决定视察一下，不想就让你给赶上了。一会儿下课后，给老板说几句软话，我给你抹抹稀泥，也许就过去了。先上课吧。"

晚来了两分钟就让校长抓了个正着，同学们也知道给老师闯了大祸而格外老实。班长讲了事情的经过：打上课铃时，课代表看陈老师没来想去找，同学们就起哄：两节连堂急什么呀，这一嚷把领导给招来了。

欣然真是哭笑不得，其实就这么点儿事，怪学生还不如怪自己，怪自己还不如怪孙扬，可怪孙扬也没道理，只能怪刀工课的刀太快了。欣然刚才那一肚子的火渐渐没了，听天由命吧！有学生小声地问着欣然领导会怎么样处理她，欣然自己也说不清。于是她故作轻松地摇摇头："得了，爱怎么着就怎么着，大家别想了，反正我想不至于把我给开了吧。"

可实际上，欣然一直在想这件事会怎么处理，在心神不定中，她草草地上完了一节课。

"小欣然，"下课的铃儿刚响，黄主任已经站在了教室门口，"方校长让你到他办公室去。"

"我下节还有课呢，两节课后再说吧。"欣然不想再因为这事儿影响自己上课的情绪。

"得了，你快去吧，这儿不行，我给你盯会儿。"黄主任劝着欣然。她只好先打发问问题的同学回去。刚走出教室，黄主任在她的耳边小声说："态度好点儿，别跟领导顶。"欣然从他的提示和眼神中看出了问题的严重性，她什么也没说向校长室走去。

"老板，我觉得这样处理太重了，也许陈老师迟到真有原因呢。"于主任的声音。

"有什么原因也不能影响上课呀。"古副书记的尖嗓门。

"别争了，就按我说的办，不然以后有理由就都可以迟到了，那认真上课的老师多不平衡啊！"方校长的发言。

"陈老师，进来吧，"于主任看着站在门口的陈欣然招呼着，"你把今天的情况说说。"

"也没什么好说的，我们班学生上刀工课把手给刺破了，来找我要创可贴，我帮他处理了一下，耽误了。"欣然尽量让自己的语气和缓一些，因为她自认为理由是完全站得住的，毕竟那个突发事件具有专业的特殊性，她不想让领导觉得她说话很冲。

"就这么点儿理由？"古副书记在一边接过话茬，她似乎没有设想学生流血的痛苦神情。

"就这么点儿理由，不然，也不会晚上去那么一小会儿。"欣然还在解释着。

"一小会儿？你知道老师应按时到班上准时上课吗？"方校长的话。

"知道。可是，如果你看到学生的手在流血，你能不管吗？"欣然火开始往上顶，嗓门不由得也大了起来。

"你看你的态度，出了问题，没有很好的认识，还在这趾高气扬的。"古梅花煽风点火的功夫极为过硬。

"陈老师，你别激动，虽然是特殊情况，但你毕竟是迟到了，所以领导说你两句也是对的。"于主任在一边帮着撤火。

"今天这事，我们研究了一下，要对你进行严肃的处理，也算是杀一儆百。我们决定扣发你一个星期的工资，你有什么意见？"方校长宣布了处理意见。

这个结果是出乎欣然预料的，因为在这所学校里，还没有过扣工资的处罚先例。"你都定了，还问我有什么意见，管什么用。"

"你怎么这个态度？"古梅花又在边上叫。

"你要我什么态度，换成是你，也许你还没我的涵养好呢。"

欣然最看不得女人当权得势后的那份张扬，“感谢领导对我的教育，好在我还不指着这一个星期的工资养家糊口呢。”欣然突然笑着说出这句话。然后她也没等领导们同意就自顾自地走出了校长办公室的大门，在门口她特意地停了一下，回头瞟了他们一眼转身带着一头长发飘然而去……

欣然连着两天没有上班，她找了一张病假条，扔在了学校的传达室。反正一个星期的工资没了，她决定好好地玩玩，也算出了这口不平之气，这不符合她职业道德，但是，自己的做人规范和原则对这些人来讲又有什么用。她虽然没去上班，但她还是时时刻刻惦记着那帮大事不犯小事不断的秃小子。

十七

周末的清晨，欣然颓然躲在暖和的被子里，不愿起身。平时，上班没办法睡懒觉就眼巴巴地盼着周末的到来，可每到周末，却又总是按点儿醒来，常常是难以再睡，想想起来没事可干，倒不如在床上多赖一会儿。奇怪的是，那个人又一次不自觉地闯进了她的大脑，不时地晃来晃去，也不知他这两天考试情况如何。对了，他还约了今天见面，可昨晚也没再联系，不知有谱没谱。

紫红色的窗帘被慢慢拉开，百无聊赖的视线突然被眼前的一切给定住了。欣然不敢相信自己的眼睛，揉揉定神再看，真的，是真的，“忽如一夜春风来，千树万树梨花开”，外面的世界一片银白，在悄无声息之中，雪来到了这个世界，来到了欣然的窗前，正用她的唇亲吻着欣然视线内的一切：黄土地、大树、枯草、小马路、高大的楼房、低矮的小屋……

欣然兴奋地在小屋里大叫着。随即，她飞旋地进了妈妈的房间，用力摇醒还在睡梦中的妈妈，一种不能自抑的兴奋伴随着她的叫声：“妈，快起来，下雪了！”随即，她又飞旋出房门。只听见妈妈在屋里喃喃地说：“都这么大了，还跟个小孩子似的。”

欣然再次来到窗前：红色屋顶的小平房在雪的怀抱中像童话中小矮人的小木屋，线条柔和，色彩含蓄，精巧玲珑，已没有了往日的生硬和冰冷；光秃秃的杨树枝和柳树枝不再是张牙舞爪地直探天空或僵硬地在空中似幽灵般地乱晃，在雪的装点之下，竟显出了不同以往的淳厚、质朴、俏丽、妩媚；杨树枝直立向上，似伟岸俊朗的大丈夫雄姿英发；柳枝迎雪轻摇，似风流倜傥的美少年闲庭信步，……但最美的，最令人流连不肯离眼的还是那傲骨长存的塔松，张开臂膀，挺直腰杆，接受着雪的洗礼。雪面对这些坚强男儿却显出了少有的温柔与多情，她亲抚着他的面颊、他的胸膛、他的臂膀，用自己的妙手仔细地为他梳妆打扮，使他越发显出了绿的青翠、绿的生机、绿的葱茏。他用自己的博大胸襟回报她，把她的每一分付出都精心地点点收藏入怀。她与他交相辉映，越发地衬出了她的晶莹、她的多情、她的妩媚……雪越下越大，已由细砂流泻转为花瓣飞扬。那大片的雪花千姿百态，时而飞舞，时而飘摇、时而旋转，在欣然的眼里，这雪已不再是白色的，它变成了一场五彩缤纷的花瓣雨……花坛边的小径在雪的笼罩之下，还能隐看出它伸向远方的身姿，只是越发地朦胧，越发地看不真切……欣然的眼前突然一亮：只见一个小孩儿穿着红色的小袄，戴着红色的帽子，红色的围巾、红色的手套跳入她的视野。他小心地探出自己的小脚，在雪地上留下了一个小小的脚印，然后又很不情愿地抬起另一只，犹豫了一下才慢慢地放下。不一会儿，雪地上便留下了一串极为规则的小脚印，但很快，就变成了一条浅浅的痕迹……

欣然站在窗前，出神地看着。忽然一阵急促的铃声打扰了她的思绪，她条件反射似的颤动了一下，回头看看那发出声音的东西，并没有动。会是他吗？在这个雪花飞舞的冬日早晨。电话铃又响。“然然，接电话。”妈妈在里屋喊。

“下雪了，你知道吗?”听筒的对面传来了他的声音。“我正在看雪。”欣然按捺住自己的喜悦，因为她说不清这好心情是源于这场雪还是源于这个电话。“我十点考完试，来接我好吗?咱们可以一起去踏雪寻梅。”他的声音富有磁性。“好的，我一会儿就去接你。”说好了见面地点，欣然挂断了电话。

“谁呀?”妈妈问。“孙若为，他约我一会儿出去玩儿。”“那吃点儿早点就去吧。路上当心点儿就是了。”看着女儿在周末又开始有外出的活动，妈妈脸上露出了开心的笑容。其实，妈妈不一定女儿非要嫁给这个人，但是，能有人给女儿带来全新的生活，妈妈就很开心了。如果再给她带来好心情，妈妈会发自内心地感激他。

陈欣然在考试点的大门口等着孙若为。北京已经很多年没有见过这么大的雪了，这才是“燕山雪花大如席”的绝好写照。雪片越来越大，很快，在她站着的地方出现了一个小雪窝，一双脚被雪埋了起来，裤腿的边儿已经湿了。欣然没有系头巾，她太喜欢雪片飘飞在脸上的那种凉丝丝的感觉了。虽然是个大雪天，但并不太冷，等他十点半出来，欣然的头发帘已经开始往下滴水，眼睛也越发地迷朦了。

“让你久等了，怎么也不找个地方避一下。”他很自然地用手掸着欣然头发上的雪水。欣然不由自主地躲避着他伸过来的手，但他并没在意她的举动，为她把头发上的雪掸掉。

“我喜欢下雪天，我喜欢淋雪的感觉。”欣然不再躲避。

“我也喜欢雪。说，咱们上哪去?”

“随便。”

“那就先去吃中饭，然后去看新上映的电影《拯救大兵瑞恩》好吗?”欣然原以为他会安排些户外活动，但她没有反驳，直觉告诉她：这个孙若为可能是个很大男子主义的人，她不想改变什么决定顺其自然，她想看看自己到底有多大的耐受力。

他们并肩走着，两个人的手都放在各自的兜里，毕竟才第三次见面，严格地讲，真正的交往才刚刚开始，他们就这样走着，他不停地说着考试的事。突然，欣然脚下一滑向后一仰，孙若为一把伸手抓住了她：“小心点儿。”说着他握住了欣然的手。欣然的心还在砰砰地跳，要不是他，今天可就狼狈了。她的手被抓在他的手掌中，她本能地向外抽可没有抽动，她还不习惯把手放到一个陌生男人的手里，但她能感觉到那只手很热很有力抓得她很紧。她试着想再抽却还是没有抽动。若为皱着眉头看了她一眼，她犹豫了一下，便没有再坚持。她感觉到了一种特别的东西从他的手掌传过她的手指传过她的胳膊传进她的心房，她能感到自己的心脏在不住地乱跳。虽然她已经不再是一个情窦初开的小女孩儿，男女之间的事对她来讲已没有任何神秘之处，但这种感觉是以前从未有过的，慢慢地，她觉得手是暖的，脚是软的，心是暖的，脸是烫的。

看电影的时间还早，他们坐在肯德基餐厅慢慢地吃着汉堡包。他给她讲考试中一道题的答案，他给她讲在交流会上的引人关注的发言，他给她讲以前出过的书，他给她讲对中学作文教学的看法。欣然就像一个小学生一样，认真地听讲，不时地向老师提出各种各样的问题，用一种期待的眼神等待着他的回答，用一种满意的眼神回应着他的讲解。欣然发现自己已经被这个中年男子深深吸引了，吸引她的是他的渊博学识，他的独具特色的思维方式，他的诙谐幽默的语言表达。这一切来源于岁月的流逝，来源于经历的不凡，来源于知识的沉淀。如果，如果他不是一个大骗子的话。

电影院正在上映斯皮尔伯格的新片《拯救大兵瑞恩》，血腥的场面、逼真的画面、震撼的音响吸引着在场的每一位观众。欣然和孙若为坐在挨着的两张椅子上。欣然很投入地看着电影，强有力的炮火声吓得她不由自主地打了一个激凌。孙若为感觉到她的反应，抬起胳膊，绕过欣然的头，把手放在她的肩上，把她搂在了自己宽大厚实的臂膀中。欣然开始有些矜持，她在有意地和他保持着一份不近不远的距离。过了一会儿，她觉得腰部肌肉因较劲开始发硬。“你靠在我的肩上会舒服点儿。”他在她的耳边轻轻地说。气流吹进了她的耳朵，吹动着她耳边的细小的绒毛，也吹进了她的心里，她决定让自己放松。她轻轻地靠在他的肩上，她竟然听到了他怦然有力的心跳。她已经许久没有这么踏实的感觉了。她轻轻地舒了一口气。

因是雪天，外面黑得比平时早了许多，但因为有白白的积雪，因此又没有平时那么暗。他们两个人走在大街上，谈着刚才的电影。他竟然在短时间内为这部电影构思了另外一种更具有震撼力的表现方式。欣然从他的身上发现了自己一直在找寻的那种对她最具魅力的东西，难道这就是那个她在冥冥之中要找寻的人？

分手的时间到了，两个人约好电话联系。欣然没有让他送，她不想成为对方的累赘，她还不想暴露自己的内心隐秘。

由于下雪，哥哥回来出奇的早。看着妹妹进门，他大呼小叫起来：“这么早就分手了，也不多呆会儿。雪中少有的浪漫时刻，也不知道珍惜。”

欣然对哥哥这种夸张的表现手法早已习以为常。“你怎么这么早就回来了，今天的活可好拉了。放弃这样的好时光多可惜。”欣然想起了自己刚才在路上打车抢车的景象。

“对了，等撞了车就不是好时光了。再说这么长时间也没陪陪老爸老妈了，也该尽尽孝心呀。”

“得了吧，你要是真孝顺，就早点儿结婚，少让你妈给你洗几件衣服，早点儿让我们抱孙子。”爸爸在边上一脸的不领情的样子。

“得得得，又来了。真有了孙子，还不知道谁是谁的孙子呢。”哥哥和爸爸在一起总有抬不完的杠。

欣然脱了大衣，到厨房帮妈妈做饭。“哥，你要是真疼妈，就快过来干活。”欣然在厨房喊。

“我来也。说，让我干什么?”哥哥蹿进了厨房。

“你自己看该干什么，还要你妹叫。”妈妈笑着责备着。

“那是，我哪比得了她呀，她是您的贴心小棉袄。”

“然然，今天见面感觉怎么样?”妈妈关切地问。

“挺好的，他挺有才的。”

“妹，他有的是哪个才（财）呀?”哥哥在一边打岔。

“你说该是哪个才（财），刚认识，我会知道他有哪个才（财）。”

“你别捣乱，听你妹说。”妈妈制止哥哥。

“反正我觉得还行，可以再交往一段时间看看。”

“我说什么来着，这年月不能以年龄来决定一切，尤其是感情问题。”哥哥又在一边发表高论。

“什么还行?”见家里三个人在谈着什么，爸爸也从客厅跑了出来打岔。

“没什么。”欣然很少和爸爸进行这方面的交流，因为有些事他处理起来很武断，沟通起来有一定的困难。

“唉，你们有什么也不跟我说。得了，老太婆，儿女的事就交给你了。”完全是高级首长下达命令的样子。

“那就接触一段再说。”妈妈表明了自己的观点。

晚饭后，全家坐在一起看电视。“我和你爸有事跟你们商量。”妈妈看完了她每天必看的节目后说。

“啥事?”老哥一脸的关心样。

“我们想趁着现在还能动，到南方去一趟。”

“好事儿呀!”哥哥最先表示了支持。

“去年不是才回去过吗?”欣然可不太愿意，也很奇怪：去年也是这个时候，老两口跑回南方老家一呆就是将近两个月，怎么才一年又要去了。

“这次，我们想到云南昆明去，同时再去趟海南、深圳、珠海。小姨在那边，方便点儿。她今天来电话了，说最近工作不是特别忙，可以和我们一起去云南。”

“那就去吧。需要我们做点儿什么?”哥哥一副完全支持的表情。

“没什么，只是你们兄妹俩好好地照顾自己。”妈妈不太放心的样子。

“放心吧，我们有什么问题，去年你们走了那么长时间，我们不是还活着呢吗!”哥哥是最喜欢老爸老妈不在家，这样他就可以想干啥干啥，最起码每天没人盯着他洗呀、换呀的。

“然然，我们不在，你要多照顾你哥的生活，常提醒着他换衣服、洗澡。”妈妈总是把这种事托付给女儿才放心。

“我哥都那么大了，他会自己照顾自己的。你就放心吧。”欣然说着走进自己的小屋，从抽屉里拿出两千块钱，装在一个信封里，冲着客厅叫了一声：“妈，你过来一下。”当大哥的要知道小妹给了爸妈两千块，他最少也得给这个数。她不想哥哥有压力，他已经够不容易的了。妈妈也没有再推辞收下了女儿的心意。知趣地走进自己的房间，没有声张。

对于爸妈的出行，其实欣然是最不开心的了。不是因为要花钱，而是因为她又要面对独自在家的孤独。去年的这个时候，爸妈去了南方，开始欣然没觉得什么，一个星期后，欣然发现自己变了：每天除了到点儿上班到点儿下班，哪都不想去。回家后也不想做饭，经常是泡包方便面就算是一顿晚餐。一个人开着电视，举着报纸，泡着茶，却常常不知道电视里演的是什么，报纸上写了什么消息，茶一口也没喝，整晚整晚地窝在沙发里，连厕所都不去。再后来，每天回家刚七点多钟就洗洗躺在床上，睡得昏天黑地。电话不接，同学不找，外出不去。直到有一天哥哥发现欣然的不对劲，便没完没了地安排着各种各样的活动让她参加。她去了几次，可那全是哥哥的朋友，大家不是带女朋友就是带老婆，还真没有带妹妹的，她觉得大家都在用异样的眼神看着她。再后来，欣然拒绝参加哥哥的活动。等到爸妈回来的时候，欣然就像一个受苦的孩子见了亲人一般抱着爸爸的脖子不放手。事后，她看了报纸上登的有关抑郁症的文章直后怕，因为那上面写的十六条症状她全都俱备，只是程度有轻有重罢了。她暗自庆幸老爸老妈回来的及时，否则只有到疯人院去找她了。现在，爸爸和妈妈又要外出了，欣然简直不知这段时间该怎么办，她害怕，但她不能阻止，因为那样太自私了。她陷入了深深的恐惧之中。

韩健的父母被分别请到了学校。陈欣然用了两个中午的休息时间和家长进行交谈。她不想对家长的作法做出任何评价，因为不论对与错都是他们自己的事，别人无从去评价，更何况欣然也相信一句“凡是存在的就是合理的”。她只是把孩子的感受告诉了两位家长，把他们的反反复复对孩子造成的心理伤害告诉了家长。两位家长都很惊讶，毕竟孩子从未当面对他们说过这样的话。于是，他们当面表示为了孩子一定要好好地解决自己的婚姻问题，甚至于表示为了孩子可以无条件复婚的想法。对此，欣然并不赞成，因为她是不相信破镜重圆的故事的。在她看来，就是镜子真能圆了，就是圆得再好，也无法掩盖表面上那道裂痕，也许开始的时候双方会回避，但真到关键时候，尤其是牺牲大的一方的利益受到伤害的时候，那便会成为一道无法逾越的鸿沟。所以，欣然最终表达了自己的想法：无论家长怎么办，最好能给孩子一个相对平静的环境，现在去做什么结论来弥补并不重要，能给孩子一个心灵平静的环境才是最重要的。

送走了家长，欣然开始考虑该如何处理韩健的逃学错误。按常规，最简单的方法就是报教导处，但那样必然会让他受到处分的惩罚，那是欣然不愿意看到的，而且对韩健来讲这种处理过于简单化，未必能达到教育效果。不报学校，会不会在班级中形成不良的影响，让同学们认为逃学无所谓呢？尤其是，那天他向同班同学抄起了砖头，虽然是失去理智情况下的举动，但会不会对两个协助老师的当事人造成心理伤害呢？欣然真正地体会到当一个好班主任，能够处处替学生着想，把他们的心理健康发展作为工作的重点，真是一件很难的事情。

十八

下午是欣然自己班的两节语文课。刚要进教室，就听到“砰”的一声脆响紧接着是“哗啦啦”的声音。欣然知道是玻璃碎了。她赶紧冲进了教室。“怎么搞的？”班内鸦雀无声。欣然一眼就看到了教室后面黑板上一个大大的黑洞。“谁干的？”还是没人理她。她抬高了声音：“男子汉，敢做敢当，做了就要勇于承担。”一前一后两个大高个站了起来。一个是班内最老实的孩子——严力明，一个是班内最闹的孩子——肖大勇。他们俩能打到一块？实在出乎意料。“黑板是谁打碎的？”欣然觉得自己明知故问，肯定是肖大勇无疑。“是我，陈老师。”只见严力明举起手。“你？为什么？”“他骂我，骂的特别难听，我实在气极了，就把椅子抡过去了。”严力明边说边比划着。“你还抡了椅子？没砸着他？”欣然觉得这个结果太出乎她的想象了。“肖大勇多贼呀，他要不躲，就不会砸着黑板了。”班长刘宇在底下小声说。“好了，没伤着人就是万幸。”欣然舒了口气。“其实，要我说，还不如砸着他呢，谁叫他嘴欠，也好长个教训。”后排不知谁小声地嘟囔着。欣然没有找到那个接下茬的人，“你们俩下课来办公室解决问题，现在周大勇和严力明先把后面的碎玻璃扫干净。其他的同学先复习上节课讲过的内容，一会儿提问记分。”布置完，欣然帮着他们把玻璃清理干净，她怕他们一不小心伤了手。与此同时，她又在考虑一会儿如此处理这两个学生。烹饪专业的同学最忌讳的就是打架，尤其是操家伙动东西，因为他们的手里时常有菜刀、雕刻刀、炒勺之类的工具，弄不好这些就会成为凶器。以前学校出过类似的大事。所以学校制定了一套严格管理烹饪专业的条例，凡打架的没有能躲过处分的。看来今天又有两个倒霉蛋以身试法。对于肖大勇欣然倒没什么想法，可严力明为此背上个处分可够惨的。

两节课后，欣然先找到了总务处的同事，请他们一定帮忙在明天之前把黑板给换上。好事不出门，坏事行千里，她不想明天有课的老师看到，成为办公室里有“恶意人的话题或无恶意人的谈资”。家丑不可外扬的古训是不能忘的。

在楼道的拐弯处，欣然和一大群人撞在了一起。她还没来得及看清楚是谁，就听见胡秘书的声音：“陈老师，想什么呢？看着点儿。”欣然赶紧抬头侧身站到楼梯的右侧，为来人闪出一条道。这时，方校长、古副书记、黄伟兰、胡秘书陪着一大群人往楼上走。这其中有欣然认识的区教委人事科的科长、职教科的科长和一个科员。还有几位女士，她不认识。一路连续的脚步声，却没有说话声，空气显得很沉闷。欣然发现方校长的脸色铁灰，眼圈发青、眼窝深陷，一看就知已有几日没睡好。古副书记也少了平日忙前忙后的张罗劲，不时地看看校长的眼神。看着方校长狼狈的样子，欣然觉得很解气，他也有遇到烦心事的时候。太好了！

办公室中间空着的水泥地上写着三点四十到阶梯教室开全体会的通知。由于办公室里没有一块固定的黑板，周老头总是把要通知的事写在地上。看来今天没有找学生解决问题的时间了。欣然只好令两名学生回家后先写事情经过，再由家长签署意见。其他的问题明天再谈。

阶梯教室里坐满了人，一大群不认识的人占领了教室的西半边，打破了同事们过去开会的格局。大家带着疑惑和不解挨挨挤挤地坐了下来。主席台上，教委的若干领导和学校领导坐了长长一溜，其中有五位欣然都不认识。“那不是以前咱们学校的贾宗会吗?”有人在下面小声地说。“他是干什么的?”不认识他的人问。“以前是咱们学校校办厂的主任，后来调到别的学校去了，据说，这几年发达了，当了校长了。”“其余的那几个是?”“笨蛋，中间的那个老的是咱们区委书记的夫人邹德佳，边上的那个是教委副主任的夫人郭玉华。”

“大家安静了，现在开始开会了。”职教科的安主任讲话了。“也许大家都很奇怪，今天开会的人怎么一下子多了，今天，我要代表区委、区教委宣布上级的重要决定：方校长领导的学校在上学年度获得了省市级重点校的复检工作。为了让我区的职业教育工作能稳步跨上新的台阶，区委、区教委特做出决定，把建德中学合并到我校，这样做，不但可以增大我校的面积、扩大我校的办学规模，还可以提高教师的竞争意识，提高教学水平。是一件一举多得的好事。最终，我们就具备了参评国家级重点职业高中的条件。”

这是欣然到这所学校七年以来开会最安静的一次。虽然在几个星期前也有人对此事说风说雨，但都是小范围的小道消息，并没有引起大多数人的重识。谁会想到，刚刚经过努力争来的省市级重点校，成果还没有捂热乎，就被不相干的人一口咬去了一半，而且还声称这是一件大好事。

“下面，我代表区教委宣布对校级领导干部的任命。上级任命贾宗会同志为校长兼党支部书记。任命方宏进同志为副校长兼党支部副书记。任命古秋菱同志为党支部副书记，任命郭玉华同志为副校长主管教育教学工作，任命邹德佳同志为副校长主管学校的实习基地。”

听着上面的任命，下面不再安静。

“怎么，方校长成副校长了?”

“这不是卸磨杀驴吗?”

“灰姑娘嫁给了王子，倒比王子还牛了。”

谁也说不清这是怎么回事，谁也不知道这是怎么回事。

“下面，请贾宗会校长讲话。”

贾宗会从区委主任左侧的位子上站了起来，他并没有马上说话，向大家鞠了一躬，西侧的人群中响起一阵掌声，东侧的人都像看西洋景一样看着西侧的人。然后，他又隔着区委主任和方宏进握了一下手，做了一个让的动作，方宏进也做了一个让的动作，他向方宏进抱起双手作了个揖，然后坐下，开始讲话。

“各位同仁，今天这个会开得很突然，我一点儿准备也没有。区委和教委的领导让我来当新合并校的一把手，我很突然，也很惭愧。怎么说呢，这江山是方校长打下的，现在倒要我来当领导，我心里很不是滋味，今天当着大家的面我表个态，我会非常非常地尊重方校长，对于南校这边的日常事务，我不会过分过问，有什么事，大家还可以请示方校长。南校这边原定的规章制度和福利待遇还照旧，新合过来的北校也会慢慢地向南校这边看齐。很快，我们两边就可以保持一致了。希望我们大家能通力合作完成上级交给我们的任务，为未来的国家级重点校而努力!”西边又是一片掌声。

“下面，请方宏进副校长讲话。”贾校长不失时机地宣布，把“副”字做了强调。

东边的教师们热烈地鼓起掌来，那掌声又长又响，在教室里持续着。不知为什么大家会如此齐心，也许在有外患的时候，人们才会变得如此一致对外。

“我没什么可说的，我也不想说什么，今后，大家要好好地接受贾校长的领导，完成自己的本职工作。既然两校合并了，那么有些事情会发生很大的变化。我们学校的老人们要有个心理准备，毕竟家大业大人多了，很多事情也不像以前那么简单了。我的话完了。”一贯善言的方校长只说了简短的几句。东面再次响起一阵如雷的掌声，经久不息。

大家并没有真正理解方校长话中的含义，只是在做出样子给西边的人看。

“合并校后，学校还有许多事情需要调整，这段时间工作会比较多，比较乱。希望大家能齐心协力搞好新校的工作。另外，从今天开始，我们两校正式合并。那么，我希望从今往后，大家不要再提什么老人新人，南校北校，这样不好，这样不利于团结嘛！我们大家是一体的，我们是为了职教事业而走到一起的革命同志！”区委领导最后做了一个极为简单的发言。

一个从职教兴起之初就冲在第一线的学校，在完成了自己的一系列历史使命之后，在塑造了一个又一个职教系统的辉煌之后，在一次又一次地完善终于跨进省、市级重点校之后，就这样被合并了，结果是如此惨烈——学校的各要害部门的领导都换成了别人。为这所学校奋斗了十六年的老校长方宏进竟然没能完整地画完属于自己校长生涯的最后一个句号。

学校还在按部就班地运转，老师们还在坚守着自己的岗位，学校内最忙的、最没着落的就是中层领导——上级宣布二十八个人只能保留十三个主任级以上名额，何去何从就全在他们自己了。

欣然无暇去顾及这翻天覆地的变化。她已经练就了天塌下来有高个顶着的平静心态。合校就合吧，虽然看着那些上来的人心里有些不平衡，但自己还不是当老师。她还要忙她的课，她还要忙着处理他们班的事。

但有些事物发生了根本性的变化——方校长在开学之初许诺给大家的福利待遇很快就没有了。除了校长，除了会计，没人知道是为什么。大家的口袋一下子紧了起来。像欣然这样的年轻老师很有些不适应。

“你们不知道，这次的校长人选，可有猫腻呢。贾宗会以自己比方校长小几个月，可以更好地帮助学校合并过渡为理由拿到了校长兼书记的头衔。教学和创收那可是学校的大事，所以交由上级领导夫人掌权。咱们这边的干部总要有个交待吧，得了，给个副校长兼副书记。唉，有什么用呢，只能是个摆设，一点儿实权也没有了，只等着退休了。”不知道这其中多少是真实的情况，但对于这个结果，明眼人还是能一眼看出些道道。

处理完学生制造的“玻璃”事件已快五点了。欣然独自走在校园的小径上呼吸着寒气逼人的清冷空气。冬季落日的余辉那最后的一抹已渐渐隐去，校园被笼罩在了一片沉沉的暮霭中，一切都变得不那么真切。操场上，一个人影在跑道上慢行，她已经是第三天看到这情景了。从那背着手踱步的姿态，她判断出那是老校长方宏进。自从他被宣布为副校长那天起，大家叫他就改用“老校长”这个称呼了，毕竟那个“副”字太让这所学校中的每一位和他并肩战斗过的人感到陌生，这其中也包括欣然这样的年轻人。她停下来看着这位老人，她发现他的腰没有前些日子那么直了，步履也没有前些时候那么从容了，她想起了两天前看到他的情景：铁灰的脸色，发青的眼圈、深陷的眼窝。虽说半个月前，他还冲她趾高气扬地发过火，还行使过权力扣了她一个星期的工资，虽说他曾经利用职权为自己的家人谋过利益，虽说他曾经被那么多人捧为“老板”，可现在，他只是一个没有实权的副校长了。没有了权力，没有了头衔，没有了下属们的前呼后拥的奉承，没有了底下人的害怕和恐惧，严格地说，他现在已是一个等待退休的老者。这几天，不知他的心情有多糟，不知他是否能适应这么快的角色转换，不知他要听到多少不知是发自内心的，还是口不对心的嘘寒问暖……她可怜起这个迟暮的老人，她觉得以前的一切不快都已经过去，谁还会和一个将死的老者去追究什么呢？她以后可以像对一位普通的老者那样去面对他了。

回到家的时候，欣然已经冻得手脚麻木。可怕的冬天、难耐的冬天除了雪还能带来一点快乐外，剩下的就只有痛苦了。在张罗女儿吃饭之后，爸爸和妈妈就热火朝天地继续准备着他们南国之行的行装。他们后天就要启程了。欣然羡慕地看着这一对已经是白发苍苍的老人，看着他们相依相伴的身影，一种伤感再次袭来，何处才能寻到和她相伴的那个他呀？眼泪在眼眶里打着转，她吸了吸鼻子，没有让它们掉下来。

"怎么了，然然，是不是感冒了？"妈妈正好路过饭厅听到她的吸溜声，关切地问。

"没事，主要是刚才外面太冷了，进了热屋有点不适应。"

"我们不在家的这段时间，你可要好好地照顾自己和你哥，千万别生病，想着多穿衣服，别光顾着臭美！"妈妈又在唠叨。

"行了，你们就放心吧。"欣然打断了妈妈。

"唉，说放心，可还是有点挂念。"妈妈说出了心里话。

"那你们就别去了。"欣然终于把最想说的话给说了出来。

妈妈警觉地看着欣然，"然然，这两天是不是有什么事不顺心，我怎么老觉得你是话里有话呀。"

"没有呀。只不过这几天太累了。"她连忙掩饰。

"你要是不想让我们去，那……"妈妈又开始为女儿担心。

"别，千万可别，您可不知道，您们不在家我和哥有多自由。求您了，给我们点儿自由的空间吧。再说你妹还等着你们呢。您不去还行，我爸要不去，小姨子会生气的。”欣然可不想让自己的一时之念，毁了爸妈的快乐。

“那你可要好好地。”妈妈再次叮嘱着。

“放心吧。”欣然不耐烦地收拾起碗筷走进厨房。

午夜时分，欣然从熟睡中惊醒，BP 机疯狂地叫着。在寂静的夜里，那声音显得格外刺耳。她不得不从暖暖的被窝里爬起来，去看看是哪个怪物还在上演夜半歌声。熟悉的电话号码出现在屏幕上。她只得用手机拨通了电话。

“喂，然然，睡了吧。”对方压低声音地问。

“嗯，知道我睡了还给我打电话。”欣然在被窝里压低了声音，她可不想让爸妈听见。

“我怎么也睡不着，想和你说说话。”对方再说。

“你明天不上班了？”欣然有疑惑。

“上。”

“那你还不快睡，再说，我明天还要早起呢。”欣然看了看闹钟。

“我知道，我只是想听听你的声音。”

“行了吧，你让我睡觉好吗？我这两天烦着呢，有什么事明天再说行吗？”欣然困得闭着眼睛在说话。

“行，那我们星期六见好吗？”

“不行，星期六我爸妈要走，我要去送他们。”她打了个哈欠。

“送完他们我们见面好吗？”

“再定吧。就这么着吧，我真的要睡了，不然明天该起不来了。”她再打了个哈欠。

“那我们再联系，再见。”

“再见。”

挂了电话，欣然却睡意全无，想想这几天来的事，她更是难以入睡。世间的事有的很复杂，但有些人却能让它变得很简单，有些事很简单，有些人却能把它复杂化。看来，万事万物之中，人是最可怕的。

听到开防盗门的钥匙声，听到那熟悉的脚步声，她知道是哥哥回来了。她大约又快有一个星期没见到他了。好在哥哥还没嫂子，要不然，俩人准得打架。看看闹钟，时针已经指向凌晨一点钟。

十九

时间都过去三个星期了，可考研的事，领导始终没有表态。欣然心急如焚。领导再不做决定，报名的时间就要过了。她决定去找老校长。虽说他已是副职，可有事还应该先请示他。

“老校长，我考研的事，领导研究的怎么样了，报名的截止时间可要到了。”欣然走进校长办公室开门见山地说明来意。老校长正捧着一杯参茶在弯腰低头仔细地研究着他养的那盆巴西木。见欣然进来，他问：“你说这花怎么了，怎么老黄叶呀?”“可能是水大了吧!”欣然想起了自家的那盆花。“你刚才说什么来着?”老校长看出欣然有事又问了一句。听完欣然的来意，他站直身子，戴着的老花镜滑落到鼻梁上，他的眼光从老花镜的上边缘探出来，眯着眼看着欣然，想了想说：“这事，我还没来得及和其他领导们商量，两校合并了。现在，我是副职，这事你得去问那边的贾校长。”说着他饮了一口茶。

“您是老领导，而且这边的事实际上不还归您管吗?那天，贾校长当着大家的面不是也表态了吗?我当然要请示您。”欣然想到了他会打官腔早就想好了这套捧人的话。“唉，今非昔比了，我只不过是个摆设，有事你还得去请示那边吧。”老校长叹了口气。“那，要是那边问您的意见，我怎么说?”欣然趁热打铁。

“你就说我同意，而且完全支持。”老校长倒是很痛快。“您说话可算数啊！”欣然怕他反悔。“如果，我现在说话还能算数的话就一定算数。”他说着扶了扶眼镜转身去看他的发财树不再理睬欣然。

欣然骑车来到了北校。这所学校离她们学校并不远，没到门口就远远地看到了大门上那几个极为熟悉的字。现在，这熟悉的校名正挂在门口，字比原先的大一倍还多，煞是醒目。欣然很不习惯地看了看那几个大字曾经只写在她们学校大门上的字，叹了口气，家已经由别人来当了，人在屋檐下一定要低头。

站在贾校长的办公室门口，只见校长的司机一手拿着车钥匙一手举着一张油饼，正和校长分食。这场景在方校长那儿可从没见过，也许这就叫走近群众没有官架子吧。欣然等着贾校长咽下油饼喝了几口茶后才走进办公室。

她先自我介绍，然后说明来历，并且拿出了那份招生简章双手递给贾校长。贾校长带上眼镜看了一遍又摘下眼镜望着欣然说：“陈老师，这可是好事，要是我们这边有老师去考，我肯定批。不过，你是那边的人，我批不合适，这里面有个工作协调问题，如果我批了，这不是不把方副校长放在眼里吗？我看你还是回去请示方副校长。”他谈到方宏进时始终没忘了突出那个“副”字。欣然想到他们之间会踢皮球的，说：“这事，方校长表过态了，他说这事得您批，您现在是学校的第一把手，如果您同意了，他没意见。”“我认为这样不合适，不管怎么说，他还是你们的老校长，也是常务副校长，那边的事还应该请示他，我要是批了，不是越权吗。手伸得太长，别家会有意见的，那话儿说出来也就不好听了。你说是不是呀？”他干笑了两声：“你还是回去再请示方副校长。”说完，他开始低头看着桌上的文件不再理睬欣然。

欣然像皮球一样又被踢回南校。走到校门口碰到图书馆的秦老师。她很关心欣然考研的事，一听说欣然去办这事，就关心地问怎么样。欣然只得把自己的遭遇讲给秦老师听。

“你这个傻丫头，叫你去请示你还真去。”“那你说我该怎么办?”欣然此刻急得如热锅上的蚂蚁一般。“这事儿，你还看不出，领导是有意为难你的。要是他女儿考研，你看他会不会批。”秦老师教导着欣然，“他女儿才是个大专，就鼓励你们去考研，可能吗?再说，那边刚上任，还不知怎么美呢，这事儿那边可得拿出点架子，看似给这边面子，实际是跟这边叫板‘我不批，我看谁敢批。’”经此点拨，欣然恍然大悟。“那，我该怎么办?”她开始向明白人讨教。“这事儿，你只等下班，买点儿东西到方校长家去一趟，自然他就会告诉你处理的办法。”“真的?”欣然惊喜地看着秦老师。“听我的，没错。在这学校多长时间了，我还不了解他们。”

下班后，欣然没有马上回家，她在附近的超市转了一圈儿。她决定听秦老师的劝，试试，其实她并没有抱太大的希望，因为还有几天报名就截止了，她现在只能死马当活马医。

超市里的东西很多，尤其是保健品更是琳琅满目。她看看这个又选选那个，始终在犹豫。她到这学校快八年了，但她只去过校长家一次（那次校长病了，好多人去看校长，她是跟着组里的人一大拨去的)。她不知道该买什么，因为这是并非发自内心的做法。她始终觉得花多少钱都有点冤。最后，她买了一个咖啡礼盒，钱不太多、样子还说得过去。即使什么也没办成，损失也不会太大。

她在那幢方校长住的楼下转了半天，判断着哪个是领导家住的单元。最后，她凭着直觉走上楼，来到了一户防盗门前。楼道里黑乎乎的，没有一个人。她在门口站了一会儿，把想要说的话在心里又重复了一遍，然后按响了门铃。

“谁呀?”

“请问方校长住在这儿吗?”

门开了，熟悉的脸出现在欣然的眼前，她找对了门。但是，最令她难堪的事也同时发生了——方宏进的女儿、女婿正站在门口。平时，他们是不住在这儿的，偏偏今天来了。欣然心里一阵发紧，明天，她到校长家来的事就会有许多人知道了。真是该着你倒霉喝凉水都塞牙。

“哟，陈欣然，进来吧，找我爸有事。”

“啊，他在家吗?”

“在，进来吧。”她看到了欣然手里拎着的大礼盒。

“陈老师，什么事呀，这么晚了，不能明天到学校说。”方宏进坐在沙发上正看着晚报。

“方校长，我来还是找您问问考研的事。”欣然小心翼翼地看着领导的脸色。

“这事，我今天不是跟你说了吗，得找贾校长，我不好管。”方校长喝着茶眼睛看着电视里的新闻。

“可贾校长说，我是这边的人，他不好插手。怎么能眼里没您呢。”欣然还在努力着。

“他不好插手，他手插得还少呀。你以为他眼里真的有我。”方校长气哼哼地说。

“我知道您最近挺烦的，其实，我们老师们也挺烦的。凭什么咱们种的树他们来摘果儿。”欣然觉得此时是一个好机会，也许他会在失意之时，说出解决问题的办法。

“唉，咱们比不了人家呀，人家的后台太硬了。其实他才比我小三个月，就以这为理由，让我把校长的职位交给他，你说公平吗，还美其名曰是为了工作。”方宏进放缓了语调。

“老师对这个问题也有看法。就是想不通怎么会让他当校长呢。”欣然随声附和着。

方宏进可能发现把话题拽远了，他看了看欣然，停了会问：“你真想考研?”

“是的。”“那只有一个办法，但是我怕你不会照我说的办?”

“您说。”欣然这会儿急于要知道解决的办法。

“你去教委找职教科，让他们批示一下，这样贾校长就什么也说不出来了。”

“找上面?”这是欣然没有想到的。这样做的后果就是把学校的矛盾向上反映，弄不好自己会让方宏进当枪当炮给使了。

“怎么了，你不敢去了。”方宏进看着她，试探着。

“那倒不是，我觉得这样是不是会给学校惹麻烦，把学校的矛盾激化，让上面看出校领导不团结。”欣然俨然一副替领导考虑的样子。

“无所谓，对我来说还能干几天。对你来说则是为了工作。”

“如果上面问您的意见呢?”

“我还是那句话——完全同意，不行，你可以当着他们面直接给我打电话。”

欣然想了会站起身：“那，就这么着吧。我明天跟学校请个假就去。”

“你明天上午有课吗?”

“没有。”

“那你明天上午从家直接去近点，别来回跑了。这事要想办就抓紧，明天，我替你跟组长请个假。”方校长此时倒真是一个体察下属的好领导。

“那就麻烦您了。”欣然说着就往外走。

“你说你来就来还买什么东西。”方宏进送到门口把那个礼盒递给欣然。

“您别介，这么晚了还来打扰您已经很不好意思了，哪有东西拿来又拎走的。您早点儿休息，打扰了。”欣然随手拉上了防盗门，把方宏进关在了门里。

走出楼门，刺骨的寒风让欣然不由得打了个哆嗦，她在风中稍稍站了一会儿，让自己的头脑从刚才的对话中跳出来清醒一下。她分析着方校长说的这个办法：这并非一个好主意，至少他在借她的口向上级表明自己服从领导的决定，支持着新领导的工作，绝不倚老卖老；他在借她的口向上级显示着自己的高姿态，作为一名老共产党员还有着较高的原则和觉悟；他也借她的口试探着上级是否还把他这一功勋卓著的元老放在眼里，真可谓是一箭三雕。她如果照这做，无形中给新上任的贾校长上了眼药，这对于注重第一印象的中国人来讲并非聪明之举，贾校长会暗暗地恨她，会认为她是方校长的人在有意地为难他，这对她以后的处境可不利。可是，事情迫在眉睫，如果，不用这种方式，等待他们大发慈悲的时候，黄花菜都凉了。想到自己在学校的处境，一直是属于姥姥不疼舅舅不爱的那种，这么多年不也过来了吗，以前得罪过老领导，现在要得罪新领导，背着抱着一般沉，为了自己的目的，欣然最终决定拼一下，也许能柳暗花明。想到这，她不再觉得那风是刺骨的，她挺了挺胸，深吸了一口气，然后大踏步地向车站走去。她觉得自己正在用勇气拥抱明天的太阳！

晚上，和孙若为通了个电话，谈起考研的事，欣然征求着他的意见，并把自己的想法和顾虑讲给他听，他倒是极为干脆地表态：管他们高兴不高兴，自己高兴了再说，要是考上了，他们连报复的时间都没有了，谁叫他们都日落西山了。再说，这事也怪不到她头上，谁叫他们当领导的，站着位子不做事，把人当球踢。听他一番话，更坚定了欣然的信心。

第二天一大早，欣然就来到了区教委。她并没有直接去职教科，而是先去人事科找了自己的老师。这年头，做任何事有熟人和没熟人会有天壤之别。那位老师是看着欣然长大的，她们之间已有十年的交情。听了欣然的诉说，她二话没说拉着欣然就去找职教科的科长，说明来意后，她冲着科长说："孩子想多读点儿书有什么不好，干吗那么难为人家，再说，这都是咱自己的孩子，干吗把人家没事踢来踢去。"科长详细地问明情况，很快拨通了方副校长和贾校长的电话，最后，通知欣然马上回学校找人事干部拿介绍信。于是一件本来已经几乎没有希望的事变得不能再简单了。

欣然赶到单位已是中午，平常这会儿根本不可能找到人办事。她试探着敲了敲人事办公室的门。"进来。""哟，哥哥，您在呀，我还怕白跑一趟呢。"刚调到人事办公室的一位年轻老师正在等她。平时这会儿，他正忙着和几个要好的同伴敲三家、贴纸呢。"我敢不在吗，妹妹。"人事干部已经准备好介绍信正等着她呢。欣然激动地接过介绍信认真地叠好放在包里，他盯着欣然看了半天，然后说出一句："不简单，真的不简单，能支使得动两位校长前后脚打电话过来，厉害！"

爸爸妈妈终于踏上了南去的火车，站台上送客的人也已经慢慢散尽。欣然一个人茫然地走着，她的心里空荡荡的，自己的灵魂好像已经陪着爸妈一起走了。她不知道自己想干什么，她也不知道自己要去哪，她从西客站的南门走出来，毫无目的地溜哒着。路灯已经开了，放出昏黄的光，虽很微弱倒也给这清冷的夜色带来一丝暖意。欣然喜欢这样的灯光，喜欢这样的凄清夜晚。也许这才是真正符合她心境。

"小小的小孩，今天有没有哭，是否迷失了回家的路途，却找不到别人倾述，小小的小孩，今天有没有哭，是否让风吹熄了蜡烛，只能一人徘徊，从清晨到日暮……"她哼着苏芮的歌，在来来往往的车流中穿行，面对飞速而来的汽车，她不紧不慢不跑不躲，路面上响起了急煞车拉带的刺耳声，司机从车窗探出脑袋冲着她嚷："找死呢你！"

BP 机又响，她知道那是孙若为在呼她。她不知为什么不想给他回电话，她甚至不太想见他，她怕自己的坏心情影响到两个人的情绪，她不知道该不该把自己的内心感受告诉他。BP 机执着地响了一过又一过。最终，她拿起了电话。

若为在电话的那边听出了她声音中的低落的情绪。他说两个人聊聊总比一个人没事发呆强。他邀她一起吃晚饭，地点在必胜客建国门店。他说不见不散。

夜晚的建国门大街永远是热闹非凡，即使是在寒气逼人、万木萧瑟的冬日。走进必胜客，一股热气扑面而来，明亮的灯光让整个餐厅显得亮丽耀目，红白格的桌布使屋里暖意融融。欣然一眼就看见了他。他坐在离门不远的靠窗的一个醒目的位置，正向她招着手。他今天穿了一件藏蓝色西服上衣，一件同色系的蓝衬衣，打一条蓝底黄花的领带，很职业化的装束。

"让你久等了。"欣然歉意地坐在了他的对面。

"没事，我也刚来。"他说着递过菜单，"吃什么？你看看。"

"我不太会点西式的菜点，还是你来吧。"欣然把菜单又递了过去。于是他做主点了一个至尊无上、一份沙拉、一份鸡翅、一份洋葱圈、两份红菜汤。

"这两天怎么了，听你说话一副心事重重的样子。"他望着她，她低下了头。"如果方便的话，说给我听听。""其实也没什么，爸爸和妈妈到南方去旅游了。""看来，你们家人挺会生活的。这是好事呀。"看着菜点上来，他招呼欣然边吃边聊。

欣然吃着沙拉，想到了前几次见面的情景。也许他真的是一个能够懂我的男人，欣然想着，停住了刀叉看着眼前的这个成熟的男人。"我爸爸和妈妈要走一个多月，我很害怕，我觉得很孤独。"他停了手看着欣然，显然还不太明白她的意思。欣然看着他那双充满了睿智的眼睛，讲到了她前次父母外出时的经历和感触，谈到了她的痛苦和不安，讲述了那种感觉带给她的压抑和茫然。他放下了手中的刀叉认真地听着，不时地点点头。

当欣然讲完，他用叉子叉起一块鸡翅送到欣然的嘴边，晃着那个散发着香味的东西："看着我。"欣然抬起头看着他。"今年的你不同于去年的你，至少今年你的生活中多了一个人，也许我对你还不是一个很重要的成份，但我可以照顾你。我想你不会再有去年的感觉。"欣然的眼睛睁得大大的，"我可以照顾你"几个字让她分外激动，一个还算是陌生的男人，却能对她说出这样的话，真好似冬日里的暖流拂面而来，但转瞬她又有点失落。也许这只是对方的一种善意的安慰，自己也太当真了。她试探着："可你那么忙?""平时，我会很忙，但我可以保证每天给你打一个电话。周末，我们可以一起玩，这样一个月很快就会过去了。"欣然不相信他会每天一个电话，但对于他的这份热情她真的挺感动。

于是他们又开始对桌上的食物展开了攻势，他们又开始聊各种各样的话题。

"看你今天的装束，好像是有谈判。""处理了点自己的私事。"他说着从座位上拿起一个纸袋。"今天和编辑约见谈我的小说。本来说好在一个杂志上发的，结果因为篇幅太长，只能以后出单行本了。"看着那厚厚的一摞，欣然对面前的他再次有了一层深深的敬意："你现在还用手写稿，这多累呀，也不利于保存。"

"我的电脑不过关。想找人打，可又怕把手稿丢了，所以一直也没敢送出去。"说者无意听者有心，"如果你对我放心的话，我来帮你打好吗?"欣然提出了一个让对方惊讶的建议。"你？这可是近二十万字的东西，不行，太累了。"对方打消了她的念头。"没关系的，就当让我做了你的第一个读者。"欣然并没有意识到二十万字是什么样的概念。"那……""别犹豫了，就这样吧，我没事的时候看看你的小说，也是一种调剂。”欣然的真正目的是想通过小说更多地了解他。“那，你别太累了，有空就打点，反正我也不急着要，过了春节打完就行。”

他和她从必胜客出来时已经十点了。建国门大街上还是车水马龙，行人不断。站在车站，两个人借着昏黄的路灯看着对方，什么也没说。欣然觉得有点冷，缩了缩脖子，他伸手帮她把棉服上的帽子系好。车来了，他们道别，他看着她上车，关门，车开始发动，他站在车下向她招着手喊了句：“我会每天给你打电话的。”

二十

欣然的这一个月过得充实而有滋味：每天按时上班，教课，处理学生出现的学习和纪律问题，督促他们抓紧时间复习功课，准备迎接期末考试。按时下班，回家吃饭。晚上，坐在电脑前一边读孙若为的小说，一边把它变成电脑打印稿。小说写得十分精彩，她时常会读得笑出声来。从稿子里，她可以读到他丰富而诙谐的语言，从稿子里，她可以读到他的奇思妙想，从稿子里，她可以感受到他的创作激情。她现在已经不再把这件事看成是一份任务，她把它变成了一份乐趣。为了能早日完成这项凝结着他的汗水和她的劳动的工作，她始终坚持着每天完成一章的任务，因此，每晚都会持续到十二点、一点。这其间，她会每天接到一个他打来的电话，或早或晚，或多聊或少谈，或谈工作或闲扯。总之，他从没有间断过。以至于这一时刻成为欣然每天的精神寄托。如果没有接到电话，她就无法入睡。如果接了电话，她又会兴奋得难以入睡。还有两次，他竟然入了她的梦，让她醒来还在回味。周末，更是快乐的日子，他安排了各种各样的活动带着她换着花样玩。欣然没有想到他这个年龄段的人玩起来还会那么投人、那么花梢。她开始乐不思蜀，她开始忘掉了担忧，她有两次竟然忘记了给妈妈打长途报平安。

十二月二十四号，圣诞节前夜，对于并不信奉上帝的中国年轻人来讲，只是又找出个玩的理由。欣然和若为联系好一起共渡圣诞夜。他们约好晚上六点钟见面。学生们是最爱赶时髦的。开明的老师们这天也不难为学生，早早地放学让他们回家。欣然在办公室里处理完学生的作业已经五点半，她开始赶往见面的地点。

孙若为在这天晚上消失了。

欣然一直在约会地点等到七点半，那已不再陌生的身影也没有出现。她打了无数的传呼，但没有回音，她打了无数遍手机，永远处于无人接听状态，最后手机信号也没有了。欣然生气地坐上了回家的汽车，她最恨别人不讲信用。坐在汽车上，她哭了，那不争气的泪水委屈地流下来，止也止不住：他怎么可以这样不讲信用，他怎么可以这样不负责任，他怎么可以开这样的玩笑，而且是在这样一个美好的夜晚。

欣然坐在电脑前，手下的键盘总是出错。她的心根本就没在书稿上。时针指向十一点，欣然再也坐不住了。直觉告诉她，他不是她想象的那种人，他肯定是出了什么事，他会不会有生命危险？她越想越害怕。她现在才发现这个男人已经开始融入了她的生活之中，甚至成为不可缺少的一部分。她现在才感到原来这个男人已经走入了她的心灵深处，她已经开始牵挂他了。她觉得她不能失去他，她必须找到他，否则，她今夜无法入睡。

她开始抱着电话执着地一遍遍地呼他，她翻开电话本寻找他留给她的所有联系电话，她打电话给介绍人找有关他的一切线索。所有能做的她都做了，但，没有任何回答。秒针一圈圈地重复着它的路线，时针指向了十二点半。她精疲力竭地坐在电话机旁，眼睛直勾勾地瞪着它。好几次，她产生了错觉，似乎听见了电话铃响，快速地拿起放在耳边，大声地“喂”才发现它发出的是盲音。她没有了思维，她的心脏没有了跳动的感觉，她呆呆地坐在那儿，什么也不想了……

“铃……”欣然不由自主地抖了一下，她茫然地瞪着电话，是他吗？不会，都这么晚了，是错觉，“铃……”她再次地看着那电话没动。“铃……”她试着拿起电话，却没有说话。

“喂，欣然吗？是你吗？怎么不说话。”若为的声音。

“……，你死哪去了。”欣然在停顿片刻之后大声地喊了出来，这时她发现自己的脸上是湿的，眼泪已夺眶而出。

“告诉我你家怎么走，见面再向你解释。”他在那头急急地说。

“有必要解释吗？”当知道他还活着，他还安全时，欣然什么都不想听了。

“你一定要等我。我已经打上车了，我正朝你家的方向去，请你告诉司机具体的地址。”若为把手机递给了出租车司机。司机正好对这边很熟，他说二十分钟之内把人送到。

欣然的心在砰砰跳，他要来找她，在圣诞夜，在这么晚的时候。她有一种说不出的激动。电话的那边又换成了若为的声音。“今天太晚了，有什么事明天再说吧。”她不知道自己在这种时候见到他会是什么样子。

“不行，我今天必须见到你，我要当面向你解释，向你道歉！你一定等我！”他在听筒的那边急切地说。

当孙若为带着满身的寒气站在欣然家门口时，欣然再也控制不住自己，跑过去，一把搂住了他的脖子、伏在他的肩上哭了。他捧着她满是泪水的脸在脸颊上亲了一下，然后微笑着说：“对不起，让你担心了。”欣然再次搂住他，在这种时候，只要人能平平安安地说什么都是多余的。

“欣然，你能给我弄点吃的、喝的吗？我都快渴死了。”

“你还没吃饭。”欣然惊讶地看着他。说着赶紧走进了厨房。

孙若为吃着一碗放了西红柿、香肠和小油菜煮的方便面，一边讲着自己的奇遇记：他今天下班很早，被好玩的朋友拉到崇文门的大教堂去了，手包和电话放在车上。他本想着五点半出来，可进去后才知道今天教堂十二点之前只许进不许出。他和朋友被信教的人流冲散了，他在里面一个人一直呆到了十二点才被放出来。他想给欣然打电话，手机又不在身边。他只好先到劲松的朋友家拿包，结果，他在呼机上看到无数条她的留言。于是，他打车赶到这儿，就是为了向欣然当面说声道歉。

欣然一直在听他说一直在看他吃，想到在里面七个小时没吃没喝的难受样，她不再生气。更何况他还在这么晚来到家里向她道歉，她还有什么不能原谅的呢。她听完他的故事，站起来亲了亲他的脸，然后就去给他准备睡觉的东西和洗漱用品。

欣然的卧室里亮着一盏微弱的灯，若为躺在她的床上拉着她的手让她坐下，灯光下，欣然披肩的长发从额前滑下垂在胸前，遮住了照在她脸上的光，使一切都变得迷迷蒙蒙，就连她平时那双大大的眼睛此刻也越发显得柔情似水。若为想让她留下来。他伸手抚摸着她长长的秀发，从发根一直到发梢，他说：“宝贝，你今晚能睡这儿吗?”欣然何尝不懂他的意思，欣然何尝不想有人能陪伴左右，尤其是这样一个有人物、有故事、有激情的夜晚，但她不能这样做，至少她还要考虑家里人的感受——哥哥是每晚要回来的，她还不知道该如何向他解释若为住在这儿的事，她不想让自己在一时冲动之后面对令人狼狈而难堪的后果。她把他的手放进被子里，弯下腰，在他的宽宽的额头吻了一下，说：“你太累了，早点睡吧。”关上灯，转身走出了房间，关上了门。

欣然几乎一宿没睡，她在床上辗转反侧，心里老是想着睡在另一间屋子里的人。不知他现在是睡了还是也同自己一样。她想起了《关雎》中的那句诗：“求之不得，寤寐思服。”

时光飞逝，元旦将至。校园是异常繁忙的。校工会在准备教师们的新年活动，班主任们则在帮助学生准备班里的新年活动。欣然早在一个星期前就把工作布置下去了，好在小干部们能各尽其责，她也就没有太分心。她不主张把新年活动搞得沸沸扬扬，容易分散同学们的注意力，会令他们心浮气燥，无法在元旦后尽快地投入期末复习。所以，她要求班干部利用业余时间进行合理编排，把教室的布置和采购工作缩短为一个下午，活动时间则控制在三个小时之内，同时要做到少花钱多办事。因为现如今很多家长的负担都挺重的，她不想让大家为此事太破费。

新年将近前夜。在经历了一个极为痛苦的不眠之夜后，她把那部长篇的最后三章打完了。

冬天的后半夜，即使有暖气的屋子里也会让人手脚冰凉。欣然在工作到二点以后，手腕子已是凉嗖嗖的，到最后，那个部位胀痛得失去知觉，手指也不再听使唤，大脑和手的配合不再同步，错误率大大增加，于是她不得不一次次地退回来更正再更正……等到那些文字从打印机上如雪片般地飞下来的时候，闹钟的指针已经指向了五点半。她打开窗子，让清冷的空气随着晨曦前的黑暗扑向自己，她深深地吸了一口，那清新的滋味直窜入她的心肺深处，让她为之一振。她伸了一个大大的懒腰，让自己活动活动已经僵硬的躯体。然后，她走到洗漱间用凉水洗了把脸，让自己能清醒点儿。几天来，她一直想送给若为一个惊喜、一个独特的新年礼物，那是对他近一个月来无微不至的关怀的最好回报。她累得有好几次都想停下来，但一想到若为见到这个礼物时的神情，她就会重新鼓起力量继续。带着那个美好的愿望，她一次次地鼓励自己坚持。

一大早，她赶到学校，组织学生的迎新年联欢会。平时学校要求学生穿校服，今天他们可解除咒语了。欣然今天也换了一条棕红色的纯毛长裙，来参加学生们的联欢会。她无法掩饰自己满脸的倦容，要好的同事见到她都关心地问：是不是病了，怎么如此憔悴？她报之以感谢的一笑，并没有说什么。那份喜悦是属于她和若为的，只能他们两人分享。

班内已经一派节日景象：教室的门口挂着一幅并不工整对仗的对联："刀声勺声声声入耳，肉香菜香香香扑鼻"，横批是"满汉全席"。玻璃窗上不知用什么涂料喷着各种各样的雪花、圣诞树、大礼包等。黑板前挂上了会眨眼的彩灯，正和着录音机里的旋律闪烁。所有的灯管都被学生们用彩色的皱纹纸五花大绑，此刻也散射出五彩缤纷的光芒。在教室的中间挂着一个吹得大大的气球，气球上用彩笔画了只卡通狗正咧着大嘴笑着说：HAPPY NEW YEAR。教室的桌子被摆成两列，每张桌子上都堆放着水果、瓜子、花生、易拉罐的饮料。同学们的服装更是五花八门，有的男生穿着新潮的韩式流行服，肥肥大大的裤子盖住了鞋子。有些学生穿着名牌运动服，NIKE、LINLING、ADIDAS 的牌子很是惹眼。也有的同学还是平时的那身校服。有些着急的同学已经开始往嘴里送着他们爱吃的零食。有一个位子是空着的，上面写着"班主任"几个字。

欣然的出现引起了班里的一片掌声，男孩子们还是第一次见到她的新裙子，起哄般叫道："陈教师，真漂亮！""你们今天都那么漂亮，我也不能让你们失望吧。"欣然笑着看着大家，能和自己班的同学一起过第一个元旦联欢会，真是一件开心的事，平时的紧张、敌对、严肃，今天都可以抛到脑后，今天呈现在大家面前的是欢笑、亲切、随意。

班长刘宇组织大家做游戏，失败的同学就要表演节目。对于这个欣然在中学已经玩腻了的游戏，同学们还是抱以极大的热情。不时地有同学出错被罚上前台。班里很老实的胡兵，站在前面老半天儿也没想出演什么，最后他冲着欣然说：“陈老师，要不，我给大家鞠仨躬吧，算是给大家拜年了，行吗。”还没等欣然开口，好多同学已经提出了反对意见，最后还是刘宇站了出来：“别难为人家了，大过节的，就让他给大家鞠仨躬得了，这祝福多真诚啊。”于是同学们同意了。胡兵站在前面认认真真地向大家鞠了三个九十度的躬，又向欣然鞠躬后才坐了回去。

有的同学诚心要陈老师出节目，欣然也不推辞，这是一个师生同乐的时刻，她不想扫大家的兴，于是和班里的男生合作，伴随着《友谊地久天长》的音乐给大家表演了一段慢三交谊舞。引起了同学们的满堂彩。和欣然合作的李磊是班里的一名普通学生，他平时比较散，时常会受到老师的关注。今天，欣然在和他共舞的时候，发现他紧张得手心里全是汗。他总是低头看脚，生怕踩了老师。可是曲终舞散，欣然的鞋上还是留下了他的脚印。

“你们先玩着，我到别的班去看看，给大家问个好，一会儿就回来。”欣然说着离开了教室。这是每年的惯例。只要是她教过的班级，她都要在这个特殊的时候去看一看，给同学们问个好，甚至给大家表演个节目。平时是师生关系，他们和老师之间或多或少会有一些矛盾，这是一个很好的沟通机会。欣然挨个地走了服务班和英语班，受到了同学们的欢迎，兜里被同学们塞了许多吃的，还有同学专门为她送上的贺年片。到处是一片热闹的景象。

当她走到金融班的时候，她站在教室的窗口愣住了：全班同学坐在自己的位置上看着电视，没有吃的喝的，没有布置教室，甚至没有班主任。她在门口站了一下伸手要推门，迟疑了会，想了想，她又把手收了回来，转身离开了。也不知他们班今天是怎么了，这可是他们在学校的最后一个元旦联欢会，别的高三年级都大操大办，为的是给自己留下一个美好的回忆，他们这是……

等欣然推开自己班的教室门，她吓了一大跳，只见所有的男生都在那儿站着，每个人手里都举着一个易拉罐，在她进门的时刻，三十个易拉罐一起打开，发出了很大的“砰砰”声，有的同学的手里还喷出了橙色的液体。大家齐声说：“祝陈老师在新的一年中早日给我们找一个师爸、早日给我们添个班级宝宝！”有的学生还大声地说：“要女孩儿，咱们班的秃小子太多了。”欣然惊喜地看着这一群半大不大的男子汉们，激动得半天没有说出话。也许，这就是他们心中有你的最好表达吧！

“谢谢大家，我也祝大家在新的一年中心想事成，期末考出好成绩！”欣然也说出了自己对大家的祝福。

“唉，这么好的时候，千万别提考试。”有的同学在下面叫。

“那就祝大家这几天过得开心！”欣然赶紧换了一句祝福语。

……

元旦联欢会在十一点准时结束。欣然叮嘱卫生委员搞好卫生，关好门窗，抢先一步离开了学校。她必须在十二点以前赶到北师大去报名。今天是最后一天，到中午报名就截止了。

陈欣然紧赶慢赶到达位于北太平庄的北京师范大学时已是十二点了，当她冲上研究生院位于四楼的报名办公室时，一位白发苍苍的女老师已经在那儿锁抽屉了。欣然气喘吁吁地说明来意，那位老者看着她一边开抽屉一边说：“你可真沉得住气呀。”

欣然一肚子的委屈，无法诉说，她只能一个劲儿地给老师说着“给您添麻烦了，耽误您吃饭了”一类的客气话，总算是在最后一刻报上了名。那位老师非常友好，指点着欣然填表、贴照片、收费、领资料。欣然和老师聊起了报名的情况。那位老师说：今天报名的人很多，好多都是外地来的考生，尤其是报中文专业的人达到了一百六十人，只录取三十人，竞争很激烈，而且有好多学生是去年落榜的，这对像欣然这样第一年考的人很不利。她告诉欣然一定要把精力放在统考科目上，对于专业课不用花太多的精力。欣然此时已顾不了许多，女老师的话她并没有一一记下。这次能报上名就算幸运，至于以后，她还没考虑。不过老师的点拨多多少少她记在心上，毕竟这样可以少走些弯路。

谢过热心的老师，抱着一大堆复习材料，站在研究生院大楼的门口，欣然深吸了一口气。现在，她一直悬着的心终于放下了，现在，她才觉得今天像个节日。没有风，太阳尽可能地现出它冬日的全部力量，照在欣然的身上，欣然觉得有点热，她解开了大衣的扣子，把手套放进了包里，让手能尽情地自由自在地呼吸着这冬日的纯净空气。

二十一

孙若为今天没有上班，他们已经开始放假了。当欣然把一个大纸袋交到他手里告诉他这是新年礼物时，他一下子就猜到了那是什么。但他还是不相信地问："真会是我的稿子?"欣然什么也没说，只是冲着他笑。他打开纸袋，看着那一张张凝聚着欣然的劳动和情感的作品，半天，他什么也没说出来。把沉甸甸的书稿放下后，一把把欣然搂在怀里，给了她一个深深的吻，说了声："谢谢你，亲爱的。"

吃过中饭，欣然在若为的床上沉沉地睡去。那张床大大的，枕头大大的，被子也大大的，很舒服。被子上有很浓很浓的若为身上所特有的那种欣然很喜欢的气味，她躺在里面，就好像躺在若为的怀里，那床就像是若为宽厚结实的胸膛，那被子就像是若为温柔有力的臂膀。她深深地吸了两口，让那气味深入她的鼻腔、深入她的骨髓、深入她的血液。现在她才真正明白了上大学时读过的日本小说《棉被》中所表现的情感。当初，她和同学们还讨论过男主公抱着心爱的女人盖过的棉被而引发无限联想的情节，说那人一定有病，现在她自己有了切身的体会。

她太累了，但她睡得并不踏实。她做了一个很怪的梦：她和若为在草地、在海滩上玩，有一幢白色的两层楼总是出现在他们所到之处。那房子周围有用黑色的铁艺围起的栅栏。她和他玩得很开心，很投入。但是，她发现边上不远处总有另外一个若为在冷冷地看着这一切，既不和他们说话，也毫无表情。她上前和他交谈，但他根本就不理睬，好像他们是陌生人。她告诉他有另一个他在边上，可他却说什么也没有看见。她的心中升起了莫名的恐惧……

若为坐在沙发上看着自己的稿子。这太出乎他的意料了。他原以为她会在春节后按期交给他，他甚至想她会延期完成，他惟独没有想到会在元旦前夕收到这个礼物。稿子打得很认真，几乎没有什么错误，一看就是她已经校对过了的。他想起了以前请人打过的那份稿子，错误百出，同样的事，却能有如此不同的结果。欣然在梦中的喃呢声打断了他思路。

他走到床前，为欣然掖掖被子，看着昏睡中的这个女人：那张并不漂亮的脸此时已没有了血色，熬夜更增添了几分昏黄。那长长的直发散发着黑黑的光泽，还能看出这是个健康的女人。从第一次见面，若为就能从她那看似快乐的笑容里感受到暗藏的忧郁，那双大大的眼睛里也不时地流露出这个年龄少有的悲伤。他知道她离了婚，但他很难想象她以前面对的是怎样的痛苦经历。那次她下班送药，若为才发现她原来是那么的善解人意、体贴入微。在他的身边不乏女人，但大多数是过眼云烟，她们可以和他潇洒和他浪漫，但是，在他最需要人关心照顾的时候，来到他身边的却是这个并不熟悉的女人。当她向他诉说着爸妈离家远行的痛苦时，他发现在她坚强的外表下，还有如此脆弱的渴求关爱的另一面。当他在圣诞前夜闯到她家向她道歉时，他更没有想到这个女人会搂着他的脖子哭泣，那大串大串的眼泪中满是关心和焦虑。他用自己的双臂抱过若干女人，但惟有抱着她的时候，他会不由自主地心痛。那晚，她拒绝了自己请她留下来的要求，害得他辗转反侧，难以入睡，因为他不能不想就睡在隔壁的近在咫尺的她。今天，她带给他的礼物是他这辈子收到的最珍贵的礼物，没有什么能比得上她的心血——十六万字，平均一个字敲击两下键盘就是三十二万下，这需要何等的耐心、何等的爱心……和她在一起他感到内心少有的平静，和她在一起他感到自己少有的放松。也许，也许这就是自己可以托付后半生的伴侣；也许，也许这就是能让他再次感受家庭温暖的女人；也许，也许……他想着想着，不由地伏下身在她的额上深深地吻了一下……

欣然醒来的时候已是晚上七点多了。她睡得迷迷糊糊晕头转向，她睡眼迷离地看着若为傻愣愣地问了句："这是哪儿啊？"若为看着她那昏头昏脑的样，笑着用手轻轻地刮了刮她的鼻子说："傻丫头，你说你在哪？饿不饿，快起来，我们一起去吃今年的最后一顿晚餐。"

大马路上，人头攒动，车水马龙，张灯结彩，火树银花，一派节日景象。男孩儿和女孩儿们穿着各种新奇的服装，梳着各式各样的带着各种色彩的发型，给这都市的夜晚增加了一道亮丽的风景。欣然和若为手拉着手走在人群里，一起感受着节日的气息。

晚上，十一点多，他们一起来到了酒吧一条街。若为带她走进一家叫 COLOUR 的咖啡吧。黑色铁艺的桌子和椅子，在橙色的灯光下，不再显得那么生硬，冷漠。他们上到二楼，在靠窗的地方找了个位子坐下。他们要在这儿迎接新年的钟声。

摇曳的烛光中，他们一边吮吸着高脚杯中的咖啡特饮一边互相对视着。这是很长时间以来，两个人第一次这样互相对视着对方的眼睛。两个人半天都没有说话，好像生怕说话会打扰了这份情绪。

“你为什么总是那么晚才给我打电话?”欣然最终打破了这份宁静。

“因为我每天都回来很晚。”他用手托着腮帮子，眼睛直直地看着她。

“为什么老那么晚，工作真的那么忙吗?就不能早点儿吗?”她也用手托着腮帮子，眼睛直直地看着他。

“能，但我不想那么早回家。”他毫不回避。

“为什么?”她直截了当。

“我怕孤独，我怕一个人独自在家。”

欣然这是第一次从他的嘴里听到这样的回答。以前都是她在说自己怕这怕那，他总是想尽办法劝慰自己，原来他也有怕的东西。

“那你天天那么晚，外面一定挺好玩的罢。”她设想着他每天给自己安排的不会重样的夜生活。

“我其实很想回家，但回家后太冷清，所以，我只好成天和一帮朋友在外面玩。尽管我觉得那样很没劲儿。”他吸了一口饮料。

“要是觉得没劲，还不如早点回家休息呢，最起码落个好身体。”

“回家后也一样，一个人睡不着就没完没了地看电视、看片子。可是看了半天，也不知道到底都看了些什么。”他用纸巾擦了擦嘴，“得了，得了，挺好的日子别说这些煞风景的话题。”

欣然望着酒吧里闪烁不定的彩灯忽然问：“你认为什么是爱?”

“你怎么想起问这个?”他眼睛亮了一下就暗淡下去。

“没事，那天无聊地翻字典和辞海，竟然发现上面没有一个概念化的解释。于是想向老师讨教。”她咬着吸管调皮地看着眼前的老师。

“爱?”他停顿了一会儿，“应该说是百分之四十的喜欢和百分之六十的责任。”

“为什么是这样的比例关系?”

“喜欢一个人很容易，可能这个人身上的某一点就能点起你的激情和冲动，但要为一个人负责，尤其是对她的一生负责，却需要无尽的勇气和恒心去承担这份责任。”

在此之前，欣然多次地思考过这个问题，但她总不得要领。她曾认为爱就是激情、爱就是不顾一切、爱就是心甘情愿、爱就是糊里糊涂。现在，若为给“爱”加了很有份量的注示。

“那，你爱我吗?”她有些鲁莽地问。

他举起杯子啜了一口，并没有回答。

“对不起，我没别的意思，你就当我没问。”欣然也觉得自己问得太冒失了。

“我现在只能说，我很喜欢你，至于那个字，我现在不想说。”若为低着头，没去看她的眼睛和表情。

“你为什么不问我爱不爱你?”欣然停了会还是把想问的说了出来。

“我不想问，因为，我正在看到、感受着。”若为真诚地望着她的眼睛。

午夜十二点的钟声响了，酒吧里一片欢腾。乐队奏起了欢快的《铃儿响叮当》，人们在相互传送着新年的祝福。

“来，让我们举杯，”若为拿起酒杯看着她：“祝我们新的一年万事如意!”

“祝我们事事交好运!”欣然举起杯子率先一饮而进。她对自己刚才的直白感到脸红。“也祝你能早日对我说出那个字。”她在心里默默地祝福自己。

走出酒吧的大门，已经是午夜一点钟。大街上灯火辉煌，人影攒动。往日昏暗的路灯，今晚却显得格外的亮丽。向往夜生活的都市人借着这美好的日子享受着五彩缤纷的生活情趣。

欣然和若为手拉着手走在大街上。欣然喜欢这种姿势，她可以通过若为的手感受到一股发自于他的暖流，它从他的手传到她的手、她的手臂、她的肩膀直至她的心房。当它进入她的心房后，它就会无限地扩大，充满整个心房直至全身。这是一种特有的感觉，这是一种以前跟别人所没有的感觉，这是一种让她想起来就美滋滋的感觉。她对这种感觉喜欢得要命，不，应该说是迷恋，就像有人迷恋可口可乐，有人迷恋海洛因一样。

分别的时刻将至，若为拉着欣然的手轻轻地捏了捏，然后把它抓得更紧。他们就这样一路无言地向前走。

“今晚可以不走吗?”若为忽然把欣然拉到自己的胸前。

“……”欣然面对着他的眼睛，没有说出她心中想说的那句话。其实，她一直在想着这个问题，她很想留下，但是她又有些怕，她怕他会轻视她，她怕因为这一小小的失足让自己悔恨。虽然男女之事对他们没有什么秘密可言，但在他的面前，她真的好想把他与她之间的美好的第一次留到允许的时间。但是，她又不忍拒绝他，这已经是他第二次提出这个要求了。如果他不是个随便的人，他提出这个要求同样需要勇气。

明天，爸爸和妈妈就要从南方回来了，以后的日子欣然再也不可能像现在这样自由。想到这，欣然犹豫了片刻之后说：“今晚，我可以不走，但是，我有一个条件。”

“什么？你尽管说。”若为的脸上现出兴奋的神情。

“我希望我们不做过分的事，这点你能答应我吗?”

若为愣了一下，忽然明白了欣然的意思：“我尊重你的意见。我接受。”

辞旧迎新的第一个夜晚，若为和欣然一宿没睡。他们相拥着挤在宽大的双人沙发里。若为不时地吻着欣然，从她的唇到她的鼻、额头、耳坠、脖子。他的气息时常令欣然心驰神往，这种久违了的温情在欣然的周身荡漾。她回吻着他，她贪婪地收集着他那极富吸引力的气息。她甚至开始渴望他了，她开始后悔自己提出的要求，在内心深处甚至希望他能撕毁他的诺言。但是，他自始至终只是在不停地吻她，没有越雷池半步。他们就这样相偎着一直到天明……

“你今天有什么打算？”若为用冷水洗着脸问欣然。

“今天白天没事，晚上要去接飞机，爸爸和妈妈从南方回来了。”欣然忽然感到一种莫名的失落。“以后，我就没有这么自由了。”

“是吗。”若为边说边把礼物戴在她的脖子上。那是若为替她精心准备的一块翠牌项链，是他在拍卖公司时买下的一件水头很好的翡翠。欣然并不知道它的价格，她犹豫了片刻后还是收下了。这是若为送给她的第一件礼物。

“妈妈管我挺严的，晚上很少让我在外面的。要是她知道我昨晚没回家还不定怎么着呢。”

“你都这么大了，你妈还能怎么着你。”若为并不认为这是大事。

“要是你的女儿一夜没回家，你难道不管吗？”欣然背对着若为，她不想让若为觉得她是个没有家教人家的女儿。

“那，那我就……”若为想补救刚才的话。

欣然转身握着若为的手打断了他的话：“你跟我一块去接飞机，好吗？”

“不合适吧。”

“有什么不合适？”欣然有些不快。

“太快了。”

“那我晚上没回家，你不觉得也太快了?”欣然话中带刺出了口。

“……”

“对不起，我没别的意思，我只是想让他们知道最近一直在照顾他们女儿的人什么样，也好叫他们放心。”欣然婉转地说出自己的意思。

“我觉得……”

“我保证，这次见我爸妈并不代表什么。求求你了!”欣然第一次在若为的面前撒娇。

“那……好吧!”

欣然再次地搂着若为的脖子在他的脸颊上亲了一下：“谢谢!”

下　部

一

教师和学生的幸福时光——寒假终于来到了。欣然按平时的点儿醒来，但她不必再急急忙忙地起身了。想想幸福来临之前的黑暗，欣然就会生出一种不寒而栗的感慨。

快乐的迎新年元旦联欢会后，先是在本学科上和学生们没日没夜地拼命，逼着他们看、逼着他们学、逼着他们记，每有一点小小的进步就要不断地去发现和鼓励，就好像他们不是在为自己学，而是为了打发老师，打发家长。对自己班里的孩子，欣然更是付出了百分之一百二的辛苦，欣然已经把自己变成了全科人材，不但要抓他们的语文（那是自己份内之事），还要给他们辅导外语和数学。外语的词组和语法成了他们进攻的目标，数学的三角函数公式成了他们每日必考的内容，就这样，还有的同学记不住学不会。欣然在拿出了不掌握就不许回家的杀手锏之后，学生在老师披星戴月陪读下才收到了一定的效果。那哪是在学习分明是在受刑。时至今天，欣然常常庆幸自己当年在这方面还有一些不错的基础，要不然还真有点招架不住。

放假前一天，欣然在学校黑乎乎的楼道里遇见了一个她熟悉的“男鬼”。

“陈老师，想什么呢？低着头是真没看见我，还是不想看见我？”背后一个男子的声音。

欣然回头，在光线很暗的楼道里，只能模模糊糊看个轮廓。

“我呀，吴天海，你还没看出来！”

“对不起，我没想到会是你。你怎么来了，来学校办事吗?”欣然有些不好意思。

“不是，现在学校烹饪专业缺人，我应领导要求回学校上班了。”吴天海轻松地说。

“你不是辞职在海淀镇一带和朋友一起开网吧吗，怎么会又回学校了呢?”

“这不是因为缺人吗？要不，我也舍不得那店里的生意呀!”

“是吗?!”欣然半信半疑，“领导这不是耽误你的‘钱途’吗?”

“咳，那边有人盯着，我只需过一两天去收收钱就得了。”吴天海调侃道。

“对不起，我还有事，我先走了，咱们改天再聊！再见!”欣然转身离去。

吴天海是学校最早的一批留校生，由于当时业务出众，上班后很快就入了党，而且被提拔为烹饪组的专业组长，并于两年前成为他们这批留校生中第一个获得中级职称的人。可是，就在老校长想重用他之时，他却在校长发下的聘书上写了“拒聘”两个字后在老校长茫然的眼神中消失在校门口。后来，听说他开过餐馆，最后又在海淀镇一带盘下一个九十平米左右的门脸做起了网吧的生意。一晃一年多过去了，他转了一圈又回了学校。着实让人奇怪。

这其间，学校领导在校全体会上宣布了为高三金融班更换班主任的通知。这是欣然在校几年来发生的第一起强行更换班主任事件。

原来，高三金融班的全体学生在班长的带领下联名上书校领导，举报他们班班主任利用职务之便收受、索要学生家长钱物的不良行为。这倒令欣然想起元旦联欢会后她去北师大报名的路上在公共汽车上听到的一段对话。

那天，在三十九路汽车上，人不多。她坐在靠后门的一个单人位子上。两位学生坐在售票员边上的双人位子上，从她们身上的校服一看便知是本校的学生。

“你们班今天元旦联欢会开得怎么样?”梳娃娃头的女生问。

“还行，都最后一个学生时代的元旦联欢会了，大家都特在意，同学们互相留言，送礼物，特感人。”梳马尾辫的女生说。“对了，你们班过得怎么样?”

“别提了，我们班根本就没过。”梳娃娃头的女生说。这话引起了欣然的注意，她想起了路过金融班看到的情景。从那个背景那个声音她已经判断出那个梳娃娃头的同学是金融班的团委书记梁肖寒。

“怎么了，你们班还真闹事了?”

“那是，光说不做非君子，只许她不仁就不许我们不义。”梁肖寒说。

“你们怎么和老师搞得这么僵?”

“你可不知道，从刚入学到现在，每年的元旦联欢会她都要我们交五十块钱。可是，每次我们根本就没有买那么多的东西，而且就是买的东西，她每次也不全发给同学，只让我们班委拿走一大部分，留下的那部分她美其名曰是给办公室老师留的。刚开始我们也没在意，可去年的联欢会完了后，我们几个班委走得晚在校门口撞到她。她拿了一个特大的塑料袋回家，里面有瓜子，花生、香蕉、橙子等。那可都是我们班同学为活动采买的食物。其实你说那能值多少钱，可她这么做，我们心里特不舒服。所以今年她让我们再交钱时，我们班委收完钱后就去问她钱打算怎么花。这还不像以前，多的可以做班费，眼看着我们就要实习了，留下班费给谁呀。”

“她怎么说?”

“她，特敏感。还问我们几个班委什么意思？我们能说什么，最后还是班长说以前大家对元旦收那么多钱没见到东西有意见，希望这次能够物有所值。”

“哇塞，你们班长可真够冲的。”

“那是，阎峥是谁呀，他可是深受其苦。以前，我们都以为阎峥是她的心头肉，她对阎峥可关照了，阎峥也念她好，逢年过节还去看看她。东西自然是不能少的。可前一段时间，阎峥的妈妈下岗了，帮一家公司推销饮水机，她知道了，张口就跟他妈要了一个，他妈也不好意思回绝就送了一个过来，可她却心安理得地收了，钱也黑不提白不提了。害得阎峥他妈只好自己掏钱补上。为这事，阎峥对她特有看法。这不是给人家雪上加霜吗。所以，这次他也顾不了那么多了，带头把我们班委的意见给表达了。”

“你们老师怎么这样呀？太过分了。”

“这还过分。你知道我们班董洁吗？就是那个近期到银行去实习的那个，为了能得到这个实习机会，可没少让她爸破费，法国进口香水、原装CD化妆品就花了一千多。送到家去，人家根本不领情。指着自家抽屉里的东西说不缺这些，弄得董洁她爸哭笑不得。可送去的东西肯定不能再拿走，于是老爷子又花钱在高档美容院买了张美容金卡送去，才算把这事搞定。”

“你们班主任可真够黑的。不过，董洁她们家也乐意呀。一个愿打一个原挨。”

“那倒是。银行这个金饭碗谁不想捧，再说，这可是个小投入大产出高回报的事情。”梁肖寒用上了专业词语。

“那你们这次这么对她，她还不擀了。”

“那可不嘛，她狠逮逮问我们想怎么着？她甚至还威胁我们想不想开联欢会了。结果，我们班委异口同声地说，无所谓，这样的会不开也没关系。把她给气的沸儿沸儿的。”

“后来呢？”

“后来，就成今天这样了，我们把收上来的钱退给了同学，也征求了大家的意见，大家这次可齐心了，说哪怕出去约了补过，也不能顺了她的心。”

“那你们今天就在班里坐了一上午?”

“也没有，有同学拿了 VCD，我们看了两个电影。”

“那她上班上去了吗?”

“她？今天根本就没看见她。妈呀，光顾了说话，都到站了，快起来”

两个女孩子连说带笑地从座位上站起来，冲下了车。

欣然知道学生说的那个她是谁了。她是金融组办公室的一个老太太。据说此人为大户人家的小姐出身。她老公是一个出版社的头，经常带着她到祖国各地游山玩水。儿子和女儿都已成家，且都属于白领阶层收入颇丰。谁也想不通这样的家庭、这样的生活环境她怎么会得了爱占小便宜的毛病。对此，办公室的人是有目共睹的。例如，她教的学生毕业了来看她手上一定要带着东西。家长带了东西来找她帮忙，她会心平气和地积极为人家跑前跑后，如果空着手来的，那就只有自己多跑几回了。对同事她也不例外。吴娟红的孩子想上她家附近的一所小学，请她帮忙，她答应了后，就让吴娟红先准备两条烟两瓶酒。事还没办成，她又要吴娟红准备一个金戒指说是送给校长的。吴娟红觉得事还没办，八字还没一撇就要这要那，心里没谱就回绝了她，为此，她好多天在办公室甩脸子给人看。

金融班的更换班主任事件出在她身上，也算是罪有应得。否则，她的一举一动太有损教师的形象了。同时，欣然暗暗佩服这班孩子，遇事有自己的主见和看法，敢于发表自己的见解了，能够用正当的途径解决问题，这是成熟的表现。

期末考试的噩梦刚过，却又祸从天降。班内的几个男生陪初中同学到位于学校附近的南护城河去找人取钱，谁知被前来抓捕的警察逮了个正着。原来，那名初中同学在校外对低年级的学生实施打劫，如不按约给钱就会受皮肉之苦。低年级学生在保证按约定时间、地点送钱来之后，向派出所报了案，结果……

孩子们在拘留所里可受了苦，每日窝头不说，还不断地被提审，被同室的其他犯人恐吓。等欣然得到通知和家长一起到拘留所去领孩子们时，几个平日活蹦乱跳的家伙已是个个面色土黑，毫无表情。几个男孩儿看到平时熟悉的老师和爸妈，愣愣地，忽然间咧开大嘴嚎啕不止。看着他们的可怜相，欣然的心里真不是滋味。出了这么大的事，欣然却也无能为力，学校的处分是肯定免不了了。只能在护送他们回家后，让家长尽量地安抚他们。

还有一件事一直搅扰着欣然的心。自从爸爸和妈妈从南方回来后，若为的如期而至的电话就断了。那天，若为很给面子地和欣然一起到机场去接两位老人，并一起用了晚餐。临上车分手时，若为小声地在欣然的耳边说了句“从今天开始，我不用每天给你打电话了”。当时，欣然根本没把他的话当回事，只是笑了笑，结果半个月的时间过去了，欣然竟真的没有再接到若为的电话。她试着打过几次他家里的电话，可是总没人接，打手机电话又常常不开机。好像在不经意之间，若为像水滴般在空气中蒸发了。欣然的心也像是被人偷走了一样，常常会心不在焉。难道他……

吃早点的时候，妈妈坐在欣然的对面。

“然然，和你说件事。”

欣然走神没听见，只是机械地用筷子挑着碗里的米粒儿。

“然然，我跟你说话，你听见没有。”妈妈提高了嗓门

“怎么了？”欣然猛然回过神，“出了什么事？您这么大声。”

"你最近是怎么了，老是走神。"

"没有啊。"欣然一边用手抓起一根油条一边掩饰着自己的失态。

"我想和你说件事。"

"说吧。"欣然看着妈妈一本正经的样子。

"春节，你姨和你舅舅要来，叔叔知道了，也要来凑热闹。"

"什么？妈呀，你饶了我吧，你又不是不知道我今年要考研，没时间接待他们。让他们别来了。"

"什么话？我能这么说吗？那可是视你为心头肉的姨和舅舅，还有视你为陈家宝贝的叔叔呀。"

"那也不行，他们来了，我怎么复习呀。影响了我的前途谁负责。"欣然平时挺爱家里热闹的，可现在这种特殊时候，她真怕家里来人。

"把你当个人似的跟你说一声，你还真来劲了，我告诉你吧，我只是跟你打个招呼，过几天他们就到。到时候，你怎么表现看着办。还有，今年春节，你把若为约来过一天，你舅他们想见见他。"妈妈一改商量的口吻下了最后通牒。

"他们知道他是谁呀，别叫了。再说，八字还没一撇呢，弄得跟相亲似的，叫他来好吗？"欣然不喜欢这种七大姑八大姨相亲的形式。

"叫你叫，你就叫，哪那么多话。你要是不叫，我可给他打电话了。"

"你又没他电话，你怎么叫？"欣然挑衅地看着妈妈。

"唉，你这死丫头，没你地球还不转了。我就不会给张老师打电话了，还真把自个儿当根葱了。"

"他，还不知道死哪去了呢？"欣然不满地嘟囔着，她何尝不想给他打电话呀。

"唉，然然，听你哥说，他每天不管多晚都会给你打电话，怎么我们回来后一次也没看他来过电话呀？”

“你问我，我问谁去。”欣然含着油条含含糊糊嘟囔着。

“你给他打电话了吗？”妈妈关切地问。

“没有。”

“为什么？”

“我找不着他。”欣然咽下最后一口粥大声地说着走进了小屋。

“放假了，出来帮我刷碗。”妈妈在外面叫。

“你怎么那么看不得小人过年呀。再说，我也没说不刷碗呀！”欣然叫着从屋里出来，故意发出很大的声响，收拾起碗筷走进厨房。

“有本事，你把这些碗都打了，我还正想换新的呢。”妈妈可不吃女儿的这一套。

欣然迷迷糊糊中被一阵响声惊醒。她听听，不是家里的电话，再听也不是自己的呼机，但那声音分明是从自己的包里发出的。欣然一骨碌从床上爬起来，打开包：天呀！什么时候自己开的手机竟没关。天呀！竟然是那个失踪的家伙的电话。天呀！竟然都夜里二点了。

“喂，”欣然压低了声音小声地说。

“然然，我是若为。你怎么还没睡？”

“不是我没睡，是被你给惊着了。”欣然没好气地说，“你这个夜游神，怎么总是这么晚打电话，这些天你死哪去了？”

“我出差了，刚从烟台回来。”

“那你干吗不给我打电话？”

“那天不是跟你说了吗，我最近不给你电话了。”

“我还以为……”

“以为什么？以为我不要你了？哈哈哈！”若为在那边得意地

笑着。

“呸，你臭美，谁稀罕你。”

“想我吗?”

“想你干吗?”

“明天有空吗？我想见你。”

“那说明是你想我了。”

“好，就当是我想你行了吧。早点睡，明天下午咱们在‘仙踪林’见。”

“那，你早点休息，明天见！”

“明天见！”

欣然一直等到那边挂断才收线。她兴奋地没有了睡意，她睁着大大的眼睛望着窗外深蓝色的苍穹，等待着太阳的出现。

二

晚上十二点半，爸爸妈都睡了。欣然听见了屋门响——哥哥收工回来了。她轻手轻脚地打开房门，借着光看着哥哥摸着黑换上鞋，溜进自己的屋子，打开灯关上门。哥哥由于经常很晚回来生怕影响了爸妈休息，每回总是这样，不知道的人还以为家里进了小偷。

“哥哥，回来了。”欣然摸进他的房间小声说。

“你怎么还没睡呀，明天还要上班呢。正好，我明天一早约了个方庄的活，可以把你捎过去。”哥哥压低了嗓音说。平时，这对欣然可是一个天大的喜讯，因为那样她就可以多睡一个小时。

“那太好了！可惜——我放假了。”欣然一屁股坐在哥哥跟前的沙发上得意地说。

“都放假了，这么快。”哥哥一边换着外衣一边说。

“要不，我能等你到这么晚吗？你吃饭了吗？”哥哥经常会干活到很晚、饿着肚子回来。

“今天晚上实在抗不过了，吃了仨包子。”

“你可别太省，身体是最主要的。”欣然心痛地关照着哥哥，“今天活怎么样？”

“别提了，最近活特别难拉，每天那么早到梅地亚去排队，可经常到十点半才走第一个活。一天下来份儿钱还不够呢。现在，这两块的车可真是没法干了。”

“那咱就不干了。”欣然随口说道。

“说的容易，你知道吗？去年九月份开完人代会，我们公司的车已集体到了强行报废的时候，可是公司不可能一下更新那么多辆车。要不是我在首汽的表现突出，没少给我们队长露脸，给我换了辆新车，现在我还不定干啥呢。我们队有好几个哥们儿没车开只能拿着待岗工资回家等着，大家都绿着眼在那盯着呢，要是我上午说不干了，下午就有人把车开走。咱别不知足了。”

“还有几天你就该交份儿钱了，够吗？”欣然关心地问。

“有点儿悬。再说吧，还有几天呢，也许情况会好的。”

欣然从沙发上站起来，“厨房里有妈做的西红柿豆腐，要不你再吃点儿。”说着她走了出去……

欣然再次站在哥哥的身后：只见他站在厨房里正把一碗西红柿豆腐扣在一碗米饭上，然后用筷子一搅和就有滋有味地吃着，还不时地发出唏唏唆唆的声音。欣然看着这一切，心里酸酸的。

“哥，这个给你。”欣然说着把一卷百元大票递给哥哥。

“干啥？”哥哥端着碗拿着筷子张着嘴愣住了。

“你先拿着，万一不够时，先把份儿钱交了。”

“我怎么能拿你的钱。”哥哥推着欣然的手，脸上露出尴尬的表情。

“就算你借我的还不行。”欣然把那卷钞票塞进哥哥的衣兜，

“别老苦自己，身体是自己的。”

“那，那我就不跟你客气了。”哥哥红着脸接受了。

“吃完了，洗洗早点休息，我先睡了。”欣然说着走回自己的小屋关上了门。

真是三十年河东三十年河西。

想当初，哥哥从部队复员回来被安排在经委，但由于经委只给定一级工，家里不满意他去——中国的事就这样，一步赶不上就步步赶不上。所以最终被安置到出租汽车公司上班，家人也不满意，但想到物质和精神总要占一样，妈妈和爸爸也只好同意了。那几年，家里发生着翻天覆地的变化：先是换了个二十寸的飞利浦彩电，然后添了单门的冰箱和双缸洗衣机，然后是带唱机的四个喇叭立体声音响……再后来，欣然在哥哥的资助下（每月三十元外，哥哥常以替他洗碗为理由付给欣然所谓的劳务费）读完了大学。哥哥经常变着花样给欣然买回好吃的好玩的好看的稀奇东西。当时，妈妈一再地教育哥哥别把妹妹宠坏了。哥哥却说：“我要让我妹妹是天下最幸福的妹妹，别人有的她要有，别人没有的她也要有。”……可现在呢？今非昔比。

今年的春节，家里格外热闹。舅舅和舅妈、姨妈和小叔叔都到北京来过节。家里的每间屋子都充斥着浓浓的喜庆气氛。哥哥因为活不好干，索性在家歇了几天。若为作为妈妈请的客人也在初二的时候来了一趟。舅舅、姨妈和小叔叔已经俨然把若为当作了家里人。大有把欣然的未来托付给他的意思。欣然看着他们能这样喜欢若为心里是开心，毕竟得到父母认可的男朋友，一切都会顺利许多。

即使是在春节最热闹的日子里，欣然也没有放弃复习功课。每当夜深时分，家里人都睡了。欣然一个人便开始坐在灯下捧起那一摞又厚又大的书开始攻读。白天里一定要说的话一定要做的事现在都可停下了，惟有这书中的内容一段也不能少看，一句也不能少读。此刻，欣然总有一种无以言表的无奈。好几次，她都想抱起书本逃出家门。因为心里有着这样一件重大事件，欣然玩起来都没什么心思。

二月十四日，是全世界的有情人都会记得的好日子。这也是欣然和若为认识后的第一个情人节。他们约好了一起去庙会。欣然想着若为或许会在这天送她一枝玫瑰，因此特地为他准备了一盒心形的费列罗的 ROCHER 巧克力。因为费列罗的 ROCHER 是欣然的最爱。

早上十点半，欣然来到了若为的家。可他没在。欣然给他打电话没开机。欣然不知道他为什么失约。她坐在门口的台阶上耐心地等。时间分分秒秒地过去，酝酿了一夜的美妙设想渐渐变成了一个个泡影。欣然开始不耐烦地来来回回地转圈。她设想了一个又一个理由来为若为开脱。但她又不断地推翻了自己的假设。这已经是若为第三次突然失踪，而且是在一年中惟一的情人节里，而且是在他们相约共渡美好时光之后，而且是在欣然为他刻意准备了一份礼物之后……欣然开始怀疑，她怀疑他对她的感情是不是真的，她开始反省自己和他之间的差距，她开始想到了他生活的环境，她甚至看到了他每日灯红酒绿的生活……但她又把自己的想法打入地狱。她觉得若为对她是真的，不然他不会在深冬的寒夜去对她说声对不起，不然他不会在元旦送她那么贵重的礼物，不然他不会在和欣然分离时流露出失望的神情，不然他不会信守承诺和她相拥到天明，不然他不会……欣然的心在矛盾中交织扭结在一起，使她不时地感到疼痛。楼道内不时地有脚步声传来，每次，欣然都让自己放松表情露出一副大度的样子期待着那脚步的临近，她不想若为认为她是个不讲道理使小性儿的女人。但是，脚步声一次又一次地通到楼上却并不见若为的影子。

欣然决定离开这里，因为空气已经凝固到使她无法呼吸。她忽然觉得自己很下贱，她完全可以在别人那找到公主的感觉，她为什么要这么下三烂般地等在他的门口。她决定回家，迈开脚步下楼。

在楼梯窗户处，她不由自主地探身向外张望，她希望在自己改变主意之前若为能出现在楼下。她的眼睛一亮紧接着瞳孔大张，随之又暗淡下去：她真的看到了她的若为，但她又看到了他身边的一个女人。那女人中等身材已近四十，虽不漂亮但可以看出是明显地经过精心的修饰，那眉眼、那嘴唇、那头发、那衣着，每一处都带着很浓的刻意追求完美的痕迹。他们说着什么，那个女子在向他不停地说着什么，表情很痛苦，像是在哀求。若为背对着窗口，欣然无法看到他的表情和眼神……

若为转身进了楼门，那女人在门口定定地站了片刻便无可奈何地转身离去。

那个女人是谁？她和若为是什么关系？她为什么要求他？我该怎么办？无数个问题跳了出来。毕竟，她看到了他们俩。她可以无所谓吗？不行，毕竟这是在情人节，毕竟若为的失约是为了她，毕竟那是一个女人，而且是一个近中年在年龄和外形上都无法和她比的女人。但是，她有所谓又能怎么样？若为会和她解释吗？如果他说那是他的情人怎么办？如果他说他已不爱自己了怎么办？如果……那不是更难堪。再说，如果若为上来看到自己看到了眼前的一切，那又会是什么结果？是平和的解释还是大吵一架完事，如果自己不能接受他的解释又该怎么办？是甩手而去还是没完没了的质问？……

脚步声越来越近，欣然忽然拔腿就向若为的家门口冲去，她跑得很快但又很轻，她怕让他听到，她冲到若为家门口的时候，心在跳、气在喘，不能让他看到自己是刚冲上来的，她开始弯腰做起运动。就在这时，若为出现在楼层口。

“啊?! 你来了?!”他看到眼前站着的欣然，声音尽量放松，但眼睛里分明写着惊惶。说着，他抬起胳膊看了看表。

“是呀，”欣然一副开心的样子，“我在等你。没事，随便做做运动。”

“对，对不起，我刚才有点事出去了，让你等了。”若为边说边去开门，但他始终没正视她。

“谁还没个事，好在你叫我等的时间不太长。”欣然盯着他的脸说着，她真想给自己一个大嘴巴。自己怎么忽然变得这么口不对心。

“你才来？咱们好像约的是十点半，可现在都十一点了。”若为边低头换鞋边说，眼睛还是在回避着欣然。

“路上堵车，所以我晚了。想给你打电话，又想考验你的耐心，看你会不会给我打，结果我就到这儿了。”欣然边换鞋边看着若为的脸胡编出只有傻瓜才信的说法。

若为打开写字台的抽屉，从一堆文件堆里找出一个信封，倒出一堆钥匙，从里面挑出两把，转身拉过欣然的手，把它们放在了她的手里，说：“以后，你就是这儿的女主人，你随时可以到这儿来。”

要是没有看到刚才的那一幕，现在的情景一定会让欣然激动，一个男人能把自己家的钥匙给一个女人那已经很能说明问题了。可是，欣然实在无法把眼前的一切和刚才的那个场景联系在一起。她犹豫地看着若为问：“这合适吗？这方便吗？”

若为什么也没有解释，只是把欣然握钥匙的手攥得紧紧地，然后把欣然拉在跟前，紧紧地拥入怀中，胳膊很用力，大有把她融入自己身体的想法，长久没有放开。欣然听到他长长地舒了一口气。

“然然，情人节快乐！”他的声音再次在耳边响起。

“亲爱的，情人节快乐！”欣然低低地回应。

“我们一会去干啥?”

“随你，只要能跟你在一起，干什么都行。”欣然觉得若为刚才一定是承受了重大的压力。不然他不会这样。她决定今天所有的不开心所有的疑虑所有的抱怨先放放，也许，在适当的时候他会告诉她。

“那我们去游乐场吧，去北京游乐园好吗?”他吻着欣然的发际低低地问。

“好呀!”欣然像一个十岁的小孩子那样天真地回答着，“那我们现在就走!”她一副急切的样子。

“看你那小孩儿样，说到玩儿就眼睛发亮。”若为用疼爱的眼神盯着欣然大大的眼睛。

“难道你不喜欢我这小孩儿样吗?”欣然再次用天真的眼睛回应他，心里却抽搐了一下。

“喜欢，当然喜欢，希望有一天你能是我的老婆兼女儿。”若为再次在欣然的额头上深深地长久地吻了下去。

这一天，欣然和若为玩得很疯狂，他们就像两个返老还童的大小孩那样，把游乐园里所有的游戏玩了个遍。

晚上十点，若为打车把欣然送到了家门口。他让司机等他一会儿。

“宝贝，开心吗?”在黑暗中若为的大眼睛闪着光。

“当然，因为有你。”欣然的眼睛中闪着光，但那其中还有水滴。

“你今天上午真堵车了吗?”他盯着她的眼睛问。

“你为什么问我这个?我有必要骗你吗?”欣然故作生气的样子。

“那就好。”

“你什么意思?”

“没什么，我是说，怕你等得太久，如果真是堵车了还可以减轻我的罪过。”

“别把这件事放在心上。谁都会遇到意想不到的事。”欣然一语双关。

“那，祝你晚安！”若为再次地亲了亲欣然。这是今天无数个亲吻中的最后一个。

“也祝你晚安！”欣然回吻他，“路上小心！我记了车号。”

欣然目送着若为的车子离去并消失在黑夜里，一滴水从她的脸颊上滑下来，凉丝丝的。紧接着第二滴、第三滴……

三

寒假是短暂的，尤其再加上一个热闹而忙碌的春节就显得更短了。开学之初，虽然风还是冷冷的，但在之前缀了个“春”字，一切都变得稍显温存了。

春节后的工作对于欣然来讲，可以说有点手忙脚乱：一面要按时按点地给同学们上课，批改作业，一面还要不时地处理那群秃小子们没事找事引发的各种各样令人啼笑皆非的破事，同时还要准备三月底四月初的研究生考试。欣然每天就像一个高速转动的发动机，从一处狂奔到另一处，解决完自己份内该做的每一件事，然后再狂奔回家，挑灯夜读那一本本很厚很厚的书。没有提纲，没有参考书，只有几页概括得不能再概括、笼统得不能再笼统的所谓考试大纲。所以，欣然必须一页不落地一字不少地去读去记去背。她重又回到了当年高考前的临战状态，只是，她觉得那时要比现在舒服多了，那时的生活中只有一件事——学习，其它的都可以交给老爸老妈去考虑。现在，用“两耳不闻窗外事，一心只读考研书”来形容她的业余生活是最合适不过的了。

陈欣然和学校经过了多次交涉，考虑到烹饪班全部是男生的特殊情况，考虑到陈欣然毕竟是新接的这个班，为了班集体的荣益，也为了达到更好地教育效果，几个寒假犯了大错的学生，开学之初受到了校级处分，但处分没有公开，教育处的领导到班里宣布了处分决定。之后，陈欣然再次重申了这一结果的来之不易，希望犯错的学生能好好接受这个教训，其他同学也能引以为戒。

这天，欣然上完两节课刚走进办公室，吴娟红就火急火燎地叫她："欣然，我有事要跟你商量。"她不容欣然把杯子拿起就把她拉出了办公室。

"你先让我喝口水行吗。"欣然贪婪地看着桌上的那杯热茶冲她抗议，"什么事呀，这么急。"

"我们班丢钱了。"吴娟红把声音压得很低，生怕有人听到似的。

现在的学校里，这是最令老师头疼的一件事，钱丢的不多可说出去令人难堪，着实腻烦人。现在正好新年过后，学生的口袋里或多或少地都会有春节收的压岁钱，出现这种情况也就没什么新鲜的了。

"查了没有？"到这会儿，欣然也没明白她跟自己说这事什么意思。

"查了，可查完更恶心，你知偷钱的人是谁吗？"欣然莫名其妙地摇摇头。"是周斯昀。就是郑义老师介绍来的那个关系户。"她皱着眉头低低地说。

"那郑老师知道了吗？"陈欣然听到"周斯昀"这个名字心里跳了一下。

"我不就为这个来问你吗？你说这事我该不该告诉她？"

欣然想了想问："这事哪天发生的，你什么时候查出来的？"

"昨天，就昨天，发生后我就开始查，我昨天晚上快七点才回家。”

“别人知道这事吗?”

“你是第一个知道的。”吴娟红盯着她，等待着她能出个好主意。

陈欣然并没有看吴娟红，她冷冷地看着窗外那已开始返青的树皮，她在判断郑老师知道以后的结果和不知道以后会发生什么事。她太了解郑老师的为人和处事的态度了，她甚至可以想象到她听说这件事后的表情和……停了片刻，她对吴娟红说：“这事如果你听我的就赶紧跟她说，如果从别人嘴里说出去肯定对你不利，到时，她不定会说出什么不好听的来呢。”

“她平常对我还行，会吗?”吴娟红用疑惑的眼神看着她。

“她以前对我也不错，不是说翻脸就翻脸。听不听我的在你。”

欣然蓦然想起那天在办公室发生的事情。那天，欣然到学校很早，路过早点铺时多买了几个肉夹馍带回办公室，因为同屋的年轻人很多都没有吃早点的习惯，大家谁有空都会多买点给没吃的人备上。欣然把早点放在桌上对大伙说了句：“谁没吃快来拿。”结果几个人一拥而上。周老头那天也高兴得来凑热闹。正好郑义进门，看到了也跑来抢。她边往嘴里塞边冲着周老头来了句：“组长大人请客，可真香。”周老头边抹嘴边说：“这可是陈老师带来的。”郑义紧跟着接了句：“我说怎么那么咸呢。”此话一出，办公室里顿时无声，大家一起看着陈欣然，等待着……欣然半天没说话，她觉得跟她吵没意义，便把到嘴边的话狠狠地咽了下去。什么也没说拿着书上课去了。

“那好吧。”吴娟红还是有点不相信欣然下的定论。

郑义老师的好与不好，欣然算是彻底地领教过了。刚来这所学校时，她和郑老师分在一组。那时，她作为新人处处都小心，特别需要一个老人能指点她一下。郑老师就是在这种时候出现的。她告诉欣然学校的许多微妙之处，教她如何察言观色，如何待人接物。欣然也以真情回报，帮她处理班上的事情，给她临时代课，甚至帮她接小孩儿上下学。但是，很快地欣然发现，她对人好是有目的的。她对你有十分好，你必须以百倍来回报，否则她就会翻脸。有次组里评选先进，让大家表态，欣然觉得另一位教政治的男老师不论是业务还是工作态度都比她稍强，于是就投了那位男老师一票，结果她以一票之差落选了。当时，她在办公室里摔杯子，砸书本，嘴里还骂骂咧咧。欣然当时并没有在意，人在失意的时候都会这样的。事后，她问陈欣然有关投票的事，欣然如实告知。当她知道自己就因为少了陈欣然一票而落选后，在办公室里有事没事就找欣然茬儿，欣然不想和她吵，毕竟她年长自己那么多，帮过自己，更何况如果自己投了她一票，她也就如愿了。为此，欣然还有些自责，总是采取回避态度。然而，郑老师可没有就事论事，从那以后，她们之间总会为一些无关痛痒的事发生或大或小的冲突，而每次，欣然也都是采取忍让的态度。这就是欣然在郑老师在场时少说话的原因。现在吴娟红撞在了枪口上，欣然悄悄为她捏了一把汗。

再次走进办公室，欣然看着吴娟红正伏在郑老师的桌子上小声地和她说着什么。她当什么也没有发生过一样，走到桌前端起那杯已没了热气的茶。

“什么，是她?!”郑老师忽然大声地说。

“嗯，好几个同学都证实了，而且她自己也承认了。”吴娟红小声地说。

“这孩子怎么能这样，这不是让我现眼吗!”郑老师的声音一点也没低。

“您别这么说，孩子又不是您的。要不，我把她叫来，您再好好说说她得了。”

“不行，这么着是对孩子不负责任。这事儿得请她家长。”

"要不就算了，事我已经查出来了，您再受累协助教育一下得了。"吴娟红站直了身子，小声地说明自己的想法。

"那哪成，这事，一定要请她家长来学校讲清楚。你要不好意思，我来请。不能因为是我介绍来的……。"郑老师一副义正词严的样子。

"那这样吧，请她家长明天来一下，如果您有时间，您和我一块跟家长说说这事。"吴娟红没想到能得到她的理解和支持。

"行，我今天下午正好没课。"郑老师看了一下桌子上的课表说。

"要不明天吧，不用那么急。"吴娟红劝道。

"不行，我马上给她妈打电话，让她下午就来，这种事不能等。"郑老师说着打开抽屉去翻电话本。然后走到电话前，拨通了周斯昀母亲的电话。

"那就麻烦您了。"吴娟红坐回到位子上，写了一张小纸条递给欣然：

看，不至于像你说的那么严重吧，人家挺支持我的。

欣然看着那张纸条，在后面写了句：

别着急，等着瞧！但愿你的命比我好。

下午，办公室炸锅了。

周斯昀的妈妈一点多就赶到了学校，在办公室门口等着吴娟红。她四十多岁，一看就是一个含辛茹苦的母亲。她穿着一件现在已经没人再穿的老式军大衣，下穿一条洗得发白的牛仔裤，头发已有些花白，眼角上和额头上已出现很深的皱纹。当着郑义老师的面，吴娟红把她请进办公室并派学生把周斯昀也叫到了办公室。

吴娟红当着学生、家长和郑老师的面把调查班里丢钱的事刚刚讲完，只听"啪"的一声，一记重重的耳光以迅雷不及掩耳之势煽在了周斯昀的脸上，一个红红的五指手印明明白白地显现在上面。在场的老师被清脆的声音吓了一跳，欣然也迅速从书本上抬起头来。当了这么长时间的老师，她还是第一次见到家长当着老师的面打孩子，而且被打的还是女孩子。

吴娟红在毫无准备的情况下本能地跳了起来，一把把周斯昀拉在身后冲着她妈妈喊："你怎么能动手打她呢！孩子有多大错，您也不能打她呀，何况在这儿，这儿不是您家，这儿是办公室。"

周老头摇着脑袋说："当着这么多的老师，太不给孩子面子了。"

斯昀的妈妈看着自己因用力过猛而发胀的手，呆呆地站在那，她也没想到自己会……

"我……我四十几岁的人了就没这么现眼过。"周斯昀的妈妈在呆立了片刻之后忽然大声地指着孩子叫着，眼泪顺着面颊淌了下来，"你自己说，咱们家什么不尽着你，哪儿亏过你半点儿，你怎么能在外面干这事？真是丢人呀！"

周斯昀被这一巴掌给打蒙了，她用惊惧的眼睛看着眼前的这个人，这就是疼她爱她、从小到大从没有动过她一个手指头的妈妈？看来，今天真是闯了大祸，妈妈的心真的给伤透了。她听着妈妈的数落，眼泪像断了线的珠子掉下来。

突然，周斯昀"嗵"的一声跪在了妈妈的面前。她哭着说："妈，我错了。我拿她的钱只是想报复她，因为她总跟我过不去。我没想到这是偷，我没想到问题会这么严重。妈，我错了，您原谅我吧，以后，我再也不犯了。"

"以后，哪还有以后。再有以后，就该送你进局子了。"周斯昀妈妈用手指戳着她的头哭着说。

"斯昀，起来，这叫什么样。起来，有什么问题好好跟吴老师说，这可不是什么小问题，这是道德品质问题，发展下去，后果不堪设想。要不是因为你是我介绍来的，吴老师早就把你送到教导处了。”郑老师在一边看着发生的一切一边说。

“多谢郑老师，我们家斯昀不懂事，给您添麻烦了。”母亲赶紧向郑老师赔不是。

“那倒没什么，你们还是跟吴老师好好说说，也许这事还有缓。”

周斯昀已被吴娟红扶了起来，她还在哭，眼睛已经通红。吴老师看着孩子痛哭的样子真是又可恨又可怜。

“老师，这事您看怎么解决?”斯昀的妈妈等着老师的发落。

“这样吧，先把她拿同学的二十块钱还给人家，然后当面给对方道个歉。”

“行，没问题，加倍还上都行，只要人家不再追究。”斯昀的妈妈立即表态。

“饭店服务专业最忌讳的就是手脚不干净。以往这种事班主任是不好单独处理的，应该交给教导处……”吴老师的话还没说完，斯昀的妈妈就打断了她：“别介，吴老师，这事要是交上去，我们家孩子还不得落个处分什么的，那以后，她可怎么在学校做人呀。”

吴老师想了想说：“这样吧，这件事你回去以后一定要好好地帮助她吸取教训，以后可不能再犯了。这边呢，我试着把事压一压，毕竟要给同学们一个说法，否则以后我不好管理了。让她在班内做个检查，行吗?”

“行，行，没问题。”斯昀的妈妈说着打开手提包，拿出钱，递给吴老师。“我们孩子什么时候做检查?”

“明天吧。”吴娟红边说边看着郑老师，“郑老师，您看这样行吗?”

“就这么着吧!”郑老师一边说一边看着斯昀的母亲，“这事完了，你可要好好谢谢吴老师呀!”

“行，那就这么着。多谢吴老师。”

“别，这事您还要好好谢谢郑老师，没有她，我可就要报教导处了。”吴娟红不忘把郑老师放在一个极为重要的位置。

斯昀的妈妈要走了，吴老师站起来送，“周斯昀，你和你妈一起走吧。还有一节课就别上了，眼睛都红了。回家好好想想，明天在班上做个深刻检查。”

“您留步，别送了。”斯昀妈妈拉着还在流泪的女儿灰溜溜地走出了办公室。

“这家长可真是的，再生气也应该回家去教训孩子，哪能在这儿动手。”王敏之老师扶了扶眼镜说。

“唉，她妈也不容易，为这个孩子省吃俭用的，孩子还干这么丢人现眼的事，能不气吗。”郑义老师叹息着。

“这种孩子就缺打，要不也不会这样。”周老头一改刚才说话的调子，

“这要是我的孩子，我一脚就把她踹回家去了。”张艳青冷冷地说。

“那也不能当着这么多人呢，多伤孩子自尊。”欣然反对这种做法。

“这种孩子还有自尊吗。”张艳青在一边阴阳怪气地说。

吴娟红走到郑老师办公桌前：“郑老师，谢谢您，今天这事解决得还行，给您添麻烦了。”

“别客气，应该的。”郑老师面无表情地说。

回到座位上，吴娟红冲着欣然一吐舌头说：“以后不听你的了，尽瞎说。”

陈欣然利用课余时间去总务处给学生交下月的伙食费。刚进门，就看见总务处的吕哥正在贴着桌上的一堆单子。

“吕哥，正忙着呢。我来交我们班下个月的伙食费。”

“我说妹妹，这都几号了，你才来。”吕哥说着并没有停下手

中的活计。

学校规定每月二十号之前要交下个月的伙食费。由于生活委员病了，又赶上欣然忙着自己的事，也把这事给忘了。直到昨天，卢老师转告她吕哥的“最后通牒”，她才想起还有这么一件关系着学生日常生活的根本大事。

“对不起，哥哥，让您费心了！”欣然赶紧表示歉意。

“那倒没什么，也就是你，我才说一声，要是别人，我才懒得管呢。”说着吕哥停下手中的工作，把欣然递过来的钱当面点了一遍，然后，打开办公桌的抽屉从里面找出一个笔记本，翻开一页，让欣然在上面签了个字，“对了啊，没事了。”

“刚开学，你就贴这么多单子，看来最近可够辛苦的。”欣然看着桌上那厚厚的一沓说。

“咳，别提了，这都是额外工作。以前，老校长住在学校附近，每天都是自己溜达着回家。公家的车大都是给大伙办事用的。现在，新校长上任了，你知他住哪？”吕哥停下来，卖了个关子。

“哪？”

“长辛店。”

“真够远的，比我家还远五站地呢。”欣然忽然从心底里同情起这位新上任的校长。

“你，你怎么能跟他比。你每天几点出门，他每天七点才出门。学校的小车现在是他的私车，每天一趟京石高速，这一个月下来，多少过路费多少油钱呀。”

“那你也够辛苦的，每天还得去接他。”欣然再次显出同情的表情。吕哥家住在广安门，是学校的安全员兼司机，每天两趟长辛店可真够辛苦的。

“那倒不用，人家自己会开车，所以用起来也就方便。”

正说着，会计室的蔡姐风风火火地冲了进来，“老吕，上午车回得来吗？我这还急着到银行提款呢。要不，下午这课时费可没法按时发了。”

“不知道，领导上午就没来，昨儿走时也没说有事，我也不能打电话去问呀。”

“那怎么办呀？下午，我还有别的事儿呢。”蔡姐急急地看着吕哥。

“要不，你打个车去得了，让体育组的赵老师再带一个小年轻给你当保镖得了，回来，我给你把打的费报了，行吗！”

“出了事，你可得负责啊！”蔡姐接受了建议，转身出了总务室。

“这些都要学校报销？”欣然看着吕哥准备填写的报销单凭据，试着问。

“那可不，不光要学校报，而且还得单独给他贴张单子。人家发话了，每天花得太多，没数，让我给算清楚了。”吕哥边说边打开计算器。“不过，话又说回来了，人家是领导吗，费了那么大的劲才得以上任到我们这么好条件的学校，也应该享受享受了。不光自己享受，家人也可以跟着享受嘛！”

“家人蹭个车那不是很正常的事吗！”欣然不以为然的样子。

“你看，”吕哥从报销单据中随手翻出一张，“机场高速路收费凭据，2月25日，这天是星期天，他又没出差，你说这是谁的？”

欣然撇撇嘴，“那，会计那能不给报呀！”

“敢吗？那不是找倒霉了吗？你忘了，现在是校长承办制。再说了，会计值得为这十五元得罪他吗。”

“得了，您忙着吧。我不打扰你了。再给领导算错了。”欣然觉得没劲，转身离开了总务处。

四

考研的日子迫在眉睫。第二天上午，欣然在上完三堂课后，办公室也没回就利用第四节的空堂去找教导处的老主任商量排课和班主任的事情。老主任正戴着老花镜在看书。

“老主任，我四月初考试，想请十天假的事，您替我考虑了没有？”欣然和老主任说话一向是直奔主题。

“想了，想了。我能不想吗。咱们学校这么多年就你这么一个想考研的，我能不支持你吗？唉，人和人的差别就是这么大，那学历不够的一点都不急，你这够标准的却还在苦自己，不一样就是不一样啊！”老主任一边合上书摘下老花镜一边转过头来冲着欣然。

“那，到底怎么着呀？”

“你听着，我给你十天时间，但你不许对外讲，我让外请的代课老师给你代十天课，不过，你的课时费要给人家。”

“没问题，没问题，我不上课，当然不该拿课时费。”

“另外，你的班主任工作我打算交给吴天海来带，因为……”

“什么？交给他，为什么呀？”欣然想起了那天在楼道里撞到的那个人，她以为自己听错了，打断了老主任。

“别人不是没空吗，再说他以前一直带烹饪班，还是很有经验的嘛。”

“那我也不愿意。像他这种说不干就撂挑子，说回来就上任的人，您也太给他脸了吧！”

“嘿，我们能不给他脸吗？你也不想想，他能说走就走，说回来就回来，那还不是上头领导那儿有人给撑腰。”

“他在外面不是挣得比学校多嘛，他干啥还回来呀？”欣然想起学校操场边停着的一辆据说是吴天海开来的微面。

“傻丫头，你也不想想，他要是在外面干得好，他能回来吗？这不，连亏了九个月连老本都搭进去了，上学期期末没辙了，还到外面一所烹饪学校去当代课老师了呢。后来，也想明白了，什么面子不面子的，赶紧回头来找校领导，又是请客又是送礼，听说可没少花钱。领导这才把这次的代班主任工作点名给了他。”

“敢情是混不下去了，我还以为真是学校缺人请他回来的呢！”欣然有些不屑，“对了，老主任，就他这样，不会把我们班学生带坏了吧！”

“不会的，你没看他这次回来，干工作有多卖力，那个勤劲，以前还真没有过。再说，不就十天吗？有什么事情等你回来处理也不晚。再说了，我还会给你看着呢！”

“那多谢您了，如果我能考上，我第一个儿就请您撮大饭！”欣然其实也管不了那么多了，有人给她看着班，这已是一件值得庆幸的事。要是领导真刁难你，不给你假，你又能怎么着。

终于，一块石头落了地。

陈欣然如愿以偿后高高兴兴地跑回办公室。一进门，她吓了一大跳，只见吴娟红的眼睛哭得通红，肿得跟桃儿似的。饭盆儿放在边上，一口没动。卢鹭正在劝着她。

“怎么了，谁又欺负你了？不会是又和老公打架了吧，我跟你说，你就不能对他太好，男人有时特贱！”欣然马上就想到了吴娟红那个不会心疼人的老公。

“你别瞎扯，哪跟哪呀。”卢鹭扒拉了欣然一巴掌。

“不是呀，那是谁呀，谁这么大胆子？”欣然有些纳闷。

“谁呀，我们也不知道，肯定就是那个她自认为好人，自认为帮她的那个人。”说着卢老师冲着靠门的那张桌子努努嘴。

“她?！招她惹她了。”欣然很是莫名其妙，要说别人招她，她信；要说吴娟红招她，她可不信。吴娟红是学校出名的老实人，对人好得学校公认。

“唉，你不知道，今天上午咱办公室可热闹了。”欣然听完卢老师的话，简直惊诧到了极点，天下竟有这么荒唐的事。

早上，吴娟红班的周斯昀没有按时到校上早读，当然也就没有在班内做检查。九点多钟，周斯昀的妈妈和爸爸带着孩子同时出现在办公室的门口，见吴老师在，冲了进来，张口就说吴老师诬陷她们家的孩子，说孩子根本就没拿同学的钱，是老师逼着她承认的，质问吴老师和他们家孩子之间有什么仇。吴老师一点思想准备也没有，怎么一夜过来，什么都变了。孩子也变了，俨然一付受害者的面目，家长也变了，不是昨天求着老师别报教导处的样子了。吴老师再次重申了她查这件事的经过，同时也说明学生们可以证明，是周斯昀自己最后承认的，并没有人指责她，逼迫她。再说如果真是那样的话，她昨天为什么当着老师和家长的面不为自己辩解，她干嘛要跪着请求妈妈的原谅。但家长就是死咬着孩子受了委屈，还说这件事让孩子的精神受了很大的伤害，已经不想再上这个学了。让吴老师赔偿他们们家的精神损失费。她母亲还说，自己也调查了这件事，根本就和吴老师讲得不是一事。吴娟红问她找谁了，可以当面对质，不能让孩子受委屈，可也不能让老师受这不白之冤。但她就是不说，还吵着要找学校反映问题，不行就要告到区教委去。孩子的父亲更是出言不逊，没完没了的骂骂咧咧。每句话里都带着个“他妈的，××”之类的修饰语。还是周世仁实在看不下去了，找来了教导处的领导解决问题。教导处的领导出面好说歹说地把周斯昀和她的父母带走了，她父母临出门还嚣张地叫着：“不对孩子进行精神赔偿，我们跟你没完。”

吴娟红越想越委屈，哭到现在，已没了胃口。

“这里面肯定有人捣鬼，不然不会一夜翻案的，他爹妈也不可能那么嚣张。”欣然肯定地说，“你不定什么时候得罪了谁了。”

“可这事，除了咱们办公室的人知道，没再声张。”吴娟红抽泣着说。

“她们家能跟谁说上话呀?”卢老师问。

“她是通过郑老师的关系来的，昨天也是郑老师出面请的她家长，别人，他们会认识谁?”吴娟红实在理不清这里面的关系。

“郑老师?不会吧。”欣然和卢老师同时说出了一个相同的答案，这让三个人都很吃惊。

“会是她吗?”卢老师也为自己的答案感到意外。

“有点悬，也没准儿。可，这又是出于什么目的呢?这么闹，对她自己有什么好处呢?”欣然猜测着，“你最近有没有得罪过她?”

“没有啊，我能得罪谁?”吴娟红想了会，“前段时间，她介绍一个男的给我的一个女朋友，那男的条件太次了，我朋友回绝了那个男的。为这事，我是怪过她，怎么也不看看两人硬件是否相般配就安排着见了面。这算不算得罪?”

“悬，那男的跟她什么关系?”卢老师问。

“好像是她以前的学生。她挺喜欢他的。”

“这就更悬了，”欣然说，“亲爱的，你可要当心了，在不经意之中得罪一个人是要付出代价的。对了，今天上午，郑老师在吗?”

“她今天去参加区里的教研活动，一天呢。”卢老师提醒着，“如果我的直觉没错，就是她搞的鬼。不信，很快你们就可以从教导处得到答案。”

“她干嘛要这么做，这么做，对她有什么好处?损人利己我理解，这损人不利己，为什么?”吴娟红还是想不明白这其中的原委。

“唉，小同志啊，你还太嫩啊！我们可是经过炮火洗礼的。”欣然拍着吴娟红的肩膀开了句玩笑，“得了，现在什么也别想了，吃饭要紧，没有了身体怎么能更好地斗争。”

吴娟红止住了抽泣，三个人对视了一下都笑了。虽然其中的一个笑得很勉强。

这天早上，她正盯着《心理学》中的一道题走进教学楼，就听到一声撕心裂肺的声音：“我不活了……”紧接着就看到两个人从楼道的黑暗处冲了出来，一个小个男人在前面紧跑，一个小个微胖女人在后面紧追，手里还拿着一把发着寒光的菜刀。欣然连忙躲闪，看着他们跑了过去。她站在那没动。

“陈老师，还站在那干吗？还不快去叫人来。”一个高大身影从她身边冲过，留下一句话。

欣然这才回过味来，对，叫人，叫谁？对了，去叫力大无比的黄全能黄大主任。

等欣然叫着黄主任回来，寻着声音找到总务处时，只见那个小个子男人和那个举着菜刀的女人已被几个老师拉开来，一个坐在总务处门口的沙发上，一个坐在离门较远的一张办公桌后面。边上站着几个年轻的男老师算是把他们隔离开。刀已经被总务处的吕哥给夺了下来放在了离那个女人较远的窗台上。

“怎么了这是?”黄老师拨开众人冲了进去，“有什么事不能好好说，还动上家伙了。”

“我不活了。我怎么这么命苦呀。”那个女人冲着黄老师嚷道，泪水涟涟。

“老李，你这是干什么呢，瞧你把嫂子给气的。”黄老师冲着那个小个子男老师叫道。

“我？我气她？我敢气她？我敢吗？我要是敢气她，她还不把我给生剐了。”李老师也是声泪俱下。

“这是为什么呀？有什么大不了的，不能好好说?”黄老师不解地问。

“好好说？行吗？还不就是为了房子，她连相依为命的老头子的命都不要了。你说天下有这么狠的婆娘吗？”李老师指着自己的老婆开始声讨。

“我狠？我狠管个屁用。当年，那么多条件好的追我，我怎么就瞎了眼，看上你了，原以为嫁个老师既受人尊敬生活又有保障，可老了老了，连个自己的窝都没有，还得跟着你厚着脸皮靠领导的照顾住在办公室里。我嫁给你这么个男人有什么用呀。”李嫂儿越说越有气，指着李老师就站了起来要冲过来。

“你们这是为房子在打架呀！”很多人恍然大悟。

“李嫂儿，我跟你说呀，那房子的事八字还没一撇呢，只是上面刚开始统计，什么时候分还没定呢。你们这就打起来了。李老师这要是有个好歹，先不说分得到分不到，就是分到了又有什么用啊。”黄老师拉着李嫂儿的手劝着。

“我不管，他好不好跟我没关系，我要房子，我只要房子！今儿个，我当着大家的面把话给你放在这儿，李宏振，如果这次分房再没你什么事，咱们就离婚。”说着李嫂儿站起来冲出了办公室。

“离就离，有本事我们现在就离，我他妈的正不想过呢！要他妈的房子干什么！”李老师毫不示弱地叫着跟在后面。

“你想得美，你想现在离，没门儿。跟我离了，你又分到了房，再娶个小的，美死你。你做梦去吧！”关键时候，李嫂儿可是一点都不糊涂。

大家哄笑着，上课的铃声响了。欣然赶紧抱着书朝着办公室的方向跑去，她第一节有课，差点给耽搁了。不过，学校要分房子的事她今天还是第一次听说。

第一节下课，欣然抱着课本走进办公室。

“唉，你们知道吗，今天早上，李宏振和他老婆为房子的事打起来了，还动了家伙呢。”郑义在办公室里正宣布着这个特大新闻。

“真的，至于吗!”张艳青接口道。

“至于吗?!”郑义强调着那个疑问语气词，“如果这样你就可以得到房子你说至于吗?”

“多丢人呀，我才不会呢。”张艳青说着，轻蔑地摇摇头。

看着欣然进来，郑义热情地冲她招手：“欣然，听说今早上还是你去叫的黄全能，你看见当时怎么回事了吧。”

办公室里的眼睛此刻都从桌子上抬了起来，一起盯着欣然。

“我，我也不太清楚，只是有人让我去叫黄老师，我就跑了个腿，回来时已经上课了，至于其它的我就不知道了。”欣然边说边坐到位子上。

有人失望地低下了头。

“不过，说句心里话，老李的情况还真是挺特别的。孩子都那么大了，没有住房只能考外地学校就为了能名正言顺地寄宿。老婆连着做了好几次大手术，连个养身体的地方都没有，换了谁，谁不得急呀。”周世仁在一边说了句公道话。

“话可不能这么说，谁家没有难事呀，就他们难?在座的哪个不难呀。”郑义停了停，搜索着目标，“小张，你现在还和公公婆婆住在一起吧?”她又把目标停在欣然身上：“陈老师每天上班要近两个小时的路程，她不难?吴娟红家里只能放下一张床，婆婆想来帮着看孩子都没地方住，那么小只能自己带……”她如数家珍似的举着各种各样的例子，“要我说呀，这就是做给领导看的，不信，谁肯跟我打赌，就是真没分房子给他们两口子，他们也离不了婚!”

“行了，行了，郑老师，我说你就积点德吧，干嘛什么事非让你给说透了才算完事。”一向少言的王敏之老师打断了她的发言，拿起书本走出办公室。

上课铃声又响了，在欣然走出办公室的时候，身后响起祝华的声音："要我说，都说自己没房，可我看谁也没睡在马路上。"

星期五，趁着头两节没课，欣然在办公室里忙着处理手头的作业本和一些杂事。明天对别人来讲是周末，对她而言却是进入最后的备考阶段了，临走前总要把桌子上的东西收拾利索了。

对面的卢鹭老师一大早就趴在桌子上打盹儿。

"砰"的一声，欣然把桌上的水杯碰翻了，卢老师猛地惊醒抬起了头。

"对不起，把你吵醒了。最近是不是准备续本读书太辛苦了，我看你整天都没精打彩的，别累坏了身子。"欣然关心道。

"老土，像咱们这样的长一级工资才十几块，读个本科和读个大专才差几个钱。我现在可没心思关心那个破文凭，还是先搞经济生产吧。"卢老师再次趴在桌子上。

"咱们当老师的能搞什么经济生产？你不会是给人当音乐家教吧？"欣然想到卢鹭会弹一手好钢琴。这在如今，可是个来钱的专业，听说有的老师一个周末可以教十几个学生，每个学生至少也要八十元一个小时。

"你少气我，我那几下功夫早就快被我扔得差不多了。我现在是在转行干大事！"

"你不会是帮别人拉关系捣腾东西吧！"

"看在你嘴严，咱们关系铁的份儿上，我告诉你，不过你可得给我保密。我在簋街包了一个餐馆，可火了，每天流水五六千。"

"是吗？你自己开的？"欣然睁大眼睛看着眼前这个一向温文而雅的同事，很难把她的形象和开店的老板娘结合在一起。

"不是，是和别人合伙的，他管后厨，我管前面，每天得盯点儿收银子，所以，每天得快早上五点人不多了才能回家，八点钟又要上班，只睡两个多小时。你说，我能不困吗！"

"一天两天还行，时间长了你怎么受得了，可别为了钱把人累坏了。"

"累是累，可真有收获。一天的收入刨去成本、人员工资还比咱这儿一个月的工资多。"她说着站了起来，"你看我这身儿衣服好看吗？宝姿的，三千多块呢，指着咱们这点儿工资哪够呀！只有看看的份。"

"那你也得悠着点，要不熬成个黄脸婆，可就惨了！"

"那只能多上两次美容院了，对了，我在'思研丽'包了张金卡，一万元的，有空，我请你一起去体会一下，那叫个享受，洗个热水澡，然后往床上一躺，就有服务员过来给你……"卢老师已经沉浸在那份享受之中，待欣然走近，她已经又趴在桌上进入了梦乡……

五

中午第四节课下课的铃声响了，欣然抱着改好的作业本朝教室走去。

当她出现在教室门口时，班里一下子安静下来。班长刘宇例行公事地汇报今天的情况："陈老师，今天班里没有迟到早退现象，上课情况也不错，除了数学课因为考试收卷子有点儿乱得了个良以外，其他各课的课堂纪律都是优。"

"近一段时间，我们班同学在纪律、学习等方面都有很大的进步，希望以后在收卷子的时候大家也能注意课堂纪律。"欣然停了一下又说："另外，我通知大家，我因有点私事要请十天假，这其间将由别的老师代课，代理班主任的是吴天海老师，希望大家能做到我在我不在都一样，希望大家能让我放心，好不好？"

"好！"男子汉们的声音很大很齐。

"吴天海是谁？"有人问。

“他是我们烹饪组一位专业能力很强的老师。”陈欣然介绍着，“他很有带班经验，但也很严厉，我希望咱班同学一定要听老师的话，千万不要出问题。”

“您请假去干嘛呀?”坐在前排的男生小声地问了一句。

“如果我成功了，我会和大家一起分享我的快乐，不过现在，我还需保密。”欣然有点怕失败会影响她在学生中的形象。

“您不会是去结婚吧！”有的学生说。

“不是，”欣然笑着面对大家，“如果有一天我能结婚，首先我会把头发烫成卷发，然后我会请大家吃喜糖！好吗?”

“好！”再次是齐声的回答伴着学生们憨憨的笑脸。“不过，我还是喜欢您留直发的样子。”前排的男生又发表着自己的看法。

“你有病吧！老师烫发是给老公看的，谁要你喜欢！”

“可老师就是留直发好看嘛！”

“傻冒！”

“哈哈……哈哈”男生们一阵起哄坏乐。

“放学！”欣然一声令下结束了这个话题。

留下几个班委，欣然向他们再次交待了工作，然后，她和学生们一起关好窗、锁上门。学生们向她道别。她忽然生出几许留恋，一直目送着几个学生在楼道尽头消失才转过身，透过玻璃窗重又扫了班级教育里的一切，然后才慢慢向办公室走去。

下午，全校的教职员工被召集到阶梯教室开会，并且要求带纸和笔。欣然抱着《教育学》和几个同事有说有笑地走进会场。会场前排坐着的一些人表情异常严肃，就像在期待着什么似的。黑板上写着八个人的名字，每个名字后都写着一些看似没有任何关联的数字。

开会的时间到了。欣然才明白那几个名字的意义：为了分房子，学校搞了一些调查，并根据学历、工龄、家庭住房情况、人口、孩子年龄大小、性别、职务等级等进行打分，最后确定有资格参加分房的名单。可是，上级这次只给了学校三个名额，学校领导经多方研究，决定采取不计名投票的方式，根据参选人的发言选出最需要房的三位。以示领导办事的公允。

第一个发言的是和老婆为分房打架的李宏振老师。他刚一上台，脸就变得通红。“我，我，”他有些犹豫，忽然，他大声地说：“前几天，我和老婆打架的事可能大家都听说了。”座位上传来一阵哄笑。“别笑，其实，那事挺正常的，我妻管严大家也都知道。我们家什么情况很多同事也都清楚。我们家原来那间小平房五年前夏天下暴雨给冲塌了，后来，学校领导照顾我，就让我们全家搬到学校的实验室来了。这一住就是五年。这其间，我老婆得了癌，动了几次大手术，工厂让她提前退休了，现在只能天天在实验室呆着。我只想请大家帮帮我，给我老婆一个安静养病的地方，多大无所谓，多远无所谓，只要有那么一块是能属于她自己的就行。也好让她在无聊的时候能享受享受收拾收拾家的乐趣。毕竟，她跟我受了这么多年的苦。毕竟，她也没有太长的时间了。谢谢大家！”李老师说着给大家深深地鞠了一躬，用手捂着脸低着头从台上走下来坐回自己的位子。

第二个上台的是学校的会计周帆。她拿了厚厚的一沓稿纸戴上老花镜开始读：我今年已经五十岁了，女儿已经参加工作三年了。我至今和姐姐、姐夫、哥哥、嫂子还一起窝在父亲那套三居室里。冬天还好说，夏天的不便更是可想而知。女儿和我与丈夫同居一室。每到夏天，丈夫就会在单位上长期夜班，其目的就是因为住在家里太不方便。前年，我母亲因为生病脾气越来越坏，经常有事没事的就挤兑我丈夫的无用。为此，我和父母的关系变得异常紧张，以至于现在，他常常以加班为由，每天在单位耗到该睡觉的点儿才回家，我们实际上已经过起了同居一地而长期分居的生活……

欣然被从书本中拉回来，她已经没有心思再看书了。她没有想到平时看似大大咧咧、热心热肠的周姐还有这么多的难事。她的心里堵得发慌。

第三个上台的是校实习基地的霍经理，一个四十岁左右的中年男子。他用十分幽默的语言讲起自己的情况：现年四十有二，属于上有老下有小的年纪。由于父母极有计划生育之远见，所以家中仅有他这一根独苗。成年了，成家了，有了孩子了，现一家五口——老父、老母、老婆、儿子和他，房子比上不足比下有余，总共六平米。经过合理分配倒也成了现在最为时髦的复式结构——楼上楼下三层铺，老父老母住首层图的是方便、他和老婆住二层图的是清静、儿子今年十五岁身强力壮住在三层图的是免费锻炼身体。家中剩下的地方还能放下一个冰箱，上面再落个电视，绝对利用空间。其他的家俱都是现在最时尚的可拆式，床下也就充分利用做了储物间，所以整个屋子实用而整洁。他说得很轻松，不时引起大家的笑声。欣然也跟着大家笑着，但笑着笑着，脸颊上就湿了。

……

获得入选资格的每个人都在利用这有限的机会发言，述说着家里的每一份尴尬。在座的每个人都在静静地听着，偶尔传出不和谐的抽泣声。欣然忽然觉得当老师真是一件天下最可悲的事情：成天“先天下之忧而忧，后天下之乐而乐”，可是谁又为他们的生活忧过、乐过。为了一间房子，为了一个人最起码的生存要求，他们不惜把自己的痛苦自己的隐私拿出来掰开来撕碎了举着放大镜让别人看，像一群脱光了衣服的人在众人面前尽情展示着自己的私处，其目的就是为了获取别人的同情，这和马路上的乞丐没有什么区别。要说区别，乞丐可能是自愿的，而他们却是无奈的。作为人的最起码的尊严、为人师长的尊严在此时此刻已经消失殆尽。

欣然曾看过这样一篇报导：在各类职业家庭中，户均使用面积最大的为党政机关和金融部门干部家庭，平均使用面积为 65 和 64 平米；从户主的职位来看，以企、事业单位处及处以上负责人住房条件最为优越，单元式成套率达 93.6%，其中二居室及以上成套率达 90.8%，居各类家庭之首，高于全国平均水平 20.9%。而普通职业者如工人、服务行业从业人员、教师的住房情况则是最差的。看来，老祖宗的古训是对的，“家有五斗米、不做孩子王”。

由于领导们还需对住房问题再议，所以，在没有任何结果的情况下散会了。

办公室里，大家又在议论着分房子的事情。

“还真没看出来，霍经理还挺幽默，说得我直笑。”祝老师首发感慨。

“那分明是黑色幽默，看着人在笑，可眼里分明是泪。”张艳青很低调地说。

“真没想到咱们学校还有那么多人没房子呢，唉，像我们这些人看来是真没指望了。还是靠自己吧！”卢老师叹着气。

“这么多人要房子，今年这领导也够难当的。”欣然又在杞人忧天。

“你尽瞎操心，领导难当，领导要只是难当，谁会去争着当领导。”周老头感叹道。“教委年年盖房子，可为什么这么多人没房子，房子都哪去了，他们难？谁信呀！”

欣然曾经听教委房管科的一位教师兼朋友说过有关分房子的事。年年盖房年年分，可新房子早就叫领导们给占了，教委领导、各科室领导、各校领导、各校主任级以上领导。先是盖六层小板楼，盖好了才发现连解决领导的住房问题都不够，于是盖塔楼，虽然使用面积小点，可地理位置好、户型也好，于是，没到基层就又没了。虽然房管科下文，要求搬进新房的人必须腾退出原有旧房，可是，连教委的一把手、二把手都不支持，谁听呀。再住后，房子是盖了一批又一批，可能分到的只有很少的那么几个人，而且，有权的人不但自己有了住的地儿，连自己的孩子甚至孙子的都提前预备好了。时间一长，这历史的遗留问题也就越来越多了。这不，都九十年代末了，才刚刚轮到七十年代中期那几拨参加工作已二十多年的老师们的住房问题。

"好在我当年没嫁给同行，要不然，我现在没准也跟李老师一样住在实验室呢。"郑老师开始感叹自己的幸运。她现在住的是她婆婆家拆迁后分给她们的一套两居室的私房。学校里像她这样的可真不多。

"唉，我还是想法把我们家的房以差价换房的形式换个大点的吧。孩子都那么大了，老跟我们睡一个床实在是有点不方便。"祝老师自言自语地说。前些时候，她一直在为住房的事忙着。本想搭学校的车分一套，看来也是没什么戏了。

"要这么说，我能在公公婆婆那挤间房也是算是好运气了。"肖小莉也想到了自己的处境。

欣然什么也没说。因为从小到大，她从没为房子的事愁过。父亲是军人，在野战部队时是那里的一把手，后来调到北京又连升三级，她们家的房子从小时候的两间变成三间，直到现在有四间。她一直都有一个属于自己的天地。所以，没房子的苦她体会不深。当年，结婚时，虽然她嫁给了一个工人的儿子，但不管怎么说还有一间属于他们自己的房子。朴实的公公和婆婆为了欢迎这个"下嫁的公主"，让出正向的一间大屋给他们结婚，着实让欣然感动了一番。最后，欣然以小屋好收拾、来人不会被打扰为理由把北向的小屋做了新房。为此，公公婆婆逢人就夸儿媳妇懂事。看着大家为房子如此发愁，欣然感到的只是无奈。

下班了，欣然收拾好东西，带着一份歉意、一份不安、一份无奈、一份自信离开了学校。

离家越近，天也越来越黑。路边林立的大楼上亮起点点灯光。欣然无意之中发现许多高楼的顶部几层都是灯光密集，而位于中间的许多层往往没有什么灯亮，这是为什么？欣然不得而知。

六

周末，孙若为请欣然吃完饯行饭后又和她一起看了场电影，在晚上十点半送她去师大。从明天开始，欣然就要面临最后的冲刺了。

汽车经过师大却没有停，若为一直把她拉到位于蓟门桥边的北京师范大学附近的一栋高楼才下了车。

“拿上你的东西，跟我来。”孙若为神神秘秘的样子。

“干什么，还不让我回宿舍，我明天还上课呢。”欣然背着书包，拿着装着几件换洗衣服的纸袋，和他一起站在了一扇大门前。

“哥们儿，开门呀。”若为叫着。

门开了，探出一个脑袋，戴着一副眼镜。那是若为的大学同学，也是他的好朋友。欣然和他见过一次。此举实属在欣然的意料之外。

“准备得怎么样了？”孙若为一副检查工作的派头。

“没问题，都搞好了，这是大门钥匙。这是我的联系电话，有事就叫我。”说完，他拎起一个纸袋，和欣然打了个招呼，关上门走了。

欣然还没有搞清楚是怎么回事。听到“砰”的关门声，她回头看着眼前的这个家伙。等待着他的解释。

原来，孙若为在知道欣然打算住在师大给考研的学生准备的临时宿舍后，就先于她考察了那里：八个人一间的屋子，没有安静的读书环境且洗漱极不方便，他便私自决定让欣然住在朋友家，这样既能保证良好的学习环境又可省去奔波之苦。为了给欣然一个惊喜，他还骗欣然说已在学校给她订了床位，并自告奋勇地去替她交了钱。

听完若为的解释，欣然感动自不必说，可是，要和一个陌生的男人同在一个屋檐下，多少觉得若为做事也太离谱了。

“我不要住在这儿，还和一个陌生的男人住在一套房子里。”欣然假装生气。

“谁说让你和他住一起了，从今天起，这儿就是你的领地。”若为得意的样子。

“那，人家住哪?”

“我的老同学，人很好的。他自有安排，你就不用操心了。我的朋友没得说的。”

“那你也应该事先说一声，我也好谢谢人家呀！就这么让人家走了，多不合适呀!”欣然还在责怪若为的武断。

“我不是怕你不愿意吗!”若为说着从身后搂住欣然的细腰，把头放在她的肩膀上，闻着她头发里散发出的阵阵香气。

欣然不好再责怪她，笑了笑，“可我也没有事先准备好，只拿了几件换洗衣服，怎么住呀，你不会让我用他的东西吧。”欣然想到要用一个陌生男生的东西还是有点接受不了。

孙若为拥着她打开卧室的门。卧室里的双人床上铺着一套全新的床上用品，折叠的痕迹还在。更让欣然惊讶的是，那花色竟然和她结婚时的那套完全一样，水粉色的，上面有浅灰色的贝壳。

“我给你准备的，喜欢吗?”若为在她的耳边低声地问。

“喜欢!”虽然那图案刺入了欣然的内心深处，很痛。但她还是为若为的良苦用心而感动。

“我还给你准备了一个电暖气，现在供暖已经停了，你要是冷的话夜里就开着它，很管用的。”说着若为开始调试。

“这也是你现买的?”欣然试探着问。

“对呀，我怕你冻坏了。”

电暖气的红灯亮了，若为用手摸了摸，然后转过身对欣然说：“一会儿就会很热的。如果太热了开一档就可以了，记着，上面一定不要放东西，不然会着火的。”

欣然从没有感到像现在这样温暖过，她拉过若为，紧紧地偎在他的怀里，久久地没有动。她甚至想让若为今晚留下来，也许这会是一个浪漫而美好的夜晚……

若为在临出门时，把欣然再次拥入怀中，亲着她的面颊喃喃地说：“宝贝儿，祝你成功！考完试那天，我会来接你，一起去给你过生日。”说着转身开门。

“你把我一个人扔在这儿，我会想你的。”欣然启发着他，希望他能懂自己的意思。

“我可不想让你分神。我未来的硕士大人，我会每天给你打一个电话的。”若为再次吻她。

想到会有十天见不到若为，她有些难受。“你今晚能不能……”欣然抬起大大的眼睛怀着期盼的心情望着他，小心地试探着。

若为明白她的意思，毕竟大家都已是过来人。他沉默了片刻后，转身再次把欣然拥入怀中，然后用力地抱紧她，接着分开欣然已紧紧绕在他腰间的胳膊，拉开门，走出去，转身关上了防盗门。

欣然呆呆地站在那儿，后悔自己的鲁莽。也许，也许从今天起，若为已经开始轻看她了，也许他拒绝自己是因为他还不是真的爱自己，也许从今往后，她和若为就要天各一方了……

电话铃响了，欣然不想去接。一定是打给主人的电话。再响，一直执着地在响，她觉得应该告诉主人一声，便拿起了听筒。

“欣然，我真的很喜欢你，”若为的声音，“希望你不会生我的气，我怕有了第一次我会无法克制自己，我不想影响你的考试，毕竟它对你很重要。对我，也一样。”

“我明白，我一定努力不让你失望。”眼泪在欣然的眼眶里打转，“想着每天给我打电话，我爱你！”

“我也是。早点休息，再见！”

“再见！”

欣然再次走进那间若为替她布置的卧室，看着那熟悉的花色图案，眼泪不由得滑了下来……

学习的过程是异常艰苦的，厚厚的四本书在没有任何复习提纲的情况下必须一字不落地看一遍，然后再把与大纲有关的重点和难点归纳出来。好在欣然已经早在放寒假的时候就有所准备，现在只需把重点进行理解并强化记忆。苦虽苦，但欣然却再次尝到了当学生的快乐，所有的日子因为考试而变得简单再简单，所有的烦恼都被暂时地抛在脑后，正如朱自清在《荷塘月色》中写的：“白天里一定要说的话，一定要做的事现在都可不理，我且受用这无边的荷香月色好了”。

当然，在春季，荷香和欣然是没有任何关系的，但月色却是她每日可以享受到的。每当月亮升起来的时候，她正好上完一天的面授课。骑着车，照着月光，那份惬意只有她自己能感受到。

她每天只需考虑一件事：读书。每天早上八点半起床，吃过牛奶加面包的早点后，坐在书房的写字台前“啃”那几本已被她翻得页边发黑的《教育学》、《心理学》、中文专业书、《六级英语考试资料》。十二点，煮袋方便面，卧两个鸡蛋，吃完后，骑上朋友留下的自行车只需十分钟时间就到了北师大。在那，按着课表上的地址到规定的大教室去听各科的串讲强化课。由于时间紧张，每天从下午一点要上到晚上八点，中间只有不到一个小时的晚饭时间。八点后，她再骑车照着月光回到住处，吃点东西，洗个热水澡，带着浑身的热气钻进被窝开始死记硬背各种名词、答题和外语单词。北京的初春没有暖气的屋子里阴冷阴冷的，欣然必须这样才不至于让自己冻僵。若为替她准备的电暖气倒是真管用，可是才用了两天，电源就出了问题，欣然没时间去修，也不好给若为打电话说，只能是躲在被子里看书了。每天直到背会规定的内容方才可以关灯睡觉，所以睡觉的时间是没准儿的。

当然，在这期间，欣然总能听到若为的声音，每次都能说上三五分钟。虽然短暂，但对欣然而言却似一杯香浓的咖啡，抱着听筒听着他声音，全身都是暖暖的，挂上电话想着若为的声音，回味着其中的味道，这给她注入了无尽的精力和自信。

师大专门派出了实力雄厚的教师队伍来给学生们辅导。虽然只有短短十天，每位老师都要把书本上的东西串一遍，所以每节课的内容都很多。在这儿，欣然才发现师大的老师就是比师院的老师强，他们不论是知识的广度还是深度都能很到位地表达出来，且课堂气氛十分活跃，旁征博引煞是生动。有经验的学生能从老师的讲课中听出很多重点，但对于欣然这类第一次参加考试的人来说，老师的每句话都是金玉良言。

欣然在师大见到了很多考研的学生，其中有一百多人都是参加中文专业考试的。他们来自全国各地，大家聚在一个大教室里听串讲的大课，有时互相借个笔记但很少有课程上的交流。因为大家都知道，面对窄窄的独木桥，每个人都是有你没我的死敌。外地学生看人的眼睛都像是在审视你的内心。相比之下，北京的学生显得更好相处，也许对于北京的学生而言，这毕竟不是人生的惟一出路。

在此，欣然认识了一位大姐，她来自山西省一个小县城，戴着厚如瓶底的眼镜，每天上课都极为认真地记着笔记，一字不少，恨不得连老师说话时打了个喷嚏她都能记录下来。她英语书的单词部分已经划了很多钩，她已经把上千个六级单词至少背了三遍。闲聊中才知道，她已是第三年参加研究生考试了，如果今年再考不上，她就因年龄到线再也没有机会了。欣然打心眼儿里佩服她：要是自己早就歇菜了。所以，她有时问欣然点什么，欣然都会毫无保留地告诉她。最后，她也不忘点拨欣然两句：公共统考课，根本无重点可言，而且，没有一道答题只涉及一个章节的，所以必须要全书通读。至于专业课，千万别太花心思。等到串讲课那天，一定要一字不落地听好。因为，讲课的人就是出题的人。欣然听完此话，半信半疑却又无从考证。

四月初的一天，北京的天空在阴沉了几日之后飘起了蒙蒙细雨。师大的阶梯教室也在这蒙蒙细雨中变成了可怕的“冰窑”。欣然虽然已经把所有能穿的衣服都裹在了身上，但经历了七八个小时静坐着听课的煎熬后，在晚上八点钟，当老师合上讲义走出教室时，欣然发现腿已经不是自己的了。

她不知道自己是如何走出教室的，也不知自己是如何骑上了自行车。

走在淅淅沥沥的细雨中，惨白的路灯光显得分外晃眼，伴着路边已开了数日的迎春花放出冷冷的黄光，欣然再也感受不到往日下课后迎着月光的短暂惬意，雨滴打在她的脸上冰冷得分不出是雨是泪。她快速地冲上位于十七楼的“家”，掏出钥匙想尽快打开房门，可是手冻僵了，钥匙不听使唤地掉到地上。她弯下腰捡起哆哆嗦嗦地打开门，更阴、更冷、更湿的寒气迎面扑来，她经不住打了个哆嗦。她需要热能，她打开了家中的每一盏灯：顶灯、台灯、客厅的灯、卧室的灯、走廊的灯、卫生间的灯、厨房的灯、连抽油烟机的灯也不放过。但是，家里依然是冷冰冰的没有一丝热气……

她想到了妈妈的家，今天那还有暖气，她看到了爸爸正穿着薄薄的睡裤在屋里转悠，哥哥正穿着背心喊热……

她想到了若为的家，如果现在他在身边，一定会把她拥入他温暖的怀里……

她甚至想到了她的前夫，每到这时，他会一边说她是“冷血动物”一边给她暖手暖脚……

大滴的眼泪夺眶而出……她跑进厨房，打开燃气热水器把温度调得高高的，然后冲进卫生间，打开了淋浴的喷头……很快，屋子里白茫茫一片。她蹲在热气腾腾的水柱下，抱着冰冷的双腿，大声地哭了起来……卫生间空荡荡地回荡着她的哭声，热水从她的头上流到她的脚上，但她还是没有感觉到温暖，她从没有如此感到委屈，她甚至开始后悔，后悔自己干嘛那么有追求，简直就是自找苦吃。要不然，现在自己完全可以坐在妈妈的身边喝着茶、看着电视或是跟在若为的身边泡着酒吧、听着音乐……

她任泪水肆意流淌……

走出卫生间的时候，她已经平静了许多，虽然浑身上下已有了热气，但她还能感觉到骨头深处那逼人的寒气。她拥着毯子陷入客厅那个又大又软的沙发里，瞪着眼睛望着天花板上的灯，一动也不想动，脑子里一片空白。

电话铃响了，直觉告诉她是若为的电话。她开始有点怪若为，要不是他把自己孤伶伶地扔在这里，也许就不会这么难受了。铃声又响了两下，她拿起听筒：

“找谁?”话语中满是不耐烦，还带着刚刚哭过的痕迹。

“……”对方没有说话。

“找谁呀?”再问，已没有了往日的温柔。

“你哭了?”若为的声音。欣然的眼泪又在眼眶里打转。

“没有啊，只是今天有点冷，鼻子不舒服。”她本想掩饰，但还是说了实话，“是，哭了。又怎么样?”话语里充斥着挑衅的味道。

“是不是学习挺累的，还是有什么不顺心的事儿？要不，我现在就过来？”若为还是耐心地问她。

“那你就过来吧。”欣然真的好想见到他。但一看表：“算了，太晚了，别折腾了！”

“这两天挺冷的，你多穿点儿，带的衣服够吗？”

“不……够，够的。”欣然不想让他看到自己如此脆弱。

“想我吗？”

“想……”

“再过五天我们就可以见面了，到时，我会在校园门口接你的！”

“好！”欣然带着哭声回答。

“坚强点，考试很快就过去了，我们很快也就可以见面了。不打扰你了，早点休息！BYE-BYE!”

电话听筒里传来了断线的声音。欣然挂上电话，又坐了一会儿，走进卧室，打开台灯，钻进被窝，怔怔地坐了一会儿后又拿起了书……

八点半，闹钟准时响了。欣然睁开眼睛发现晨光已经穿透了窗帘。她从被子里钻出来，穿好衣服，拉开了窗帘——外面一片阳光灿烂。她抬腿上了窗台，坐在宽宽的窗台上，打开窗户，一片白色映入眼帘：在立春之后的四月，北京竟然下了一场小雪。怪不得昨晚会那么地冷。

她坐在窗台上，任夹杂着寒意的晨风吹在脸上，舞动着她的长发。她探头出去看了看下面——十七层离地面好远好远。她忽然有一种冲动，想侧身下去，不知那样会如何？也许会很浪漫，就像台湾作家陈启佑的《永远的蝴蝶》中的女主人公一样飞起来，只不过她是主动的、自愿的。她看着那片白色的大地，她觉得自己已经变成了一只白色的蝴蝶，自由自在地、没有任何想法地、不带一丝恐惧地在空中飘飞。在金色的晨光下，翅膀上的银粉正映射出五彩缤纷的色彩，那色彩形成一个美丽光环，把她完完全全地罩在其中，于是，她变成了金色，她划着美丽的“8”字轻轻地荡到了楼底，落在雪中，然后她的身体和雪花一起融为一体，就像《巴黎圣母院》中的敲钟人和爱丝米拉达一样，化作一掊清水，渗入泥土，无影无踪……

七

欣然的备考状态出现了重大问题，即心理学上常讲的“记忆前抑制”，曾经记得很清楚的知识要点怎么也想不起来了。她甚至能想起答案在书的哪页、哪个位置，但是内容是什么却一个字都说不出来。她曾经经历过无数次的考试，这种情况却还是头一次遇到。她害怕极了，她拼命想让自己恢复记忆，但所有的努力都是徒劳的。

离考试还有一天了，若为的朋友回来拿东西正好看到欣然在发脾气。他是心理学的硕士生。给欣然出了个主意，什么也不看了，出去玩一天，放松放松，一切都会好的。于是在征得若为的同意后，他颇有绅士风度地陪欣然去逛公园、看电影、下酒吧。欣然则是一副听天由命的样子。她也只能这样了。不过细想想，反正也记不住东西还不如玩一天来得实惠。

考试正式开始了。

欣然作为中文系的考生被分在了最后一个考场：只有十五个考生。每行五人，行与行之间距离很大，令你不可能有偷看同桌的想法。那个考了三年的大姐就坐在她的前面。临发考卷前，那位大姐回过头来给了欣然有史以来最灿烂的一笑：“请多多关照！”

欣然知道她的意思。从上大学开始，欣然就十分看重成绩的真实性，考试前不论同学如何地问，她都会不厌其烦地解答。同学借笔记，她也会十分痛快地答应。经常是第二天要考试了，她才能收回自己的笔记本。但是，考试现场，多好的同学关系也别想从她这儿打探到一个答案。在她看来，此时对同学的帮助无异是帮小偷打开家门指点着家中的财物让他拿。为了不得罪同学，她每次都是第一个交卷。在经历了高中三年海淀大题量的考试培训后，再面对大学的这点题量，欣然往往只需三十到四十分钟就可以完成。今天，前面大姐的一句话，让她多少有点不快，她在心里暗暗地想：什么时候了？有没有搞错呀！

上午的第一门考试是欣然的弱项——外语。打上大学开始，因为痛恨授课老师，欣然就没有好好学过外语。从大学三年级打着擦边球、连蒙带猜地过了英语四级，直至这次考试，外语已被荒废了，她已经到了看着眼熟、听着耳熟却不知为何物的境地。好几个单词昨天明明还看过、听老师讲过，今天却无论如何也想不起是什么意思了。她在基础题上花了较多的时间，以至到阅读题完成后已没有时间写最后那道二十分的写作题了。当监考老师从她的笔下拉走那张卷子时，她还在不停地往上写着几个毫无关系的不合语法的单词。三个半小时的考试快得让她还没有找到考试的感觉就结束了，紧张令她忽视了时间的存在。下了考场，那位大姐也为自己没能完成答卷而后悔。

中午，在学生食堂，欣然买了半份菜和一两米饭，坐了半天却一口没吃，不知为什么，她已经失去了饥饿感。看着别的同学狼吞虎咽的样子，欣然却懒得张嘴。

后面的三门考试——心理学、教育学、专业课让欣然找到了考试的感觉而且是越战越勇。记忆抑制状态突然间就消失了。当看到题时，欣然的脑海里就像翻开了一本书一样，所有的答案都跃然于纸上。各科除了前面不到三十分的填空和选择外，其余的七十分全是十五至二十分的大答题。更绝的是应验了串讲老师的话：每道题的答案涉及了从第一章到最后一章的若干个知识点，只有对书本通读且读透的人才能从中找到需要的答案。此时，欣然从心里不得不佩服师大老师的水平，怪不得很多人都想入重点大学的校门，看来差距就在于对知识的深入性的把握。欣然在脑海里寻找着答案，不时地把认为有用的知识点写在卷子上。她每次都能把四张八开的大卷子写得密密麻麻的，她觉得只有这样才能对得起她这么长时间的努力。她把卷子写得整整齐齐，她要给阅卷的老师一个好印象。她把每一个知识点都标上号，她要让老师上来就能找到她的答题要点，因为这是给分的关键。她不放过每一个得分的细节，她要把英语考试的损失补回来，她不能让自己这么长时间的付出变成泡影……

拿到了最后一门的试卷——文学理论，陈欣然终于相信了山西大姐的话。卷子上的题就是那天专业老师讲的。只不过，他只讲了八十分的题，还有二十分是靠平时基础和自己复习了。她真有些后悔，要是能早听山西大姐的话，在此少花点时间，多背几个单词，也许外语还能多得几分。现在后悔已毫无意义，她只能认真地写着答案，争取在自己的强项上多得几分，以弥补前面的损失。

再过一个半小时所有的一切都将结束。

她的桌子动了一下，她以为自己的桌子影响了前面同学，她很自觉地向后撤了一下。桌子又再次地被撞了一下，接着一张纸条扔到了欣然的桌上又掉到了地上。她没有去捡，只是把纸条踩在了脚下。她觉得两位监考老师正在看着她，她觉得主考官正从后门的玻璃窗看着她的一举一动。她没有动。她不会忘记自己的考试原则，她更不会为了前面的竞争对手而因小失大。

山西大姐回头看她一眼，她没有抬头，但余光告诉她：山西大姐很不满。

"注意考场纪律!"监考老师提示着，不知她在说谁。

一会儿，她无意识一抬头，看见山西大姐正从左兜快速摸出一个纸卷打开，看看，又快速地放入右兜。然后，她故作镇定地看了看监考老师。由于考试时间太长了，监考老师有点困，没有发现眼前的一切。欣然只当没看见又忙着答题。唉，那么大岁数了，也够不容易的，看一道就看一道吧。

一位监考老师有事离开考场。一位学生举手要求上洗手间。研究生考场因考试时间在三个小时以上，故允许学生中间申请去洗手间，但必须由一名监考教师陪同。那位同学获批准，但现场只有一名监考老师，于是，就让他自己去了。

山西大姐一看此景，也举手要求上洗手间，获批准仍没有人跟着。过了一会儿，她回来了，坐下后快笔疾书。出去的监考老师回来换刚才在考场的老师。另一位学生要求上洗手间，获准。山西大姐再次举手要求上洗手间，亦获准。回来后她再次洋洋洒洒……

欣然愤怒了，她无法容忍一位整天和学生大谈做人规范的教师却为了达到某种个人目的而采取如此下流龌龊之举，她不能容忍对方用如此卑鄙的手段和她一起去竞争那几个有限而荣耀的名额。欣然用脚踢了前面的椅子几下，算是提醒，毕竟今年是她最后一次机会。

对方回头看了她一眼，眼神里流露着祈求，欣然狠狠地瞪了她一眼，算是给她一个警告。

但是，山西大姐并没有就此罢手，又趁老师不备从左兜里拿出一个纸条……

欣然更用力地踢了椅子两下。对方仍然丝毫没有罢手的意思……

欣然带着满腔的愤怒在检查完自己的考卷后，在离考试交卷还有十分钟的时候，在草稿纸上写下了山西大姐的考号，连同自己的考卷一起交给了老师，转身出了考场。

楼道里已经有提前出来的学生，他们正在小声地对着答案。欣然看着他们，什么也没问。一个带着总监考胸牌的老教授正透过教室后面的玻璃窗在挨屋查着考场，欣然想对他说什么，又觉得冒失了，什么也没说，慢慢地走下楼梯。

“陈欣然同学，前面的那位女同学，你是陈欣然吗？”在出楼门时，欣然被身后的声音叫住了。

一位五十岁左右的男老师走到了欣然的面前。“我是本校本次考试的主考官，请问这张条子是你写的吗？”欣然看着那张递过来的她写的山西大姐的考号，点点头。

“你这是什么意思，能说说吗？”他态度真诚而严肃地看着欣然。

“这个学生考试作弊。”欣然也十分严肃地回答他。

“你看见了？”

“她的左兜里尽是小纸条，我看她拿出三张来抄完后又放进右口袋。她还趁着两位监考老师不同时在场的时候两次去了洗手间，回来后快速答题，您说她是去上厕所吗？”欣然在最后用一个反问句形式，来强调着自己的肯定态度。

“那你当时为什么不说？”

“她已经是第三次考研了，而且是最后一次，本来我不想这样，可她对于我的提醒不当回事儿。我觉得她不值得可怜，而且这也亵渎了我们《教育学》中的教育公平原则！如果，有一天，她和我一起坐在研究生班的课堂里，我会觉得很羞耻，所以我就……”欣然说着眼睛一直看着地。她在想：也许，现在已没有她这么叫劲的人了，也许，这位老师正在嫌她多事，给自己找了麻烦，否则，考试后封完卷子就万事大吉了。

老教师却在一直认真地听着欣然把话说完，他道：“同学，非常感谢你对我们工作中的疏漏提出宝贵的意见。我们一定在监考总结会上把你反映的问题提出来，并对违反规定的老师提出批评。”

“那就不必了吧！”欣然听到监考老师也要被批评，心里有点不忍。

老教师接着说：“如果可能，希望你能成为我校的一员，有你这样正直的学生，我和我们学校会感到骄傲的。谢谢！同时，也请你放心，不论她的分数有多高，但对于一个道德品质有问题的人而言，她已经是不合格的了。我们一定会严肃处理的。你能留下你的联系电话吗？”

“我想，可能没有必要吧。毕竟，我现在还和这所高等学府没有太多的关系。”

“那么，希望有一天你能坐在我的课堂上。我是中文系的教授。”

“如果能有那么一天，我相信我们一定会彼此认出对方的。再见！”欣然向眼前老师鞠躬谢过，转身飘然而去。

走出北师大的南门，欣然才发现外面正在飘着绵绵的细雨，那雨丝轻轻拂过她面颊，带着丝丝凉意。她站在细雨中，发现在经历了十几天地狱般的生活后，她并没有寻到获得自由的快感。尤其是今天的这场考试，更是让她如鲠在喉。不知道在即将踏入这所高等学府的人群中，能有多少人可以问心无悔地面对自己的成绩，不知道那些不择手段的人，在捧着入学录取通知书时会是何等的暗自窃喜，不知他们在拿到毕业文凭时又是何等的沾沾自喜，也许过不了多久，他们还会在讲台上大吹做人的原则和大谈所谓的诚信……这令她想起古人说过的一句话：“窃钩者诛，窃国者侯！”

马路对面，孙若为正捧着一束火红的玫瑰和一盒大蛋糕笑着望着欣然。看着欣然在马路对面，他举起手中的红玫瑰挥动着。

那红丝绒般的色彩在雨天的晦暗中显得格外炫目，和欣然惨淡的心境形成了鲜明的对比。她冲过马路，站在他的面前，愣愣地看着。忽然，她双手揽住若为的腰，把头深深地埋在他的怀里，像个受了莫大委屈的孩子般，哭了……

若为腾不出手来，只能任由她在自己的肩头哭泣。让自己心爱的女孩儿苦读了这么长的时间，让她一个人去面对那么大的压力，他有些不忍，但想到自己的女友的未来，他又觉得这一切是那么的值得。这十几天来，虽然备考的是她，可自己又有哪一天不在牵挂呢？多少次夜不能寐，多少次拿起电话又放下，好几次路过她的窗下，他都在克制自己不要去打扰她。现在，一切都已过去了。等待他们的将是美好的一切。

他在欣然的耳边轻轻地说了句："宝贝儿，你能帮帮我吗，这花儿和这蛋糕太沉了，我都拎了快一个钟头了，胳膊都快掉了。"

欣然这才从他的肩头慢慢直起身来，伸手接过他手中的红玫瑰，撒娇地责备道："来那么早干嘛，还淋着雨。"

若为用腾出的手一把搂住欣然，在她耳边大声地叫道："想你了！"

陈欣然在学生毫不知情的时候回到了学校。

下午第二节快下课时，她站在了烹饪班的窗外。她想看看没有她的日子里这群孩子的表现。平时安静等待放学的教室今天格外地热闹，几个男生正在着急地换着运动衣和运动鞋。欣然站在门口有些不满，自己才离开学校几天，他们就这么不自觉，要是……

"你们干什么呢？"欣然在门口等了一会儿，看学生们仍没有安静的意思后，嗓门大大地喊了声。

所有的学生都冲着大门看，教室一下子安静了。男孩子们看着她，忽然不知谁大声地叫了声："您可回来了！"于是，班里又乱了起来。

坐在前排的同学对她叫着"我都想死你了，你怎么才回来呀！"

"我们都快被整死了！"

"我都快不想活了！"

欣然做了个安静的手势后，同学们才慢慢地闭上了嘴。

"你们这是要干嘛？怎么这样乱呀！"面对学生的反映，陈欣然又惊又喜。她不知道这些天发生了什么，但是现在，他们这么闹腾，她有些接受不了。

"陈老师，今天咱班男生和高三英语班足球比赛，这可是冠亚军的争斗，四点就开始，大家一会都去，您正好赶上，太棒了！"军体委员站起来说。

"足球比赛？你们和高三的踢？还是总决赛？有戏吗？"欣然有些吃惊。

"我们把高二的烹饪班都给搞死了，高三英语算什么，要不是他们命好，分组时逃过了我们的手掌，现在早没他们什么事了。"张志边说着边脱光了球衣，丝毫也没有考虑门口还站着个年青的女老师。要是往常，欣然真要批评他，但今天特殊情况只好特殊处理。想到他们为班里争来这么高的荣誉，欣然决定去和他们一起分享。

操场上，已被全校的男生和女生们围了个水泄不通。两军对垒的班级此刻已到了箭在弦上的时候。欣然站在一大群男孩子们中间忽然发现自己竟是他们中间最矮的一个，再看看周围，除了吹哨的裁判外，竟然只有她一个女老师。在欣然班上的周围还围着一群其他班的女孩子，从她们的谈话的举止中可以看出和本班的男孩子们关系相当熟。

哨响，比赛开始。欣然这才发现自己班上场的全是清一色的小个子，班上的几个高个干将竟然全成了看客而且就站在她的身边，这其中还包括军体委员。小个子们和高三的学生形成了鲜明的对比，欣然不禁为学生们捏了把汗。

“这是谁安排的，怎么都是一群小个儿，这不是明摆着吃亏吗?”欣然眼睛盯着球，不满地问着军体委员。

“不是我们不想上，我们是被淘汰下来的。”

“谁淘汰的?”

“为了备战这次全校足球赛，报名的人都参加了体能对抗和技术考核，今天能上场的都是挑出来的。”

欣然没有想到班里的孩子们会对校内的活动这么上心。“这是谁想出来的?”

“还不是张志他们，别看他们平时读书不行，这方面特在行，而且在班上一说就通过了。要不，我们怎么能在二十个班里一路杀到总决赛!”

正说着，只见小个子方子勇在对方门前一个精彩的头球——进了!

“太棒了!”欣然伴随着进球的过程大声地喊了一声。班上的男子汉们开始欢呼，别的班的女孩子们开始充当起义务拉拉队。

“烹饪班加油！烹饪班加油！烹饪班加油!”

正喊着，一阵狂风吹来，操场上顿时黄沙一片。欣然一下就缩在了一个大个的身后，那高个就像一座墙立在她的面前动也不动。欣然此刻又发现了带男生班的优点，这些男子汉们特别地仗义，这个优点是女生班缺少的。他们可以为了老师付出很多，只要他们喜欢、敬重他（她）。尤其是女老师更能得到他们的理解和认可。

烹饪班以二比零临时领先的情况下，迎来了中场休息。还没等欣然布置，班长和几个同学已经把准备好的开水送到了他们的面前。“快喝吧，温乎的，正喝!”

“陈老师，怎么样，咱们班不错吧！下半场用不了二十分钟他们就扛不住了，他们已经轮番换人了，可我们的秘密武器还没上场呢。”张志边喝水边冲着欣然眉飞色舞地说着。

“你们可不要太大意呀，刚才那个门前劲射还是很有威力的。”

“他们也不看看是谁在把门，王珂那可是我们的铁将军。”

正说着，高三英语班的几个女生走了过来。“陈老师，您可真好，还来给你们班学生助威。”欣然还没来得及说话，另一个女生又说：“别看陈老师平时对咱们挺好的，教咱们的时候还那么疼咱们，可到这关键时候，看出谁亲谁远了吧。”

欣然假装生气地说：“哟，我自个儿的孩子我还不能疼了，再说你们不也有班主任疼着、护着吗？”

“她呀，早就拿着东西回家了。她才不关心我们这些事儿呢！”

“那一定是你们老师今天有事。我不也是今天赶上了吗。再说，你们都是大孩子了，不需要老师了，不像他们还是你们的小弟弟呢。”欣然出于某种原因解释着。其实这种解释可能是多余的。

下半场的比赛开始了，伴随着阵阵的狂风，小个子们在场上越战越勇，连连打压对方的大门造成了场上一边倒的局面。虽然对方有两次攻到了门前，但都因求胜心切起脚不当把球打出了场外。场下，围观的学生们随着一次又一次的射门机会叫喊着。欣然也和他们一起融入了这场比赛中。身边的男孩儿周亮在临近终场时，再也按捺不住冲着场上大叫着：“求求你们了，让我上去跑跑吧，不然就结束了！”陈欣然愕然地看着周亮，平时这个不言不语的男生，用功地学习、认真地听课，没看出还有这样的爱好呀。场上，张志向裁判做了换人的手势。于是周亮如愿以偿地冲了上去，换下了张志。

“这会儿有换人的必要吗?”欣然问。

“他可厉害了，咱班的秘密武器，只不过今天对方太面，让他上场有点大材小用。”张志用衣角扇着风喘着气说。

“他是秘密武器?”欣然再次愕然。

“那可不，前两天和高二烹饪班，要不是他……”张志的话还没说完，终场的哨声响了。张志再次冲上场去和队友们拥抱在一起，庆贺他们以四比零夺得了本届校足环赛的冠军。只有周亮在一边冲着队友们不满地大声喊道:“我才踢了一脚球!”

八

“下面，请课代表带着上早自习，班长出来一下。”

第二天早读，陈欣然把班长叫到教室外面了解这些天的情况。

班长汇报了班里的情况：总体还不错，只是有的同学上学有迟到现象，个别的同学有上课睡觉的情况，还有极个别的抄作业现象。

“吴老师管没管?”欣然有些疑惑。

“管，管什么呀，对上学迟到的同学，他罚他们在门口站了两天，上课睡觉的同学他不管说最起码不会影响想听课的同学，课堂还安静了。刚跟他反映完抄作业的情况，他转手就把同学的作业本给撕了……害得后来我们几个班委都不敢跟他反映了。只好等您回来。唉，不比不知道，以前大家背后都说您够狠的，可现在比起来，大家才发现您其实讲道理得多。”

欣然不想当面诋毁别的老师，只好说：“男老师和女老师在处理同一个问题时会有很大差异，这点你们应该有体会。”

“可他和我们最早的班主任也不一样呀?”

“当然了，年轻的男老师和年纪大的男老师当然也会不太一样。”班长还想再说什么，欣然打断了他。“最近学校有没有什么安排?”“四月底将召开春季运动会，有关报名的工作已经开始了，另外，学校还要搞一个入场式并且要评奖。”

“那，我们这两天找个时间来布置一下这次的工作情况。”

欣然和班长一起走进了教室，看看表还有五分钟，她让课代表停了早读。她先是环视了全班同学一圈，然后又用眼光扫视了每一个同学的眼睛，她看到了自信、不安、胆怯、害怕……

“这段时间，我们大多数同学的表现是好的，这很让我欣慰，毕竟我们大多数同学能做到老师在和不在一个样，这说明你们已经有了很高的自觉性。当然，这其中也有做得不太漂亮的事，我已和吴老师交流过了，但不想花费大家的时间一一说。对于前一阶段表现不太理想的同学，我希望你能认识到自己的问题，如果改了，我将既往不咎，但如果还保持原状，那么我处理问题的方法是一丝一毫也不会放过，到时候，有的同学可能要住在学校了。好了，今天就先到这儿了，准备上课的用具。第一节课是……”欣然回身看了一眼黑板上抄的课表，“数学，请大家把相关的东西都摆好，准备上课。”

欣然向已走进教室的老师微笑了一下，转身出去关上了门。

办公室里的桌子上一尘不染。欣然冲着埋头写教案的吴娟红说了声“谢谢”就开始准备下午上课的东西。

“怎么样?考试感觉如何，累吗?”吴娟红停下笔看着欣然。

“累，不过挺有收获的。现在我算是明白了理论联系实际是多重要。以前咱们的好多做法，其实在教育学、心理学中都能找到，只不过我们都没有上升到理论的高度，因此无法深入下去。”

“有那么好，有空把你考试的书给我看看。怎么样能考上吗?”

“如果英语能过，我就一定能考上。”欣然自信地说。

“英语难吗?”

“五级半的水平，我的英语你还不知道，它认识我，我不认识它的，你说难不难。”

“五级半，那可真够你一蒙的。”

“唉，不过好在都过去了，这种体验倒也挺难得的。”欣然想想这段生活却也有可值得回味之处。

“前两天，有人在办公室里当着老主任的面咬扯你来着，说凭什么给她假让她去考试，要那样，我们大家都去得了。”

欣然一惊，连这种事都有人有意见。

“你猜老主任说了句什么，有本事你们都去呀，只要你敢去，我一样找人给你们代课，我一样批你们的假，还别在这儿乱叫，还是先看看你们有没有这个胆儿！结果，办公室一下就没人说话了。”欣然由衷地感激起老主任来。人在成长的过程中如果能多有几个这样的长辈扶持你，那该是多大的幸事呀。

正说着，老主任走进了办公室。

“欣然，回来了。怎么样，考得怎么样?”

“还行，多谢您了，给您添这么大的麻烦。”欣然赶紧从座位上站了起来。

“能考上吗?”

“争取吧，如果英语能过就一定没问题。”

“其实，不用太看重结果，这个过程是最重要的。当然，如果能考上那更好。毕竟你是我们学校第一个正经八百地参加正规研究生考试入学的人。”

陈欣然重又回到了日常的教育教学工作中。

“砰，砰砰。”敲门声打断了欣然正在备课的思路。

“进来。”欣然叫了一声并没有抬头。

“陈老师，忙啥呢?”一个个子不高黑黑的男人站在了办公室门口。

“大组长呀，大组长，有事吗?”

进来的是语文组的教研组长鲍虎。他喝东北的水长大，中气实足。他在给学生讲《硕鼠》翻译开头的两句时，“大老鼠”几个字在离教室很远的办公室里的人都能听得真真切切。于是，欣然每次见到他就会模仿着说：“大组长呀，大组长。”

“当然了，我是无事不登三宝殿。我来传达领导的旨意。这可是领导对你的肯定呀!”他说着站在了欣然的办公桌边。

“什么事，说吧。”

“区里要找一名语文老师上一节研究课，学校经过考虑决定让你来担当此重任。”果然不出欣然的所料。别的好事也不会到她这儿。

“我，不行。我最近这么忙，又上课又当班主任，哪有时间呢?再说，咱们语文组有那么多精英，还有那么多年轻老师，你干嘛非找我。”欣然推辞着。研究课不同于公开课，不但要花大量的精力去准备，课后还会有许多人来评议，弄不好，会让上课的老师很没面子的。

“这你就错了，论年龄、论经验、论精力、论能力非你莫数。”大组长开始抬轿子了。

“得了，得了，我的大组长，别一到这时候就给我戴高帽。我又不是前两年了，让你们骗着、哄着一会儿一个公开课，一会儿一个献优课。工作干了，给学校荣誉争来了，倒了，我落什么好了?”欣然又想起了前两年受累不讨好的事。

“你瞧，你这样理解就太狭隘了。想当年，我在你这年纪的时候……”大组长不论是对学生还是对老师最爱用的就是“想当年”几个字，而且一旦用上了，是要花很多时间去描述。

欣然没有那么多时间听他说，便打断了他：“求你了，组长，别又现身说法。其实，你现在想练也不晚呀。四十五岁以下还算是青年教师。”

"我倒想呢，可人家点儿名要三十岁以下的。廉颇老矣。"大组长失意地摇摇头。

"三十岁以下？咱们组不是还有两个新来的老师吗？都已经两年了，你们干嘛老不给年轻人机会，也该让她们锻炼锻炼了。"欣然想起了同出一校的小师弟小师妹。

"领导说了，这是研究课，不是献优课，上完后要大家一起讨论提意见，领导怕他们太年轻了，受不了那么多的不同意见，影响工作的积极性。"大组长是越描越黑。

"你的意思是我的脸皮厚，不怕受打击，看来领导还真'了解'我。"她说着"了解"二字心里特不是滋味。

"这是一次很好的锻炼机会，而且有那么多的同行在一起交流，对你的业务会有很大帮助。我把领导的意见传达到了，你要是有想法就去找领导。就这么着吧。星期四上午第二节听你课，后两节讨论。星期三下午咱们组开会，帮你准备一下，你把教案准备好，大家好提提建议。"他没有再理会欣然的意见，说完就退出了办公室。

上公开课、研讨课对于陈欣然来说并非难事，不光是因为她已经具备了一定的教学经验，也不在于她已经能对教材烂熟于心，更为主要的是她的心理素质极好，尤其是在人多的时候，她经常可以超水平的发挥，一些美妙的灵感在关键的时刻会跳入脑海，联珠的语言跃出于双唇，为整个课堂添上亮丽的一笔。但是，她现在已经开始厌恶这种事了，这并不在事的本身，而在于每次完成任务之后，经常是不了了之。时常有好心的同事善意地开过她的玩笑：永远是冲锋在前，享受在后，绝对的共产主义精神。开始她没太在意，但是，随着一次次先进的擦肩而过，一次次学年评定的优秀让给别人，甚至到了职称评定的论资排辈，没有人会去看她的付出、她的辛苦、她的成绩。因此，她已经有了当一天和尚撞一天钟的想法。

当然，学校也确有自己的难处：上级布置的工作总要有人做，做事的人就应该能担当此任，就应给学校带来一定的荣誉或好的口碑。这种时候，领导点兵点将点到了她的头上，也算是对她工作的一种变相肯定，这也许是她没有再坚持自己的意见拒绝的原因吧。另一个原因就是这位语文组组长。他姓鲍名虎，一个虎虎生威的名字。可在他的身上却看不到一点儿男人的虎气。他身高最多一米七，和欣然站在一起好像还要矮一截。人长得黑，走路时身子永远向前冲，又因为有点驼背，所以曾有届学生送他一个“武大郎”的外号。他戴着一副大眼镜，把本来就不大的脸庞遮住了大半。虽刚过四十，竟然已经出现了毛稀的征兆，可能是操劳过度的缘故。他为人说不上厚道也说不上狡猾，总是处在一种“边缘”状态。他做事的小心谨慎在全校出了名。每当落实一件事时，他会不厌其烦地向当事人落实若干次，直到你烦了大声地说一句“知道了”为止。他的一举一动常让人想起《装在套子里的人》里的别里科夫，或是《小公务员之死》中那个因为一个喷嚏而送命的小公务员。这样的一个矛盾混合体，受命于领导，他会不惜一切地完成任务，哪怕跟你谈到晚上六七点也在所不辞。如果要证实自己的某个观点正确，他会旁征博引、从《汉语成语大词典》讲到《康熙字典》再到《辞海》《辞源》。因此，组里的人都怕了他这种认真的态度，于是，他安排的工作大家都会照方抓药绝少跟他探讨。像今天这样如此干脆利落地向欣然布置工作真是绝无仅有。就冲这，欣然也得接受这并不情愿接受的任务。

时间紧任务重，欣然又是个典型的完美主义者，所以她必须全力以赴。她只能把刚才的问题先放一放，找出课本和教参，又看了一下课程的进度情况，选择了古文《邹忌讽齐王纳谏》作为研究课的内容。

吴娟红从门外走了进来，问：“嗯，你今天没课呀?”

“有，后几节。”

“瞎忙什么呢，还不快去会计室领课时费。”

“哟，时间真快，又到月中，最近忙得都没时间感了。”

“最近，你又参加考试，又当班主任，可真够忙了。”

“可不，这还给加任务呢。非要让星期四上一节研究课。”

“你同意了?”吴娟红皱着眉头看着她。

“那怎么办，领导布置了，也不好坚持。”

“你可真是的，上面只说上一节研究课，可根本没说必须上语文课。你不知道吧，他们先找的张艳青，想让她上一节电教课，她说死说活都不接，这才来找的你，你干吗那么实诚?”

欣然没有想到事情会是这样，原来自己无意之中吃了别人嚼过的馍。原以为学校是在斟酌之后找的她，却不知早已是被别人挑剩下的了。她无形中又吃了个哑巴亏。但现在，生米已煮成熟饭，她只能是打掉牙往肚里咽。

“现在会计室人多吗?”她问着站了起来。

“没什么人，有几个像你这么不着急的，快去吧。”吴娟红数落着她。她走出了办公室，心里堵得慌。

会计室内，出纳蔡大姐正在忙着给来领课时费的老师点钱。

“哟，陈妹妹，你来了。”她忙中偷闲地招呼着欣然。“你等会儿再领，行吗?”

“没问题，您先忙着。”欣然不着急地坐在了蔡姐身边的椅子上看着她熟练地给别人数着钱。会计室里的人慢慢走光了，蔡姐从抽屉里拿出一张纸叫欣然签字，那是一张扣工资的通知单。

“我说傻妹妹，为参加考试扣那么多钱，值吗?你怎么也不跟领导好好说说，也不是每个人都像你这样的。”蔡姐看着她签字说。

“人有所得就要有所失，不可能都占着。学校这次能让我去，我已经很知足了。再说，我也没那精力。”欣然又想起了吴娟红刚说起的事，话说得有些不中听。

“你就不能向张艳青学学，都是大学毕业来到这儿，你看人家，没事去领导那谈谈心，领导的孩子要考学就义务辅导几次，领导住新居就登门拜访一下，结婚了就把喜糖送上门。”蔡姐边说边拨拉着算盘算着欣然应得的课时费，全然没有注意到她脸上的惊讶在一点点扩大。

“这不,又损失了二百多,唉,真替你着急。现在学校福利待遇不好了,这点课时费也能顶两星期菜钱。”蔡姐把钱递给欣然。

“谢谢您了，要是那样，我不就不是我了吗?。”欣然接过蔡姐递过来的钞票数都没数就塞进了口袋，出了会计室。

楼道里黑乎乎的，只能看到人影却看不清脸。欣然很喜欢这种黑乎乎的环境，她知道此刻自己的脸色特难看。她没有想到和她在一个办公室里有说有笑的人，一个时常也谈谈真理和道义的人，一个曾经让她觉得很正派的人，一个在她看来只是有点小算计的人，原来有如此之深的城府，如此之深的心计，如此之妙的手腕。她太小瞧她了，她只能自叹不如，因为她太了解自己了——永远也学不会。

九

星期四早上第二节，陈欣然迎来了区职教中心和各职业高中的听课教师共二十七人，把本来就不大的教室塞了个满满当当。欣然今天上的是一节古文的分析课，既有对古文词语的分析，又有对文言实词用法的小结，教学重点却落在了如何从简练的语言体察人物的内心世界这一内容上，这在文言文教学中还是少有的重点。她精心地选取了邹忌向妻、妾、客询问他与徐公比谁更美的问题，通过对比和引导，学生领悟到文言文言简意赅的精华之所在。不知是听课的人太多，或是欣然讲得太投入，或是同学们呼应得很自如，这节课在兴奋的讨论中结束。

课后的研讨是热烈的。很多老师肯定了这节课的优点。尤其一些年轻老师对课堂上的重点很感兴趣。但老教师也提出了不同的意见，即在课堂教学中花较多的时间来分析古文中的人物语言有没有必要。欣然就这个问题谈了一些自己的看法。同时她也吸取了一些好的建议。研讨会在较为热烈的气氛中结束。

刚走出会议室，区职教中心的梅老师就走过来拍着欣然的肩膀说："陈老师，我今天忘了提示你了，研讨会应该让大家多提意见，有些你可以回答，有些你只能保持沉默。"

"为什么？不是研讨会吗？不让我说话怎么行？"欣然有点莫名其妙。

"说是这么说，可是，真要研讨了，就会有人认为你不虚心！"欣然吐了吐舌头，这结果她可又没料到。但已经这样了，只好随它去吧。

回到办公室，欣然放下书本喝了口水，转身要出去。

"陈老师，研究课上完了，怎么样？我刚才有课，没去听。"周世仁叫住了她。

"马马虎虎吧。"欣然不经心地说。

"咱校领导谁去了？"周老头又问。

"领导？"欣然愣了一下，想了想听课现场的人们："好像没人去吧。"

"啊？这么重要的教学工作竟然没有领导参加？"张艳青的反应很敏锐。

"领导最近忙着呢！哪有心思关心这些小事儿！"周老头叹了口气。欣然什么也没说，走出了办公室。她还能听到张艳青义愤的评论声，她的嘴角露出一丝不易觉察的轻蔑的笑。

春季运动会即将来临，放学后，各班的同学都在操场上进行着各个项目的练习。欣然今天下午留了全体同学练入场式。这可是一个在全校面前显示班风班威的好机会。欣然想通过这次活动，一方面向全校展示一下班级风采，同时也进一步增加团队的凝聚力。

欣然刚走出办公室的门就被阅览室的秦老师给挡了回来。

“陈老师，你可回来了，我都找你好几回了，他们总说你没在，后来我才知你参加考试去了。怎么样，考得还好吗?”

“还行吧。您找我有事儿?”

“快帮帮忙，都快火上房了。”秦老师说着把欣然按在座位上，“你都帮我那么多回了，这次是最后一次也是最关键的一次，你可一定好人做到家呀。”她边说边把一摞书放在了欣然的面前。“这学期我该写毕业论文了，写好了我就算是有出头之日了。”

“这么快，您都该毕业了，真好呀!”欣然由衷地替她高兴。

韩老师今年四十出头，是一个踏实肯干的人。从欣然到这所学校，她就在图书馆负责日常图书的借阅工作。由于欣然经常去借书，慢慢地大家的交往也就多了。后来，凡是欣然要的书，打个电话过去，韩老师都会很快地找到并给她送来。这令欣然对她颇存感激之情。毕竟她不是对每个老师都这样。

由于年轻时没能接受高等教育，秦老师四十多岁了，还面临着教育改革中的学历问题。因为上面早有文件：到二零零二年，小学老师要达到大专以上学历，中学老师必须是本科以上学历。对于职业中学本身具有的专业特殊性，上面适当地放宽到二零零五年。所以这几年，学校中的很多人都在备考，没学历的参加成人高考，学大专；大专毕业就一边工作一边开始续本。像欣然这样本科生考研的情况在各校也已开始出现，但还没有形成主流。但是，老师中真正能通过成人高考的其实并不多。于是，大家又生出了一种更为便捷的拿学历的方式：上党校。市级党校当然不在其列，那是寻求长远仕途之路的人才会削尖脑袋去的地方。老师们上的都是区级的党校。这种学校不用参加正规考试，只需报名，去象征性地开卷完成考题就算入学了，然后，你就可以去听课了，按时上课划考勤、按时完成作业，到了第三年，完成老师指定的论文，你就可以拿到一个大专学历。如果愿意，你还可以参加所谓的续本考试，然后再用三年的时间，你会拥有一个本科的学历。这种学历曾经在社会上很流行，但随着正规学历的增多，它的适用范围变得越来越小，以至于在很多地方不被承认，但在教育系统，目前，它还有着存在的价值。

"这次的论文题下来后，我看了半天，选了个关于教育心理学方面的论文题，我觉得这题如果让你来帮我写一定很靠谱，最起码你在一线有很多的教育心理学方面的实际事例，可以使我的论文具有很强的说服力。"韩老师边说，边打开一本铅印的论文题集让欣然过目，然后指着其中的一条对她说。

"是你写论文，你应该从自己的长项出发，怎么能从我的角度出发呢?"欣然把题集从头到尾翻了一遍说。

"我的情况你又不是不知道，哪次不是你帮我的大忙，由于好多东西和你以前学的不一样，给你添多大麻烦呀。所以这次，我干脆给你来个轻车熟路，这样也可以省去你不少时间。"她说着又打开好几本书。"这是我给你准备的理论参考书，你一定有用。"

"秦老师，咱们也不是外人。我最近真的特别忙，又要开运动会，我还要带班，所以，你让我一字一字地给你写不太可能。再说毕业论文不像平时作业，那需要花很多的时间才能完成的。所以，我只能给你拉个提纲，具体的东西你还要自己来写。"

"拉个提纲也行呀。不过，你最好把我要写的东西中的条条在这些理论书里帮我找出来，然后给我标上号和页码，到时，我得照着抄，省得抄漏了，还得给你找麻烦。"

“这个可以，不过每条每条之间的语言你可一定要过渡一下，可别跟上回似的，前言不搭后语的。”

“反正最后你还得给我看几遍，到时再说吧。”秦老师如释重负地松了口气。

“你什么时候要?”

“过完五一就行。”

“那就这样吧。我还得下楼去看学生练队呢。”

“那多谢了!”说着，秦老师先欣然一步走了。

欣然帮学校里的老师写作业已不是一次两次了。写东西在欣然并非难事，但对于他们却可能累得腰酸背痛。看到这些四十多岁的人啃书本的样子，她实在不忍拒绝。于是，她多了许多额外的事情。

四月的中旬，四点多的太阳已是十分地热烈，照得欣然头皮发烫。男孩儿们已经在操场上练了一会儿了，个个脑袋上顶着汗珠。

看到班主任到场，军体委员赵凯要求同学们走一遍给老师看看。结果，男生像一队败兵一般地没有精神，更别说步调一致了。就是赵凯的口号也丝毫没有男子汉的气魄。

“停停停。”欣然喝住了同学们的队伍。

“你们这是走入场式还是在逛大街?看过阅兵式吗?看见男子汉走路应该是什么样子吗?还有你，军体委员，你喊的一二一怎么像没睡醒一样，就你这样，同学们怎么能被带动起来。”

她停了一下，又说:“好，下面听我口令，稍息、立正。向右看——齐。”欣然把口令喊得有力而短促，但在向右看的看字时却又拉长了声音，军队中长大的她，这方面可能是天生的。“军体委员，你在发号令的时候，一定要在关键词上给大家一个思考的时间，这样大家的动作才能做得齐。下面，你来试试。”

她把发令员的位置让给了赵凯。

“稍息，立正，向右看齐!”赵凯试着模仿着，但是，还是没有力量。

“不行。”欣然打断了他，“一会儿下来，我单教你如何发口令。下面同学听我指挥。稍息，立正——，向右看——齐，向前——看。齐步走——。”队伍出发了，欣然一路跟着，喊着口令：“一二一，一二一。注意挺胸抬头，不要低头找东西。一二一，一二一。立定。”

欣然站到了队伍的前面：“同学们注意了，在行进的过程中一定要注意脚下的步伐大小，前面的大个儿要压着步子，照顾后面的小个儿同学。同时还要注意用眼睛的余光去看横排面的其他同学。这样走起来才能整齐。好，下面我们再试一次。稍息、立正。向右看——齐，向前——看。齐步——走。”欣然跟在学生们的旁边，不时地提醒着队伍中横排面不齐的同学。“一二一，一二一，好，有进步。到弯道了，内侧的同学一定要注意把步子变小，排头第一行最内侧的同学注意原地踏步，等横排面完全甩过来了再前进。好，不错。一二一，一二一，立定。”

欣然的嗓子开始冒烟了。看来这天儿还真够热的。

“好，大家原地蹲下来休息一会，听我再说几句。”陈欣然清了清发干的嗓子站到了队伍中间，“刚才这遍走得不错，进步很大。这说明大家能把工作完成得很漂亮。如何才能取得最后的胜利呢，这就要求我们每个同学在队列中淡化自己，强调整体。也就是说，大个儿同学作为排头要想着后面的小个儿同学。小个儿的同学要努力跟上，不能让大个儿的同学无法迈步。内侧同学要照应外侧的同学，同排的同学更要互相关照，看平排是否整齐，后排的同学在行进中要尽量和前排的同学保持直线。前排的同学更要很好地控制有效距离。听明白了吗?”

“听明白了!”坐在地上的男生们扯着嗓门喊。

“那，下面我们就二排为一组进行分组训练，二十分钟后我们集合，到时咱们看看哪个小组的成绩最好。好，分组开始训练。”学生们按要求散开了。

“军体，军体呢?”欣然正要单独和赵凯说说，发现他人已经没了。

在这关键时候，军体委员失踪可太不应该了。陈欣然正要发火，忽见赵凯捧着欣然的水杯跑过来。“老师，您喝水。”

欣然既兴奋又带着一丝责怪地接过水杯说了句：“我还以为你跑了呢。”

“天多热呀，您喊了半天了，一会儿还得找我单谈，您还不得补点水。”

欣然喝着温温的浓茶，心里甜丝丝的。

“注意，你是军体委员，队伍的一切成功都在你的指挥之中。因此，你发出的每一个命令必须准确而有力，否则，队伍就乱套了。刚才我发的口令你都听到了吧。先学一遍试试。”陈欣然发话了。

“陈老师，实话跟您说，到咱们班前，我既没当过军体也没大声地喊过。要不是因为当初您组建班委会时把我这个团员划进了，我才不会当这个军体呢。”

“那你干嘛领了这个差事?”欣然不解。

“其他的都被他们几个挑完了，就剩这个了。”赵凯红着脸说。

“可我觉得你这么长时间一直干得都不错呀。”

“以前都是些在下面组织大家的事，这次不是得上来面对全校吗。”

“那好，我给你三天时间，回家对着镜子去练口令，三天后我检查。记着，不许失败，只能成功。因为你是班干部，是大家的榜样。”欣然决定采取挤压法，也许这样，他会有一个大飞跃。

“那，那就这样吧。”赵凯还算是很痛快地答应了。

二十分钟后，队伍集合起来，欣然从同学中临时找出一个喊口令的，让大家联合演练了几遍，发现效果还不错。

“好，下面同学们和我一起喊口令，一——二——三——四——!”欣然再次发出了口令。

三十个男子汉们齐声吼着“一——二——三——四——”。

那宽厚而响亮的声音在校园的上空回荡，听着这充满力量的声音，欣然对运动会入场式夺冠充满信心。

陈欣然站在商场滚梯上，漫无目的地看着各式商品。

“陈欣然，还真是你，我还以为我看错了呢!”一个少妇从后面拍着她的肩膀。

“是你?! 张姐。”面对这个人，欣然很是尴尬。

张姐是前任老公好友的妻子，曾经一度和他们走得很近。欣然的事她也知道不少。自从和他分手，欣然还是第一次在公共场所遇到他的朋友。

“到我们商场买什么来了?”张姐并没有看出欣然的尴尬。

“帮我妈买点化妆品。你们商场? 您现在调到这儿来了?”

“对呀，我现在在音像部，就是化妆品部对面。如果买磁带，我可以给你打打折。”张姐对她还像以前那么爽快。

两人说着朝化妆品部走去。

“你最近怎么样，有男朋友了吗?”张姐直奔要害。

“还，还没有。太忙了，没时间考虑。”欣然怕她问得太多，隐去了真相。

“唉，你们真的就没戏了?”张姐一听欣然还一个人就试探着。

“没戏了，大家的想法差距太大，沟通起来太累了。”

“那倒也是，当初，你出嫁那天，我和你大哥到你家去接亲，我们都傻了，根本就没想到你们家的房子那么大，你们家的条件那么好，两边真是没法比。”

欣然听着她的评价，沉默着，什么也没有说。

“都现在了，他还会时常在我们面前夸你好呢！看来，他还是挺爱你的。”

“是吗？”欣然听着张姐的话，心里有一种满足感。突然，她有种很想知道他近况的冲动，但她却还是没有主动去问。

“你怎么也不问问我，他最近怎么样了？”张姐沉不住气了。

“他，一定不会错的，他挺能干的，人也长得帅，肯定会有人喜欢他的。”欣然说这些话的时候，突然有种酸酸的感觉。

“他最近和他师姐好上了，就是他上武术学校时的那个你见过的大师姐。那女的玩命追他。只可惜身边带着个小男孩儿，而且那女的岁数比他还大三岁，我看没戏。”

“那不是挺好的吗？女大三抱金砖。”欣然听到他重又开始恋爱了，心里又觉得空落落的。

“可他一直都想和你有个孩子。”

“那只有下辈子了。”欣然说着把挑好的化妆品放进书包里，付了钱。“张姐，您快忙去吧，我就不打扰您了。有事，您给我打电话。”说着欣然和她挥手告别。

欣然本想让张姐代问他好，但是，话到嘴边，她又咽了回去，总觉得不妥。

十

于主任在教室门口等着陈欣然下课。欣然看见他，一拉门走了出来。

“您是找我有事儿吗？”

“通知你今天下午到师范学校去听一节公开课，会后还要参加研讨会，你准备一下，这节课内容是鲁迅的《拿来主义》。下午二点开始上课，别迟到了。”

“我下午还有课呢。”

“课我已安排好了，你就不用担心了。不过你得自己骑车去，学校的车出去办事赶不回来了。”于主任说着就要走。

“那我就不去了，不就是一节课吗？”欣然想到自己的课，还真不想去。

“别人不去行，你可不行，这可是职教中心点名安排你去的，是上级对你的重视，你可一定要按时到。”说着于主任回头再次叮嘱了一句，走了。

下午的公开课安排在师范学校三楼的一个大教室里。全区职教系统的语文老师都聚在了一起，这其中还有几个是欣然大学时的同学，虽不同班但大家都是熟脸，也就很自然地打着招呼。从教室的布置可以看得出，师范学校还是很重视这次教研活动的。很多校级领导都到现场来听课。

二点钟，师范学校的一名姓王的女老师走上了讲台，开始上课，

欣然和同行们认真地听着，不时地记着笔记，王老师按照复习旧知识、导入新课、知识难点讲解、小结、布置作业等几个环节忙着调动各方面的力量，一会儿是电教手段的运用、一会儿是启发式提问、一会儿是学生间讨论，一节课上得上下呼应，很是热闹。欣然不时地在教案上记着什么，有时也会停下来皱皱眉头，思考着。很快，下课铃声就响了。

三点钟，会议室里聚着听课的老师，欣然找了个角落，坐了下来。

“陈老师，陈欣然，请上前面来。”职教中心的梅老师点名叫着欣然。欣然推辞了片刻也只好听命坐到了会议室的前排。讲课

的王老师此时正坐在欣然的对面。

“今天，我们职教中心请大家来听王老师的公开课，王老师工作很忙，能接这个工作是对我们职教中心的支持，首先让我们对王老师表示感谢!”梅老师带头鼓掌。

大家鼓掌。

“今天的活动，多亏了我们学校领导的支持，大家要谢还是谢我们领导吧!”王老师谦虚地说。

于是，大家又鼓掌。

“下面，我们就今天这节课召开个研讨会，没有条条框框，大家各抒己见。谁先来?”梅老师简短的开场白把大家引入正题。

“那我先说说吧，”一位中年男老师说：“这节课上得不错，结构严谨，层次分明，时间安排合理，同学积极配合，而且还用了电教手段。很好!”

王老师冲着那位男老师微笑着。

“我觉得，这节课尤其应该表扬的是其电教手段的运用，从头至尾，王老师共用了十张电教片，大大地提高了课堂的效率。”又一个人发言。

“我觉得，这个班的学生很有水平，对于王老师启发式的问题，能较为敏锐地把握关键，并能准确地找到答案。”

“……”

会场极为热烈。听课的老师轮番发表着各自的见解，讲课的王老师不时谦虚地答对着大家提出的问题。师范学校陪同的领导高兴地不时站起来为大家沏茶、倒水。毕竟，对王老师的肯定就是对学校的肯定。

欣然坐在那儿一句也没有说。

“陈欣然，陈老师，你坐在那还一直没有发言呢?”梅老师点着陈欣然的名字，“陈老师是我们区年青老师中的业务尖子，虽然只工作了七八年，但一直在一线教课，且已多次地参加了区级的公开课活动并获得了多个奖项。前一阶段，很多老师也听了她上的研究课。下面我们也让年青教师谈谈对这节课的看法。”

欣然其实有很多想说的，但是她知道自己的观点一出口会像扔出个炸弹一般，所以并没有想说的意思。“我是来学习的，主要是听听大家的看法多给自己补充点，还是请大家说吧。”欣然推辞着。

“陈老师，你就不要客气了，你的课我们在座的很多人都听过，真的不错，你就别不好意思了。”王老师主动邀请她。

“说说吧，别老一个人蔫蔫地进步，也拉兄弟们一把。”一位大学的同学也旁边帮腔。

大家跟着笑了起来。

欣然看了看大家，想了想，说：“对于这节课的优点，众位前辈是有目共睹的，大家已经说了很多，在此我就不想多说了。下面，我想很直率地谈谈这节课可能存在的几个问题，如有不对之处请王老师多原谅，同时也希望能得到前辈们的指点。”

“陈老师，你就直截了当地谈问题好了。”王老师再次表态。

“首先，我想提出的问题也是本课最主要的一个问题是《拿来主义》的教学重点是什么？”陈欣然停顿了一下，接着说：“如果我没有记错的话，重点应当是本文所运用的因果论证的论证方法。对于这一教学重点，王老师好像并没有花太多的时间去讲授。第二、本文的字词部分并不是教学的重点和难点，可是王老师用了二十分钟，不知这样的安排有什么特别的意义？第三、这节课是用了投影仪这种电教手段，但是今天的近十次的使用是否真的具有画龙点睛的效果呢？”

陈欣然的三点问题刚刚说出，会场上就出现了一片低低的讨论声。

“我想先声明一点，”王老师抢先发表意见，“对于陈老师提出的用很长时间进行字词教学的问题，这是和每年的高职考试在挂钩，因为每年的高职考试中这部分的字词题占分较高，所以我想强调字词在教学中的重要性。”

陈欣然不能接受王老师的解释。她接着说：“请问王老师，每年高职考试的字词分占多少？如果我没有记错的话，加上检测拼音、单个字、词的运用、结合文章解词，算在一起一共占不到十分。为了这十分，却要花二十分钟来讲，是否应试的味道太浓了。”

“陈老师提出的电教手段问题，我看很中肯，到底在什么情况下我们要用电教手段呢？它不应是聋子的耳朵——摆设，而应真正能提高课堂的教学效率。陈老师，不知你在这方面有何想法？”一个老师发问。

“我认为，这节课用传统的黑板教学就可以完成整套的因果论证这一重点的教学。因为三个并列的因得出一个统一的果，延展出可笑的结局，已经能够达到教学的要求了。至于非要用电教手段的话，利用电脑的幻灯片演示可能能达到想要的效果，不过这对教师的要求和对学校的硬件要求相对较高了。”陈欣然谈着对板书的看法。

“刚才，陈老师提出的第一个问题，是我们大家刚才都忽略的一个重点，也就是说，本堂课的教学重点到底是什么，请大家谈谈。”梅老师发表自己的看法，引导着大家讨论。

“我觉得王老师在本节课上确实犯了一个喧宾夺主的问题，忽视了教学重点的研究，是这节课的一个大问题。刚才，我也忽略了这个问题。”最开始肯定王老师的人现在也提出了自己的看法。

听着老师的发言，王老师的脸色开始变化了。

“我觉得，把是否用电教手段看成是评价一节课的重要条件本身就有问题。”

“我觉得，真正优秀的老师，不在于非要用什么样的表现形式，而在于……”

“……”

欣然没有想到自己的一席话会引出大家如此尖锐的讨论。但细想想，她明白了：这些长辈们其实早就看出了问题之所在，只是不好意思提出来罢了。而她，只不过是为大家说出自己看法的一个突破口。看来，要想真正地建立一支严谨、科学、求实的教学科研队伍并非是一件容易的事。

她不知道今天的举动会给自己带来什么，也许有人会在背后指责她的自大和目中无人。但事已至此，她也只好不去多想。再看看那位辛苦了半天的王老师，她却在歉疚之后又多了点疑问：为什么这么严重的问题，教研组的人在研究时都没有发现，是真的忽略了还是有什么特殊的原因不想说呢？真是误人呀！

四月二十九日，春日高照，欣然穿着一件蓝花细条纹长裙，一条鹅黄色的长长的纱巾斜系在脖子上，出现在同学们的面前。看惯了陈老师总是一身正装的样子，今天的装束着实让男孩儿们眼前一亮。好几个学生都伏在欣然的耳边悄悄地说了句：您今天真漂亮！能得到同学们的赞赏欣然心里美滋滋的。

这是两校合并以后的第一次大型校内活动。北校和南校的学生俨然是受了教师们的传染，在运动场的座位上形成了东西两大阵营。北校的学生坐在操场的西侧，欣然他们南校的学生坐在操场的东侧。

九点钟，入场式正式开始。

由各个专业、各个班组成的仪仗队开始踩着进行曲的乐点按次序进入操场。欣然他们高一烹饪班的男子汉们身着白色的厨师服，头戴白色的、高高立着的西式厨师帽，脖子上系着黄色的汗巾，手里举着闪亮亮的不锈钢炒勺，迈着整齐有力的步伐雄纠纠气昂昂地走进了操场，在经过主席台时，由军体委员发出口令，男子汉们高举着炒勺，大声而整齐地喊出：“弘扬美食文化，重塑职校风采”的口号，迎得了全校师生的一片喝彩声。

欣然站在主席台对面的观礼台上，看着自己操练出来的队伍心中充溢着无尽的满足感。这是一群多么有塑造力的群体，只要功夫下到了，他们一样是块好钢。

仪仗队一个接一个地通过。北校打出一个健美操编队，整齐的服饰及动感十足的舞步，一看就知老师花了不少心血。于是再次掀起了入场式的又一个高潮。

比赛开始了，有比赛的同学在军体委员赵凯的提示下换运动服、检录、准备参加比赛。没有项目的同学围坐在欣然的身边，还在津津乐道着刚才的入场式。欣然跟班长、卫生委员布置完今天的工作后，拿起一本小说靠在一棵大树洒下的一片树荫下的座位上，津津有味地读起来。

大喇叭里不时地传出各个比赛项目的比赛结果，每到高一烹饪班的名字一出现，班上的学生就是一片欢呼。此时，获得第几名已经变得不重要了，重要的是班级的名字又出现在了大喇叭中。军体委员不时地向欣然报告着好消息；淘气的韩健获得男子百米的第三名、平时文静的外语科代表吴旭获得了男子铅球第二名、王丰获得了男子标枪的第四名、还有……还有……欣然其实很满意同学们取得的成绩，但她还是向军体委员提出要求：等有第一名时再通知我。

正当陈欣然抱着小说渐入佳境之时，忽听吴扬在前面大声地叫着：“快看周磊，已经是第二名了。”

欣然扔下手里的书站起来，顺着吴扬指的方向看过去。大喇叭里正在播报着：“男子1500米已进入到最后的冲刺阶段，现在跑在前面的是足球班的张汇同学，紧跟其后的是烹饪班的周磊同学。”欣然的心一阵收紧，对于天天参加足球训练的足球班的学生而言，跑个一千五实在是小菜一碟，让其他专业的同学和他们同场竞技，简直就是有失公允。

“快看，周磊冲刺了，快呀！再快呀！”有同学在叫。

欣然再也管不住自己了，大声地叫着：“周磊，加油！”

于是同学们也一起和她喊着“周磊，加油！周磊，加油！周磊，加油！”

就在撞线的那一瞬间，周磊以半步的优势提前撞到了红线。班里顿时沸腾了，欣然兴奋地大叫着冲下了看台，她冲过跑道，冲到了周磊跟前，重重地拍了一下他又瘦又长的脑袋，说了声“好样的。”能打败足球班的学生简直是让南校学生兴奋的一件大事。几个紧随其后的男生把周磊高高地抛向空中，欢呼着，大笑着。这时，大喇叭里传来成绩报导：“男子 1500 米第一名烹饪班的周磊同学，第二名……”当第二名还没有报出时，南校的看台上一片欢呼声。好多男生女生冲向烹饪班的位置，欣然教过的班级学生纷纷跑过来庆贺。

“班长，”欣然大声地叫着，“去抬两箱矿泉水，再买三十根冰棍回来。咱们要好好地庆祝一下！”

小班长刘宇凑过来小声地说：“陈老师，我没带那么多班费。”

“用什么班费，我请客。”欣然说着从兜里摸出一张百元大票递给班长。

“陈老师，买什么样的冰棍呀？”

“这你还要问我，一百元你自己看着办就行了。别什么事都请示。”欣然高兴得大声地说着。能战胜足球班无形中就是战胜了北校。欣然从中找到失落已久的心理平衡。

下午二点钟，田径比赛中最好看也是最激烈的男子四乘一百米决赛就要开始了。经过选拔出来的六个队正在进行着准备活动。烹饪班一路过关斩将杀入决赛，和足球班分别分在了第三道和第四道。足球班的学生个个人高马大，最矮的也有一米七五。

再看烹饪班一水的小个子。平均身高也就一米七：张志、韩健、王丰和吴浩几个人和足球班的学生形成了鲜明的对比。吴浩被安排在第一棒，中间是韩健和王丰，最后一棒是张志。欣然对这个项目的结果没有太高的预期值，毕竟这是一个比团体实力的项目，而且还会有某些偶然性。

“各就各位，预备——砰！”

发令枪响过，六条跑道上的男生们像箭一般地冲了出去，领先的还是烹饪班和足球班，但是第一棒却难分高下。第二棒交接时，吴浩准确无误地把接力棒打入韩健的手心，韩健瞬间冲了出去。距离慢慢地拉开来，第三棒王丰也没有任何失误，最后一棒就看张志的了。这时欣然才发现对方的第四棒是位极为生猛的家伙，个子很大、腿很长且频率很快，他正在慢慢缩短着和张志的距离。陈欣然的心慢慢收紧。

看台上喊声一片，从开始的各喊各的，到最后竟演变成了东看台一片“南校加油”、西看台一片“北校加油”的声音。终于，就在足球班的学生和张志差半步的距离时，张志第一个撞在了终点的红线上。东看台上再次一片欢呼声。不知是哪个班的女生们竟然抱着四把鲜花冲过了跑道，冲进了运动员的人堆里，于是欣然看到了自己班的学生捧着鲜花从人群中冲了出来，他们冲着东看台跑过来，嘴里不住地喊着：“陈老师，我们赢了！我们赢了！”

从教这个班的课到接这个班，欣然从没有像现在这样激动过，她就像母亲一样看着自己的孩子一点点长大、成人、懂事，还有什么能比看到他们取得的成绩更让人欣慰的呢。欣然站在看台上，激动得大叫着、大笑着，使劲地为学生鼓掌，以前所有付出的一切此刻都显得那么微不足道。尤其是今天取得成绩的这些孩子，虽然学习成绩并不出众，有时还会违反纪律，但谁又能说他们不可爱呢。欣然在心底里暗暗发誓，一定要让他们成为全校最棒的班集体。

十一

自从参加完研究生考试，过完了若为为她准备的生日宴会，陈欣然已经快两个星期没有见到他了。虽然，他们每天都能通一个电话，若为每天都会在电话里向她汇报一天的工作，都会询问欣然的情况，但现在，欣然已经无法忍受只能听到他声音的情况。电话里说，他正忙着给《还珠格格》中的一个影星赶拍写真集，前一段时间在拍外景，现在，正在电脑选片阶段，每天盯着电脑看，已经有三天没合眼了。而且，这个星期天又不能和她见面了。

下了班，欣然买了些食品坐着车来到若为家。打开门，屋子里的空气中弥漫着若为所特有的气息。桌子上落着厚厚的一层土，一看就是好几天没人回来了。床上的被子也没叠，茶几上放着一个方便面碗。欣然看着这一切，挽起袖子，开始打扫卫生。她要为若为创造一个温馨的休息环境，在他辛苦之后，能有一个让心灵放松的家。

她用毛巾把整个屋子从地面到桌子一点不落地擦了一遍。她把他换下来扔在洗衣机里的衣服洗了；把被套、枕套、床单都换上干净的，把换下来的也洗了；把阳台上已晾干的衣服收回来，用电熨斗烫平，叠得整整齐齐的，挑了几件外衣用一个纸袋装好，又从抽屉里拿了两条内裤，从卫生间取了剃须刀，一起放在纸袋里。然后，她看着自己的杰作，满意地关上门，坐车来到了新源里——若为工作的办公室。

站在楼下，她有些犹豫，她真的好想上楼去看看他，她真的好想让他抱抱自己。他一定很憔悴，胡子一定都长出好长了，他可能现在眼睛都是红红的。但是，她又不想去打扰他，也许，他根本就没时间来和她卿卿我我，也许，他根本就不愿意有人在此刻来打扰他。想到这儿，她敲了敲门卫的窗户。

“你找谁？”一个小警卫拉开玻璃窗看着她。

“你好，能麻烦你一下吗？”

“什么事？”

“请你把这个纸袋交给三零五室的孙若为孙先生好吗？”欣然说着递上纸袋。

“你找孙主编呀，他就在楼上。要不，你上去得了。”

“我，”欣然有些犹豫，“算了，我不上去了。请你转给他吧！”

“你是谁？我跟他怎么说？”

“我是，我是他妹妹，你什么都不用说，他一看就知道了。”

“要不，你给他留个条？”

“不，不用了。”

再次看看那已亮起灯光的三楼的窗户，陈欣然深吸了一口气，转身向车站走去。

车走在回家的路上，外面已是华灯初上。欣然满脑子都是她和若为在一起的情景，那份思念总是搅扰着她的心绪，眼泪忍不住掉了下来。好在天已经黑了，没有人注意她——这个坐在角落里流泪的人。

“嘀嘀嘀”欣然的手机在响，一条短信息。

“我的小妹，谢谢你，你知道别人有多羡慕我吗？吻你！我五一节一定来看你。吻你！”

五一节的七天大假，欣然是在医院中渡过的。

妈妈因病不得不进行手术，主治医生因为是从别的大医院请来的，因此手术安排在了四月三十日。欣然三十号请了一天假。那天，学校组织学生们看电影，因此欣然就把班级托付给了年级组长。五一期间，若为因有事要去杭州出差，在二号和三号到医院来过两个半天，不但送来两篮漂亮的鲜花，还有补品。这一切都给妈妈留下了很好的印象。六号，若为去了杭州，约好每天都打电话。

五月八日是节后上班的第一天，欣然整个上午没课，她想多陪陪母亲，于是便又打了个电话到学校请了半天假，同时也保证不会耽误下午学校在节前就已安排好的家长会。教导处的于主任在接到电话后很痛快地答应了。

下午一点半，欣然赶到了学校，在办公室里准备着开家长会要用的各项资料：前一阶段各科的小测验成绩单、班级的课堂纪律表格、同学的花名册、还有教导处要发给家长的部分资料。离二点还有五分钟，欣然抱着东西向教室走去。

“陈老师，听我们家刘宇说你不当他们班的班主任了？为什么呀?”欣然在楼道里碰到了刘宇的妈妈。由于家长平时对孩子要求较严经常和欣然联系，所以欣然一眼就认出了她。

“没有啊？您听谁说的，我这不是正要去开家长会吗?”欣然笑着回答，心想家长一定是搞错了。

“我想也是呀。您这班主任当得好好的，孩子回家总提您。可节前刘宇回来说，那天是一个叫吴天海的老师带他们去看的电影，还说要当他们的班主任。搞得孩子五一节都没过好。结果今天一早就到学校来，想看看您来没来，中午回家说是吴老师来班上看了早自习，可把我吓了一跳。”刘宇妈妈和欣然边走边说。

“我母亲五一节前开刀，我三十号请了一天假，今天上午我没课，我又请了半天假在医院里。学校可能是临时让吴老师照看一下班里。因为前一段时间他在我考研的时候已经看过我们班，情况比较了解吧。再说，如果学校真要换人，第一个知道的应该是我呀，可到现在学校也没人找我谈。可能是孩子搞错了。”欣然给刘宇妈妈解释着。

“如果是这样就好了。我可不希望学校没完没了地给孩子换班主任，刚熟悉情况，又换，对孩子也不好呀。”

欣然和刘宇妈妈说着走进了烹饪班的教室。

“你是陈老师吧?!”一个中年男子走到欣然面前。他大约四十出头，但看上去却很苍老，脸上的皱纹很深，头发都有些花白了。

“你是?”欣然看着他很陌生。

“我是赵亮的家长。”他自我介绍着，“我们家赵亮回家总提起。不瞒您说。孩子她妈在生下他后得了一场大病，到现在，每年得有大部分时间住在安定医院里，这孩子一直靠他舅妈照顾着。所以，他比一般的孩子能吃苦，自理能力更强一些，但得到的母爱也比一般的孩子少。自从您当了他们班班主任，这孩子回家说得最多的就是您，今天上课您说了什么，明天上课您穿了一件新衣服……他说您有时像大姐姐有时又像母亲。这不，这次家长会，他叫我一定要来见见您。”

陈欣然听着赵亮爸爸的话，心里美滋滋的。原来，你为孩子付出一点点，孩子都记在心上。同时，她又有点不好意思，毕竟，她还没有完全深入到学生中去，像赵亮这样的家庭情况，她并不知道。看来，自己还有许多工作要去做，这样才能是一个称职的班主任。

“您过奖了，我还有很多地方做得不到位。我以后一定争取做得更好。”

教室里来了很多家长，欣然和他们不时地打着招呼。因为大家已不是第一次见面了，很多家长欣然已能对号入座了。帮忙的吴天海老师也在教室里发着作业本。陈欣然走过去，客气地对他点点头说：“这两天给你添麻烦了，多谢！下面的事儿我来吧!”欣然顺手接过了吴天海手中的作业本按照名字放在学生的桌子上或者交到已来家长的手里。

吴天海站在那儿却没有走的意思，他还在和有的家长聊着，欣然心里有些不快但也不好意思说什么，总不能卸磨杀驴吧。

正在这时，合校后主管教学的女副校长——北校的郭玉华站在了烹饪班的门口，冲欣然挥着手说："陈老师，请你出来一下。"

"什么事儿呀？"欣然快步地迎了出来。

"怎么样，你母亲好点儿了吗？"她拉着欣然的手关心地问。

"还行，手术挺顺利的，现在基本上能下地了。谢谢您的关心。"欣然真没想到领导还会这么关心下属，心里热乎乎的。

"那就好，我想跟你谈点事，请你到一楼教学处来一下。"

"可我要马上开家长会了，事很重要吗？要不，我开完会去找您，行吗？"欣然看着一屋子的家长有些为难。

"这是急事，你还是马上来吧，班上的事你可以先让吴老师帮你照看一下。"郭校长一副刻不容缓的样子。

"这合适吗？"欣然嘟囔着。

"就这么着，我在教学处等你，你马上来。"说着，郭校长转身急急地走了。

欣然向吴天海交待了几句，答应了几位家长一会面谈孩子的情况后，跑下楼来到了教学处。教学处里只有郭校长一个人在，其他的老师可能都忙着家长会去了。

"郭校长，您有什么急事儿呀，把那么多家长撂在那儿，多不合适呀。"欣然站在郭校长的面前，想长话短说。

"陈老师，你坐下，我有事要和你谈。"郭校长起身拉过一把椅子来放在欣然的身边，拉着欣然坐下。欣然有一种不祥的预感。

"今天，我代表学校领导想和你谈一下的你的班主任工作问题。我们校方经过多方研究，决定让吴天海老师接替你的烹饪班班主任的工作。"郭校长一脸严肃地说。

欣然坐在那儿，只觉得心一下子被掏空了。虽然前面有刘宇妈妈的一席话，但她还是无法相信郭校长说的是真的。她愣愣地问了一句：“你说什么？”

郭校长看着欣然再次重复道：“经过学校领导多方研究，决定让吴天海老师接替你的烹饪班班主任的工作。”

这次欣然是听清了。她腾地从椅子上站起来叫着：“为什么呀？”

郭校长伸手去拉陈欣然，欣然猛地甩掉了她伸过来扯着自己的手。

郭校长站起来，把欣然按在了椅子上。“是这样的，经过校方研究，我们认为女老师带男生班还是不太方便，另外，为了他们的专业发展，我们觉得还是配备一个专业老师作为他们的班主任更合适，这样，专业老师可以有大量时间了解他们，这对他们专业技能的提高会有很大的好处。”

欣然的声音颤颤地问：“是我有什么地方做得不好吗？是不是学生们对我的某些作法不太满意，我可以改进呀！”

“不，不，”郭校长连连摇头，“你的工作还是很有成绩的，只是男生班要花费很多的精力。你今年前一段时间备考，节前母亲又病了，你家住得又很远，我们从多方面考虑，这样安排会对你比较好。”

“您是不是对我这段时间请假有意见了，我妈现在不需要我天天在身边了，我保证以后不请假了，我一定不再影响学校的正常教学工作了还不行。”欣然开始祈求着郭校长。

“可这事儿，领导已经研究决定了，我也无法改变。今天我只是受校长的委托来和你谈。”郭校长语气严肃地回绝了欣然。看来是再也没有更改的可能了。

“既然这样，你们为什么早不做这个决定，为什么到现在才通知我？”

“吴天海毕竟离开学校很长时间了，他能不能把班带好，我们心里没底。通过这次你去考试，我们发现吴老师身上还是有很多优势的，所以……”

“原来，原来，你们是在拿我打补丁呀！当初需要时说一套，现在又做一套，你们，你们可真……”欣然一时找不出更合适的词来表达自己的想法。

“以前的事是合并校以前的，跟我没有关系，我只负责现在的工作。”郭玉华冷冷地说。

欣然被这句话给激醒了。是啊，接班时还是老校长的天下，现在已是……

“那，从什么时候开始？”欣然抬起头来看着郭校长，对面的人影已经变得模糊了。

“从四月三十日开始。”

“什么？”欣然吃了一惊，“我还没跟学生说呢，怎么着你也得给我点时间吧！”

“这个情况我已经于四月三十日在你们班上宣布过了，你们班的同学已在节前就知道了。”郭校长面无表情地说。

欣然听到这儿，由委屈变成了愤怒。她怎么也没有想到学校竟然在她毫不知情的时候已经在学生们面前宣布了这件事。

“那我要是不同意，你们怎么办？”欣然抬起头看着郭校长，对面的人形重又清楚地出现在眼前，她的语调里满是挑衅的味道。

“那，我只能慢慢跟你谈了。但事情学校已经决定了，是不能更改的。”郭校长已做好了打持久战的准备。

“哈哈，哈哈！”欣然突然冷笑了两下，“我可是一个通情达理的人。你们这么关心我，照顾我，我怎么能不知好歹呢。我不会难为你们的。我还没下贱到要求你们赏我个班主任的地步。”欣然冷冷地看着对方的眼睛。

听到陈欣然如此爽快地就答应了，郭校长赶紧表态：“校长已经说了，今年的中级职称一定会有你一个的。毕竟，你的工作年头已到了，而且又是我们学校的业务骨干。”郭校长把欣然的手拉到自己的腿上，一副长辈对晚辈的关爱状。

“是吗？您说的话算数？”欣然忽然笑着对她说。

“我也是一校之长嘛，我答应你的，一定算数。”她拍着欣然的手比划着。

欣然站起来，走到老主任的桌子前，找到一张没有写过字的纸，又从笔筒里找出一支笔，在桌上的报纸上划了划，走到郭校长的面前，把纸和笔递给她，笑着对她说：“既然您今天许了诺言，请您给我立个字据，好吗，省得事后死无对证。”

“别，别，”她推着欣然的手，“写字据，我看就没有必要了吧！”

欣然把纸和笔扔在郭玉华的怀里，弯下腰，盯着她的眼睛面带笑容地说：“我就知道您不敢给我写这个保证。您还真把自己当根儿葱了吧！”说完，她头也不回地走出了教学处的大门。

欣然习惯性地上到二楼，习惯性地走向自己的班，习惯性地看了看窗内的人们，那里坐着的是各位学生的家长。他们正在听着吴天海讲着什么，有的家长正冲着窗户坐着，看到欣然从门口经过，伸手冲她打着招呼。欣然强忍着自己的眼泪冲打招呼的家长笑笑，转身穿过走廊向办公室走去。楼道里还能听到吴天海的声音……

陈欣然在办公室收拾着回家的东西，周老头进来问了一句：“陈老师，你怎么没去开家长会呀？”

“我被免职了！”欣然有气无力地说，当她看到周世仁疑惑的表情时，她知道这件事并没有通知年级组长。

“开什么玩笑，快去，别让家长等着，要不，一会儿学校领导经过看到了又该挨批了。”周老头一边在桌子上翻东西一边劝着。

“我被学校免了，您难道没听见吗？”欣然猛地站起来，冲着周老师大声地宣布。

她看到了周老头更加疑惑的神情，她拿起包，愤然地拉开办公室的门冲了出去。那门撞在墙上，又重重地被弹了回来。

周老头莫名其妙地看着欣然的背影，嘀咕着：“这丫头，今天怎么了？”

十二

欣然坐在冷清清的大华电影院里，捧着一大包爆米花不停地往嘴里塞着。眼前正上演着冯巩主演的《没事偷着乐》。欣然看着电影中的画面，听着冯巩那并不纯正的天津话，体味着小人物的酸甜苦辣、小人物的智慧和幽默，她夸张地大声地笑着，她笑得那么投入，笑得眼泪都出来了……

繁华的王府井大街上的灯渐渐变亮了，街上三三两两的人群从欣然身边走过。放学后还没有回家的孩子们在这条大街上的几家食品店、冷饮店里钻进钻出，霓虹灯已经开始献媚般疯狂地扭动，一家挨着一家的小铺门口的高音喇叭里正在大唱着最新的流行歌曲。

“没有星星的夜里，我用泪光吸引你，既然爱你不能言语只能微笑哭泣，让我从此忘了你……”

于是，她四下无人般大声地跟着叫着：“没有星星的夜里，我把往事留给你，如果一切只是演戏，要你好好看戏，心碎只是我自己。”

这首歌，陈欣然已经听过好多次了，她很喜欢这歌词，但今天听起来却格外地心痛。

不知不觉中，陈欣然来到了若为家的楼下。抬头看看那扇熟悉的窗户，黑洞洞的没有灯光。若为还远在千里之外的杭州。也许，此刻他正在西子湖边，吹着暖风，喝着清茶，在月下荡舟，听灵隐寺的钟声呢。

欣然坐在若为屋里的大沙发上，愣愣地想着什么，可脑子里一片空白，忽然，泪水再次从眼眶里奔泻而出，一发不可收。很久以来，只有在情感失意时，她才会这样。

她空白了半天的脑海中闪现出一个个学生的面孔。从班长到学委、从军体委员到卫生委员、从课代表到老实的孩子，还有那些每天给她惹麻烦的学生。此时此刻，他们的脸都变得那么可爱、那么亲切。他们和欣然在一起，除了上课时是老师和学生，更多的是一个大姐姐带着一群淘气的小弟弟。他们中的一些人曾经是那么地让她烦心，让她没面子，让她哭笑不得，但此时，他们全都变得那么可爱，那么听话。可是，从明天开始，不对，从四月三十日开始，他们就不再是需要她的了。他们已经有新老师、新班主任了。他们也许会很开心，因为她曾经是那么严厉地管过他们，她曾经是那么狠地批评过他们，她曾经是那么地……他们一定会很高兴的。

她躺在沙发上，想着明天的语文课该如何地面对这些男生。她都被领导罢免了，她在他们面前变成了一个实实在在的失败者，她在他们面前再也没什么面子可谈了，她甚至想到自己再次面对他们时，他们那不屑的眼神……

今天，欣然觉得自己已经失去了做老师的全部自信和自尊。她使劲抽动着鼻子却始终呼吸不畅，她使劲地想看清眼前的一切却仍是模糊一片。泪水浸湿了沙发的靠垫，靠垫已浸湿了她的头发。她就这样任泪水往下淌，一直没有动。

BP 机响了，她没有去看，她猜可能是妈妈，要不就是若为，但她现在不想和任何人说话，也不想去找任何人发泄，向别人没完没了地倾诉只能说明自己是个弱者，她陈欣然一直以来就是一个昂着头走路、挺着胸做人、脊梁很硬的人，她不想成为别人眼中的祥林嫂，她不想向别人一遍又一遍重复自己的痛楚，以期博得别人的关心。她只想一个人安安静静地呆着，她知道自己完全可以靠时间的流逝来治疗伤痛。她只需这样呆着，她知道自己可以呆到没有泪、没有知觉、没有躯体、没有灵魂、没有一切……

她进入一片混沌之间，在那里面，所有的一切都变成了灰色，或深或浅。她正无所谓地面对着那些让她烦透了的男孩子们，她正兴高彩烈地宣布着这个难得的好消息：我再也不用跟你们废话了……

两天以后，欣然黑着脸出现在学校的大门口。她迟到了，但她不着急不着慌地摇着。

于主任在大门口见到她，很不满地问道："陈老师，这两天你到哪去了，既没有假条也没有电话，几个班的课就只能上自习了。"

欣然抬头看着他皱着眉头说："郭校长没跟你说吗？我跟她请假了，她说她会转告你的。"

"是吗？那她可能是太忙，给忘了吧，我再跟她核实一下。"于主任马上软了下来。

欣然走进办公室时，屋里的老师几乎都在。大家齐刷刷地把眼光直冲着欣然。欣然已经经历过多次这种被大家关注的眼光，她挑着眉毛回应了一句："看什么看，没见过是怎么着？"说完就坐在了自己的位子上。桌上的作业本已是厚厚的一堆。欣然连看都没看就把它们堆在了窗台上，给自己腾出一块儿可以写字的空地儿。然后，她走到水池边，把自己的水杯里的茶锈一点点地洗去，很快，杯子在她的手里变得晶莹剔透。

郭校长推门进来，站在陈欣然的桌子旁，冲着她说："陈老师，你什么时候跟我请过假说你这两天不来？"

陈欣然翻着白眼鄙视地瞥了她一眼，不紧不慢地说："郭校长，我什么时候没跟你说过我这两天不来?”

郭校长没想到陈欣然会当着那么多老师的面和她顶撞，她说：“你不要因为换班主任的事耿耿于怀，我不是那天已经跟你说明了吗?”

“是吗? 请问，是商议还是通知?”欣然斜着眼神看着她。

郭校长面对陈欣然的抢白，她赶紧换话题：“我在跟你说请假的事儿。”

“我在跟你说换班主任的事。”欣然毫不让步。

“有意见你可以提，但是不能不上课。”

“有意见你们可以找我谈，但不能不跟我商量!”

“你这样是无组织无纪律!”郭校长脸色发白抬高了嗓门。

“你们这样是侵犯人权!”欣然也抬高了嗓门，“比嗓门大，你差远了! 再说了，我没来你不是还可以扣工资吗?”

郭校长脸色发青，她拍着桌子问：“不就换个班主任，你至于吗?!”

“你含辛茹苦，一把屎一把尿拉扯大孩子，被别人抱走了，你干吗?”欣然忽然把已洗净的水瓶用力地摔在了水池里，大声质问。

杯子碎了，飞溅出来的玻璃渣划伤了欣然的手，红色的血一滴滴地掉在水池里，她一点都没觉得疼。

“你这样是要受到纪律处分的!”郭校长威胁道。

“我倒要看看你们怎么处理我，我倒真希望你们能在全校大会上说说这事儿。”欣然对此毫无反应。

“我们会按照学校的规章制度扣你的工资!”

“钱对我来说真是无所谓，”欣然忽然笑着说，“我又不是第一次扣工资了，有本事你们全扣了，到时，我就不信找不到说理的地方! 请便吧!”欣然回到座位坐下，不再看郭校长一眼。

郭校长打出的重拳都被陈欣然给化解了，她气急败坏地走出办公室。

吴娟红拿着一个撕开的创可贴赶紧给她把伤口包上。

欣然这才感到那个伤口很疼。她不由地吸了口气。

“人还躺在炕上没咽气呢，就着急嫁呀！今天这事儿轮着你，明天还不知道轮到谁呢。”周老头说着摇了摇头。

办公室里分外安静。大家都在关注着这一切，却并不是每个人都了解其中的真相。

上课的铃声已经响了两遍了，陈欣然尽量让自己表情自然地站在烹饪班的门口。她要在学生们面前表现出强者的形象。她不要学生们看她的笑话。但是，所有的努力在她走进教室的一刹那全都化为乌有。

欣然在抬头看到后墙报正中贴着“团体第三名”、“男子四乘一百第一名”、“最佳入场式奖”三张红色的奖状时，悲凉之感顿时涌上心头，原本，她可以自豪地和同学们一起分享着胜利的喜悦。当她再看到同学们的一瞬间，已是满眼的泪。此时，她才知道自己原来是如此脆弱。男孩儿们有的伏在桌子上，有的低着头，只有少数的几双眼睛在看着她。

欣然站在讲台桌前，低着头慢慢地打开课本，又慢慢打开备课本，她不敢抬头再去看一眼学生。几滴大大的眼泪掉在了翻开的书上、本上，洇湿了一片。她几次张口却什么也没说出来。教室里没有一点声音。陈欣然拿起一根粉笔，转身，粉笔刚触到黑板就断成了两截。她看了看躺在地上的半截粉笔，没有去捡。眼泪已到了嘴边，咸咸的。

下面慢慢传出了抽泣声，声音越来越大，一片呜咽。欣然背对着他们，肩头不时地抖动着。

一沓干净的纸巾塞进她的手里，欣然再也忍不住了，她捂着脸伤心地哭出声来——这是她当老师以来第一次在学生面前流泪。

“老师，您干嘛不要我们了？我们已经很乖了。”

“老师，您就是不要我们了，也应该提前告诉我们呀！”

“老师，我们以后听您的话，不再给您惹麻烦了！……”

“老师，您就原谅我们吧，我们以后一定少犯错误！……”

“老师，我保证不再惹您生气，以后再也不迟到了！……”

“老师，我以后上课一定认真听讲，再也不睡觉了！……”

“老师，我以后一定按时完成作业，再也不抄别人的作业了！……”

“老师，我们以后一定管好同学，做个合格的班干部……”

“老师，我们以后还会拿好多好多的奖状……

“……”

面对着同学们的话语，陈欣然什么也说不出来。她没有想到学生们会这么依恋她。她从没有想到自己这么短时间的付出竟然得到了孩子们的认可。她用纸巾抹去脸上的泪水。她已经意识到这群男子汉们并不知道事情的真相。她不想把他们卷进老师与老师、老师与学校的矛盾中，她必须让大家安心学习，毕竟这个班能到今天这样不是件容易的事。她有责任帮助他们维持班级的秩序；她的良知告诉她，她应该为他们创造一个纯净的校园环境，虽然那可能是一种假象，但她有义务去这么做。

陈欣然让自己慢慢冷静下来，她开始编造起美丽的谎言，尽管她曾经是那么提倡诚实：“同学们，老师对不起大家。由于我母亲病了，需要我的照顾，所以我不能再当咱们班的班主任了。我很怀念和大家相处的这段时光，大家带给了我太多的欢乐，在此，我衷心地谢谢你们。”欣然的话说得很慢，她尽量让自己能平缓地表达着，她需要用这种方式让同学们相信她的话是真实的。

“其实，我和大家并没有分离，我们还能在每天上语文课的时候见面，我们还是知心朋友，如果大家遇到什么困难还可以来找我，就像以前一样。虽然我不再是你们的班主任，但我在课上还是大家的老师，课下还是大家的朋友、大姐姐，对吗?”

同学们的情绪慢慢平静下来。欣然尽量把嘴角努力向上翘着，她想让大家觉得她已经能轻松地面对这件事了……

于是，她拿起书，开始讲课。她从没有上过如此糟糕的语文课，虽然那文章她都能背下来，但她却始终无法让自己的精神集中……在离下课还有十分钟的时候，欣然临时安排了一次随堂小测验。

欣然回到办公室的时候，各种各样的眼光都在望着她，这其中有关切，有莫名，有猜测，有冷眼。欣然没有去理会，坐下来批改卷子。忽然，一张写得密密麻麻的纸呈现在欣然的面前，根本就不是题，而是一封学生写给她的信。

敬爱的陈老师：

首先，请原谅我没有做您布置的考试题。

虽然从今天起您不再是我的班主任了，但请您相信，您始终是我心中最优秀的好老师。一个“缘”字让我成为了您的学生，从您的身上我看到了什么是敬业、什么是尊重、什么是严师良母。虽然您比我们大不了几岁，但您在是我们师长的同时，更是我们的好朋友好大姐。您让我们懂得了什么是诚信，也告诉我们衡量一个人的标准不能只单看学习成绩。在咱们班，很多学习不好的同学发现了自己存在的价值。有的同学能在学习上出类拔萃，有同学能把窗户擦干净，有的同学能按时来上学，有的同学能上课不说话，有的同学能团结关心同学……可以说，每个同学都能用自己的一点努力成为班里有用的一员。那天，我们比赛时您请大家吃冰棍，班上的同学都自豪地对别的班的同学说：这是我们老师奖励我们的。当我们拿到奖状时您高兴得眼睛放光半天没有说话。从那时起，我们就暗下决心一定用我们的努力把班后面的那面墙变成奖状的世界。

今天，您并没有说实话，对吗？其实，早在四月三十号那天，吴天海老师就在班里宣布了他接替您当班主任的事情。当时，班里的同学都傻了。有人还大声地质问他凭什么。看电影的时候，我们几个班委偷偷跑了出来，一起合计着为什么会这样，我们如何改变这件事。但因当时情况不明，我们怕捅娄子，就相约着等您来了再说。可是，八号早上您没来，我们以为您早就知道这件事了，只是不想见我们罢了。结果，我妈开完家长会回来告诉我，您根本就不知道这事儿。于是，我们几个班委决定联名写信向学校要求把您换回来，本想今天能征得您的同意，可没想到您今天却说谎了。其实，你您嘛要骗大家，其实您根本也骗不了大家。如果真是出于您的本意，您今天就不会这么难受了，对吗？我真想不明白为什么有人对您这么不公平，您却还在替他遮掩。也许，这就是您身上一种独特的人格魅力吧。

您也许已经接受了这个事实，事情看来已经无可挽回。虽然以后您不再是我们的班主任，但您还会和我们一起分享快乐。我们全班同学始终会想着您和我们一起度过的日子。陈老师，您是一个好老师，您不会总这么倒霉的，您一定会有好报的。

祝您能尽快有个好心情！

一个爱您的学生

5 月 12 日于考试中

陈欣然擦了擦再次湿润的眼睛，把信整齐地折好，放在了自己的备课本里。这几天已经流了太多的眼泪，心境已经降到了冰点。此时能看到学生写给她的信，也算是莫大的安慰了。欣然决定从今天开始不再去想这件事。她在勇敢地面对每个人，让爱她的人看到她的坚强，让不喜欢她的人从她的快乐中感受失望。她要让自己快乐起来，她暗暗地对自己说：从今天起再不流泪。

吴天海晃着身子走进办公室，站在了欣然的桌子前，“陈老师，我们来交接一下烹饪班的东西。”

欣然头也没有抬，把早已准备好的学生的学习卡片、学生花名册、家长联系表、学生的成绩单，以及上专业课用的雕刻刀，没有用完的创可贴，一件不少地交给吴天海。

“陈老师，您对这个班比较了解，正好您还教他们的语文课，以后还要请您多多帮助呀！”吴天海并没有急于接东西。欣然像没有听见似的一句话也没说，只是用眼睛看了他一眼。

“吴老师，这几天新接的班怎么样呀？”张艳青冲着吴天海关心地问了句。

“还行，就是纪律有些乱，还需要好好地调教！”吴天海晃着脑袋说。

欣然此时怒火上升，直冲脑顶，吴天海的话就像是有人指着她的鼻子说她的孩子没家教一样。她腾地从椅子上站了起来，瞪着吴天海，话到了嘴边。片刻，她改了主意，她拿起桌上的东西递到期吴天海的手里，嘴角向上撇着似笑非笑地说了句：“吴老师现在这是在痛改前非，知难而上呀！真是功夫不负有心人，希望你能在卧薪尝胆后步步高升！”

“陈老师，你说话干嘛那么刻薄呀，我……”吴天海捧着东西面色发红地看着陈欣然。

“吴老师，我说错了吗？你可要珍惜机会呀，这机会可不是每次都有的。对吧！”欣然盯着他的眼睛冷冷地说。

“我，我怎么了，我不就是服从领导的安排……”吴天海抢白着。

“还有必要解释吗？你这不是越描越黑吗？你快走吧，语多必失。”欣然说着向外轰他。

吴天海没趣地走了。办公室里的人也都知趣地闭上了嘴。欣然重又坐在位子上。像耗尽了精力的蜡烛般无声地熄灭了最后一点火花……

十三

若为在欣然最需要疗伤的时候从杭州回来了。欣然第一次主动到机场去接他。若为看上去精神并不是很好，眼神时常游离于欣然的视线之外。欣然也没有多问。和他一起回家的时候。欣然不由得又想起了那群可爱的学生。

“你怎么了？是不是有什么事？我觉得你今天不太对劲，脸色特别差。”他关切地看着她。

“没事，”她故做轻松地调侃着，“别自己心里有事总往别人身上找。”

孙若为的心里颤了一下，什么也没有再问。两人就这么默默地吃着晚饭。

“我的班主任被罢免了！”欣然一边收拾着碗筷一边说。

“什么？”若为在走神，“你说什么？”

“我的班主任被罢免了！”欣然提高了嗓门。

“为什么？”

“有人喜欢这个工作，把我给顶了。”欣然平静地说着。她很矛盾，她不知是否该和若为说这件事，她说得太多了，会不会让若为觉得她太小家子气。

“不当就不当。一个月也多不了几个钱，操那份心、受那份累，不值当的。”若为平淡如水地评价着。他一直就不赞成欣然带这个班。

欣然突然觉得和他说这件事完全是多余的。没趣地端着碗筷进了厨房。

等欣然回到大屋，看着他在沙发上迷迷糊糊地想睡，就拿过一床薄被盖在他身上，说："你先休息会吧！"转身关上卧室门，在小厅里收拾起他带回来的行李。

脏衬衣口袋里的信笺和一张照片吸引了欣然的注意力。她好奇地看着那张照片，那个女人她似曾见过，一时却想不起来，照片上胖胖的男孩却在眉宇间多多少少有着若为的影子。她把脏衣物扔进洗衣机，怀着几分好奇、几分歉疚打开了那厚厚的几页纸。在此之前，欣然还从没有未经若为的同意看过他的私人信件。

这是一个叫媚儿的女人写给若为的信。原来她就是若为的前妻，若为一直避口不谈的女人。那个可爱的男孩原来就是若为的儿子。媚儿在信中抒写着她和若为离婚再嫁后的种种不快，讲述着她一个人拉扯着孩子的艰辛，字字句句隐含着对往日生活的无比眷恋。在信的最后，她写道：

"现在，我已经和那个我并不爱的男人离婚了。每当夜深人静的时候，我都会想起我们在一起时的快乐时光。此时此刻，我多想带着我们的儿子一起回到你的身边。

儿子马上就要上中学了，作为他的父亲，你有责任也有义务为他提供一个好的学习环境和一个好的生活环境，你可以拒绝接纳我，但你不能拒绝接纳儿子的，对吗？现在，请你为儿子挑一个市级重点，花多少钱都是值得的。我们要为儿子的未来打下良好的基础，这样，我们才能无愧于儿子的未来。

好东西常常是失去了才知道它的珍贵，如果你能给我一个机会，不，如果你能给儿子一个全家团聚的机会，我会用后半生的努力来补偿以前对你的愧疚，我期待着你的回信。

另，寄上我和儿子的合影，这十年一直没让你见孩子，你可能已经想象不出他的模样了。他可是越来越像你了。我搂着他的时候常常能感觉到你就在我身边。请你看在我们已经十岁儿子的份上，不为了我为了他，给他一个团圆安定的家，好吗？”

媚儿

4月28日夜

信中每一个有关“儿子”一词的地方都被那个女人加了着重号。信下方的空白处，是若为的笔记，上面胡乱地划着“欣然欣然欣然、儿子儿子儿子、家家家家……”

欣然的心被抽空了，她没想到那个扔掉若为近十年的女人竟然又回头来找他了，而且还带着他们的儿子。她再看那张照片，那女人灿烂地笑着。欣然终于想起了她，那个在情人节的上午在若为楼下的那个女人。那天，他就是因为她才迟到的。他那天原来是和前妻在一起，他可能已经见过他可爱的儿子了，他也许已经想要和她……欣然不敢再往下想。她曾经无数次地想过自己和他之间的各种结局，但她惟一没有想过他会为了回到前妻的身边而舍弃她。这太可怕了。

在经历了赵主任事件后，欣然快要疯了，但每每想到疼她的若为，她就会得到莫大的安慰。她本想在今晚和他谈结婚的事情，虽然他们认识的时间不长，但冥冥之中，她觉得若为的存在就是为了等她。她不想再当什么职业女性，她好想嫁人做母亲，她好想当一个标准的贤妻良母，她好想每天醒来时第一眼看到的是他，第二眼看到的是她和他的孩子。但现在，她不想去跟他谈这件事了。若为绝对是矛盾的，不然，他不会在分别数日后躲闪回避她的目光，他不会把欣然、儿子、家三者放在一起。胡乱画上的笔迹就是他纷乱内心的写照，他会做出怎样的选择？欣然不得而知……

推开卧室门，看着还在沙发上熟睡的那张脸，欣然悄悄地转身关上门，然后把那封信和那张照片塞在旅行箱侧面的口袋里，把拉锁拉上。她转身在门厅的窗台上留了个字条“你好好休息，我先走了!”。

她轻轻地拉开大门，走了出去。

灯红酒绿的三里屯一条街，到处是熙熙攘攘的男人和女人。他们相拥着走进这家或那家酒吧。音乐很大声地叫着，使你听不清对面那个人在说什么，于是，一切都变成必须嚷出来才能表达。

COLOUR 酒吧，欣然坐在上次她和若为坐过的那个位子上，要了一瓶红酒，一个人开始自斟自饮。她冷冷地看着眼前的男人与女人，像在看一群怪物，她听着音乐，身体不由自主地颤动。酒让她的身体发热，让她的脑子空空如野，她完全陷入一副听天由命的状态。酒一杯杯从瓶子里到进了肚子里。

一个男人请她跳舞，她根本就没有看清对方的脸就和他一起旋转起来，那个男人的手从她的腰部开始往下滑，她把那手用力拉回到腰部，他再次向下，欣然突然狠狠地跺了他一脚步，大声地冲他喊：“滚，什么东西。”说着，欣然走回自己的位子再次往酒杯里斟酒，那个男人跟过来坐在她的对面不错眼珠地看着她。欣然静静地端起盛满红酒的杯子忽然向他泼去：“我叫你滚，听见没有，别以为老娘好欺侮!”

说着她拿起东西冲出酒吧，钻进一辆出租车里……

妈妈已经出院回家调养，欣然不当班主任了，她有更多的时间陪在妈妈的身边。妈妈曾几次问欣然为什么不当班主任，欣然总是说：“您不是病了吗？想多陪陪您。谁当他们的班主任都一样，可妈妈我却只有一个。”妈妈为此还责怪过女儿：“中途换班主任对学生是极不负责的。这种事要是在我们那会儿就不会有。家里有再大的事，工作也得干。现在的年青人太没有责任感。一点职业道德也不讲。”

爸爸每日照例地练着那几支曲子。对于欣然的工作，他却自有看法：“不当正好，省得我女儿每日早出晚归的，多操心呀！教教课就得了，别跟你妈似的那么要强，到头累的是自己。”

哥哥再也不用早出晚归、没日没夜地去拼那没完没了的份儿钱了。他在深思熟虑之后，终于抛开了首汽十五年的公有制的铁饭碗，抛开了公司许给他的分公司队长的职务，抛开了已经获得批准的党票，抛开了他在公司积累了十五年的各种荣誉，靠他的本份、勤快、能吃苦，在一家公司谋到了一个办公室主任的位子。虽然月薪只有二千多，但他终于可以和家人一起过周末，吃团圆饭了。

若为依然还是她们家的座上客，妈妈他们已经把他看成是家里的一份子。有吃的用的都会打电话叫他来一起分享。在他们的眼里，他和她的事只是个时间问题，结果已是明摆着的了。欣然每次和他见面也还是老样子，疯着说、疯着玩、疯着乐。她回避着有关结婚的话题，在他没有提出之前，她不会用某种方式去暗示他。有时逛商场，若为在憧憬未来家的蓝图时，她总是笑笑并不接茬，非要表态时，她也只是用“到时再说吧”来搪塞，时常遭到若为的不满。但是，他却从始至终没有和她谈起那封前妻写给他的信。

在苦苦的等待后，欣然始终没有接到有关研究生考试方面的消息。她现在对此抱着莫大希望，如果说当初她只是想争口气试试并不看重结果，但现在，她太需要这个结果了，它将是她逃离这个伤心地最好的借口，是领导无法回绝她的理由。每天路过传达室，她都会问问。传达室的纪师傅每次回答她的都是没有。好心的纪师傅还不时地劝她；“别着急，好饭不怕等，要是有你的通知书，我一准立马给你送去。这可是我们学校的大喜事儿呀！”

陈欣然去会计室取工资，她要看看学校又扣了她多少钱。会计室的周姐正忙着记账，见到欣然忙说：“陈妹妹，最近你是怎么了，前几天上面下了个单子要扣你三天的工资和课时费，结果我都作完表了，昨天又下了个单子给撤了。我们几个还以为你犯什么错误了呢。”

欣然听到学校没有扣她的工资，更加坚定了自己的想法，他们要是心里没鬼能这么放过她？她故作轻松地说：“没什么事，可能是他们搞错了吧！”

“可我那天听你们屋人说，你跟郭玉华吵起来了。咱学校可很少有人敢惹她，她老公可是咱区教委职教科的领导呀。”

“我没想惹她，是她们做事不讲理，事做了，还不许别人说怎么着。”

会计室是学校消息最为灵通的地方，欣然从他们的眼里已经看出他们早知道了这事，也就不再多说，数了数蔡姐递过来的钞票，正要出门，碰到了管学生午餐的吕老师。“我说妹妹，你们班的午餐费到现在还都没交呢，下个月是不吃了怎么着，也就是你，我还问问，要是别人的班我才懒得管呢。”

伤心事再次被勾起。“这事以后不归我了，有事去找吴天海，他现在才是烹饪班的班主任！”

欣然说着出了会计室。背后传来了周姐的责怪声：“老吕，你是真不知道还是装傻，你这不是往陈妹妹伤口上撒盐吗？……”

在经过教学处门口时，她和老主任撞在了一起。

“怎么样，陈老师，考试有结果了吗？”老主任关心地问。

“没有，我也正等着呢，这么一天天地耗着，我都快急死了！”

“跟你说件事儿。”老主任坐在椅子上看着欣然，“这学期，我们上报的市级公开课，咱们这边报了你的一堂语文课和张艳青的一堂英语课，北校那边也报了一堂语文课。现在上面下通知了，相同的学科一所学校只能报一堂，虽然我们一再重申我校的特殊性，可是上面不管这一套，只好在两堂语文课之间做个取舍。”

欣然明白了领导的意图，“那您看着办吧！”欣然直截了当地表明自己的态度，其实她现在对这事儿已经没了兴趣。

“北校的那名老师是那边培养起来的业务骨干，听说还是你大学的同班同学，风头正劲。领导的意思当然是想那边上，你也知道现在咱们学校的事好多都是那边说了算。当然，如果你有意见的话，你可以和北校的老师再分别上一堂校内公开课，然后让大家公开评议，如果你比她强，那这个名额当然还是你的。”老主任停了停又说：“当然，……”

“有这个必要吗?”欣然看着老主任，打断了他的话。“我无所谓，您看着办吧。其实再上一次我看也是走过场，领导有意于她，谁能改变。今年我遇到的倒霉事儿也不是一件了，比这更糟的我都接受了，这算什么。就这么着吧。谁愿上谁上。我真的无所谓。”欣然已是心灰意冷。

“陈老师，我知道这次的事挺难为你的。不过，我真的希望你别因此影响了教学效果，毕竟你手下还有一个班要考高职呢，你手中可关系着他们未来的大学梦呢。”老主任提醒着。

“这我知道，您就放心吧。”欣然看了看老主任，什么也没有再说。

教堂婚礼，对大多数中国人来讲是陌生的。陈欣然都是从电视或是电影上看到的。五月二十八日，陈欣然和孙若为应邀参加了老朋友谢晓晔在教堂里举行的婚礼，真正地体会了教堂婚礼的圣洁。

谢晓晔和男友从相识到相恋到决定结婚只用了三个月的时间，看来，时间真不能作为衡量爱情深浅的尺子。

陈欣然早早地坐在缸瓦市教堂里，听着善男信女们唱圣歌，做弥撒。她多日来烦躁的心灵得到了片刻的平静。礼拜完毕，牧师通知大家，今天有新人在此举行婚礼，于是，教徒们都没有走。孙若为一直到婚礼快开始才赶到，他坐在欣然的身边，小声地说了声："对不起。"

来参加婚礼的人并不多。新郎身着一身黑色西服，系着红色的领结站在教堂里。谢晓晔穿着一件很传统的长袖镂空拖地白色婚纱，由她的父亲陪着站在了教堂外面。十点整，教堂里响起了管风琴奏出的《婚礼进行曲》，晓晔和父亲一起踏着红地毯走进了教堂，走到了神父的面前。晓晔的父亲郑重地把女儿的手交到了新郎的手里，嘴里不时地说着什么。

神父开始讲经，今天，他给大家讲的是有关婚姻方面的道理，由于下面坐着一些不懂《圣经》的人，所以，他讲起来也就格外地通俗易懂。

"我们都是主的孩子，在主的教导下我们生活在一起，这其中有男人也有女人。男人在外辛勤工作，女人要关心支持他，这样男人才能更好地创造事业，才能更好地为家庭、为孩子服务。女人是男人的第九根肋骨变成的，所以，女人是男人的骨中骨、肉中肉。男人一定要加倍地珍惜关怀女人，因为，这其实也是在关心爱护你自己。"

欣然虽然对《圣经》略知一二，但是今天，她才真正地懂得了男人和女人之间的关系。她不由得看了看身边的孙若为，不知自己能否成为他的骨中骨、肉中肉。若为在边上仔细地听着，当听到"女人是男人的骨中骨、肉中肉"时，他伸手过来，把欣然的手紧紧地抓在自己的手中。

"下面，请两位新人牵着手跪在主的面前回答我。"神父发出了指令。谢晓晔和她的夫君跪在耶稣的面前。

"两位新人，你们今天在主的面前结为夫妻是出于自愿吗?新郎，请你首先回答我，你愿意娶这个女子做你的妻子吗？不论她是健康还是生病、不论她是富有还是贫困。"

"我愿意!"新郎回答得干脆利索。

"新娘，请你回答我，你愿意嫁这个男子做你的丈夫吗？不论他是健康还是生病、不论他是富有还是贫困。"

"我愿意!"新娘虔诚的语调。

"那么，我以神的名义祝福你们。祝你们能善待对方，共同扶助，婚姻美满幸福。"

管风琴再次响起，教友们开始唱诗。欣然虽然一句都不会，但她能感受到圣歌中的祝福。

谢晓晔高兴地拉着欣然和孙若为合影。

"晔子，怎么想起来到这儿来举行婚礼?"欣然不解地问。因为晔子并不是基督教徒。

"这是我的梦想。我觉得这是最能代表圣洁婚姻的地方!"晔子灿烂地笑着。

"你是不是打算入教?"

"没想好，不过，神父是我花了好大的力气才请来的。我想，也许我会的。"

晔子要和夫君渡蜜月去了，分手前，晔子忽然问若为："喂，我说大主编，你什么时候娶我们欣然进门呀？再不快点，我可要替她做主了。"

若为只是笑，并没有回答。

"喂，我说晔子，你这不是在逼婚吗？我又不是嫁不出去了。"欣然看到若为没有回答的意思，把话抢了过来。

"你别老护着他，比他好的男人可有的是，不要一叶障目，不见森林呀!”晔子被夫君拉上车时摔出最后一句话，带着一串笑声走了。

西单大街上人来人往，两个人手拉着手走在人流中，半天谁也没有说话。

“想什么呢?”若为把欣然的思绪打乱。

“没什么。”

“是不是想结婚了?”若为看着她的眼睛。

“无所谓呀!”欣然故作轻松。

“陈欣然小姐，你愿意嫁给孙若为，让他做你的丈夫吗?不论他是健康还是生病、不论他是富有还是贫困。”若为学着神父的语调。

欣然看着他的眼睛，心里酸酸的。她当然很想嫁给他，可是他真能娶自己吗?她咬着嘴唇想了会儿，认真地看着若为的眼睛问了句:“孙若为先生，你真的愿意、也真的能够毫不犹豫地娶陈欣然做你的妻子吗?”

若为看着她的眼睛刚想说什么，欣然一把用手堵住了他的嘴:“别急着回答，真的想好了再告诉我也不迟。”

十四

温度一天比一天高起来，四层顶层的高三教室里更像是点了火的笼屉，更像一个大型的桑那房。四十二个学生聚在一起，每个人都是一个旺盛的火炉子。下午，两节连堂课已经令陈欣然筋疲力尽。她白色长裙的背部已经贴在了身上，汗水正顺着鬓角往下流着。平时一直长发飘飘的她，这几天也一改习惯，把长发高高地盘在头上。每一天以这样的发式见到学生时，有个男生在下面唱着:是谁把你的长发盘起，是谁为你做了嫁衣。

虽然学校为四层的班级统一安装了电扇，但电扇摇头冲着欣然吹过来的一阵阵热浪呛得她喘不上气来。于是，学生们主动关上了电扇，和她一起在此经历着凤凰涅槃般的历练。欣然现如今也没什么可分心的了，在校的全部心思都用在了教学上。加课也就成了家常便饭。除了教好正常的高一、高二的语文课外，她利用没课的时间，给即将参加高职考试的同学出了无数张练习题，从最基础的拼音规则到字的结构、短语的构成、单句各种语法现象、复句的层次类型，再到现代文的阅读以及文言文的实词、虚词、特殊句式。每节课一个专题地给学生讲解，然后是成篇的练习跟进强化。学生们在这关键时候也知道了时间的可贵，上课不再需要维护课堂纪律，下课不再需要追着他们要作业，做过的卷子不再需要老师一道道地批改，正确答案只要在墙上一贴出，学生们就会很自觉地去对答案。学生们整天围在欣然的面前问这问那，虽然有些根本不是高中教学范畴内的知识，但欣然也都认真地讲解。有什么能比学生爱学习更让老师开心的呢？自觉、自愿交汇成和谐的乐章，学生就是演奏曲子的乐手，老师就成了本场演出的首席指挥。大家什么也不用再说，目的只有一个，为了最后的辉煌和无数的掌声。

“陈老师，去领防暑降温费。”湿乎乎的陈欣然刚进办公室，周世仁就通知她这一喜讯。

周老头一看也是刚上完课才回来没一会儿，深色衬衣上也是斑斑驳驳的汗迹。

陈欣然站在发出嘎嘎声响的已经用了好几年的电扇前，一气喝完满满一杯凉茶，才想起问问数，“组长，多少钱？”

“别问了，我都不好意思说。”周老师叹着气说。

“是多是少，总有个数吧？”欣然说着身子跟着风扇的摇摆也晃着。

坐在一边一直没说话的张艳青接过了话荐："三个月，每月四十，一共一百二。"

欣然听完这个数，重又坐在了椅子上，才一百二，着什么急呀。

"唉，组长，你说咱们当老师的怎么就这么贱呀，三个月才值一百二。"低头看书的王敏之老师也发起了感慨。

"唉，知足吧，不定哪天就没有了呢。"周老头说。

"我们同学，今年三月份刚到一家私企报到，因表现好，五一过后就转正了。前两天，她给我打电话，她们公司发防暑降温费，每人一千元，还带三箱饮料。"张艳青也愤愤地说。

"别跟人家私企比，要不平衡，你也可以去呀！"周老头打断了她的话。

"我才不去呢，一天到晚地加班，经常连个星期天都没有，怎么受得了。"

"那不就得了！"

"我说组长，别的学校好多都在办公室、教室安空调了，咱们这儿怎么也没有动静呀。"王老师又问。

"钱呢？哪儿来的钱？"

"原先，咱们学校底子那么厚，每个月光每位老师还收入小三千呢，现在，钱不发了，不会几台空调都装不起吧。"王老师对此提出了质疑。

"我跟你们说，你们别那么天真了好不好，我……"周老师本想说点什么，可话到嘴边，他又有些犹豫，"算了，算了，有些事儿你们也不知道，我也不想多说，反正，反正根本就不是你们想的那么回事。"

"为什么？"几个人异口同声。

"别问了！"周老头避而不谈。

"是不是跟咱们学校现在进行的工程有关呀？"郑义接过了话

茬。

“你听到什么了?”周老头问。

“也没什么，只是听说咱们为装那个什么多媒体教室，还有那个什么电子图书馆，在外面扎了很多钱，校长让会计结帐时根本就不写单价、数量，统一就仨字‘工程款’，那其中的猫腻大了去了。”郑义终于在大家的关注下发布完她的“小道消息”。

“吃冰棍了，吃冰棍了!”卢老师嘴里咬着一根冰棍，手里拎着个大塑料袋走了进来。

“鹭鹭，今天太阳从西边出来了?”陈欣然说着第一个冲了上去。

“一百二，我拿着都觉得累，一高兴，去买了一堆冰棍，还落了个批发价。请大家消暑，也算是讨讨大家的欢心。”卢老师边说边从里面拿出几根“奇彩旋”递给欣然，“这种好吃，你刚上完课，清新爽口。”说完，她把塑料袋放在桌上，“自己拿吧，别让我送了，我都累死了。外面太热了。”

大家一哄而上，一起品尝清凉的冰棍带来的片刻的凉爽。

五月底的一天，欣然被通知代表组里去开校教代会。她没有推辞，拿起一本学习参考书就来到了三层的阅览室。三层是校领导们集中办公的地方，楼道内的温度比别处低了至少五度。走进阅览室，一阵凉风迎面而来，欣然抬头看了一眼墙上新安的空调，心里一阵羡慕，要是这玩意儿能安在教室里，学生们该多幸福呀!

开会的人陆陆续续地到齐了。欣然见到了十个熟面孔，也看到了十几个半熟脸。

一位四十岁左右的女老师坐在欣然身边打着招呼:“陈老师!”

欣然看着这人脸熟，一时想不起她是谁。

“你忘了我了？我是北校语文教研组的组长啊！”

欣然好像想起来了，笑笑说：“不好意思，印象不深，主要是两边在一起的时间太有限了。”

“这没什么。”对方并不奇怪，“对了，这次的市公开课，你为什么放弃了？我们可为你可惜呢，要知道，如果真要再各搞一堂校内公开课，你肯定能比过她的。”

欣然无法去判断她此话的用意，便没接话茬。

“她的心思都用在校领导那儿了，又是入党、又是提主任、又是当班主任、又是青年标兵，她有多少时间用来搞教学。你的课我们那边好多老师都听过，所以，对你这次让位，大家很失望。”那位老师自顾自地发表着看法，全然不顾欣然的反应。

欣然还是无法去判断她这些表白的真实用意，笑笑说：“我只不过是最近太忙了，高二的学生要参加水平测试，高三的学生要参加高职考试，我没时间也没精力了。”

教代会正式开始了。两校总共来了三十位老师二十八位主任级以上的领导。会议由北校的贾校长主持。他先是很客套地感谢大家这么长时间对两校合并后工作的支持，然后向大家传达了有关两校合并后主任级以上领导干部即将重组的上级决定，同时，下发了一张有关现任各位领导干部工作情况的调研表，让大家在上面圈圈点点。

欣然接过那张纸，看了看，连脑子都没动就都选了第一个选项，就像学生心里没底时蒙答案一样。在她看来，这只不过又是一次走形式罢了。收完调研表，贾校长让大家对学校的现状畅所欲言，也算是开个座谈会。北校的几位老师接连发言，赞扬着学校合并后的种种好处，什么学校的教学秩序更加稳定，什么老师的工作热情进一步提高，什么教师的生活待遇发生巨大的飞跃。说得贾校长的脸像秋日盛开的菊花一样灿烂。南校的老师却没有一个人发言。会场上形成了鲜明的对照。

“南校的老师好像对这次合校有意见啊，要不怎么这么半天也没有人发言呢?”贾校长用眼睛扫了一遍会场中的南校老师启发着。

大家还是没有反应。

“小陈老师，你的语文课上得不错，我听很多人都说过，有机会我一定去听听。你说说对学校的工作有什么建议?”贾校长看着欣然，一副虚心听取的样子。

“我能有什么意见，只是希望领导以后能多关心关心大家的生活，别总是少数人吃吃喝喝，有机会如果能和大家分享，那才是真正的快乐!”欣然想起了几次看他们请吃喝的情景，随口一说。

“唉，是呀是呀，我们现在关心大家生活很不够，你有什么好建议?”贾校长很认真地看着她。

“其实，我也没什么想法。现在这年代，别人要请您还不得来个一条龙服务，里外一起涮，然后再……您从里面随便挑两样让大家感受一下也好呀！别老动不动说吃，多俗呀!”陈欣然开始信口乱说，她根本就没有去看领导的脸色。

“是呀，是呀，是该在这些方面多想想方法。不过，学校现在经费太紧张了，又要搞基础建设，又要……”

“那，我就说几句吧。”南校年纪最大，资格最老的总务处主任萧正刚老师站了起来，打断了贾校长的发言。

“您请说，你请坐着说。”贾校长做了个请坐的手势。

“我是学校最老的教师了，早就过了退休的年龄，只不过方校长认为我还能干，这几年也就还让我占着总务主任这个位子。当然了，这个位子是方校长封的，其实上面早就不承认了，所以大家也都叫我老主任。今天我有什么话说得对不住领导的，还请贾校长见谅，我一个快入土的老头子了还能说几句心里话。”萧老头调侃了几句。然后，他接着说:

“我是亲眼看着咱们学校如何一步步地走到今天的，这其中的苦，只有我们南校的老师最清楚。为了建实习餐厅，为了省钱，说白了也是因为没钱，几个男老师没日没夜地干，餐厅的地砖是大家一块块铺上的，墙上的壁纸是大家一米米亲手糊上去的，不敢请人来干，为什么，就是为了能省点是点！为了建外地实习基地，我们有多少老师在外带队，一去少说三个月多则半年。有的老师去了还不是一次。家里的孩子没人管，老人没人照顾，所有的事都推给了爱人。小夫妻一分手就半年那日子是人过的吗？更难受的是亲人走了都没能回来见上最后一面。大家容易吗？后来，我们学校有钱了，一棵树在大家的精心呵护下也算是开花了，结果了。当我们终于可以心安理得享受我们的劳动成果时，周围的人看着眼红了，于是学校就合并了。你们是来吃蹭儿的，跟着吃香的喝辣的也就算了，你们凭什么对我们南校的老师指手划脚，你们凭什么就不能让方宏进在最后几个月平平安安地当完这任校长？你们有谁为我们学校出过一分力，挣过一分钱。我们是有钱，但那是大伙挣出来的，你们呢，你们在合并前干了什么，你们南校的每个老师在合并前发了多少钱，你们自己心里最清楚。我这个总务主任也懂账，我耳不聋眼不花。你们欠了外面四十几万，却要我们帮着还，还美其明曰‘合校了，两边应一视同仁，有福同享有难同当。’你们光着屁股过来跟我们要饭，有什么资格和我们讨价还价，你们还真以为是灰姑娘穿上了水晶鞋，嫁给王子，就成了王后。你们的脸皮怎么那么厚呀！”

萧老头越说越激动，开始不住地发抖，坐在他身边的老师赶紧扶着他坐下，劝着：“萧老师，您别激动，身体是自己的，犯不上的。”

萧老头推开他的手，喘着气说：“周边这么多学校面临着合校，为什么单单你们这么快就合过来了，是上面的办事效率提高了吗？不就是你们中某些人有后台吗？要不然，凭什么方校长到了到了只当个副头；要不然，你们也不会这么肆无忌惮地对我们。摘摘果也就算了，你们倒好，还要砍树。反正我年纪也大了，干着也没劲了。今天，我就大着胆子说几句实话，让你们当领导的也知道知道我们的心思。”萧老头激动得再也控制不住自己的情绪，老泪纵横。

会场里安静得能听到空调扇页的摆动声，还有萧老头的抽泣声。没有人说话。从合校到今天的几个月时间里，南校的老师都这么忍着：工资减了，课时费少了，效益工资停了，以前的福利待遇都没了。一切都要听别人的，自己本校的领导什么事都做不了主。

更出乎欣然、出乎大家意料的是，北校竟然在合校前做了那么多手脚，欠了那么大一笔外债，结果，他们还跟没事儿人一样地跑过来分享着南校老师的心血和成果。陈欣然坐在这群人中间，低着头。她忽然觉得萧老头的激动是那么地多余：一人得道，鸡犬升天的古训由来已久，其实一切发生的都很自然。

贾校长在沉默了片刻之后，清了清嗓子说："萧老师的话很中肯。我们当领导的已很久没有听到了。很有触动。不过，由于萧老师今天过于激动，有些话我也就不好再解释，今天的会就开到这里吧。散会。"

一场座谈会就此结束。

教学楼里已经空了。欣然看看表，早已过了下班的时间。校门口的板报上张贴着一张红纸：

喜　报

我校军乐团于近日在参加市级“红五月”文化活动中，不负重望，一举获得了乐器组比赛的全市第三名。他们能在这么短的时间内取得如此出众的成绩，这和他们的辛勤付出是分不开的。在此，我们向军乐团的全体团员和军乐团的指导老师表示最衷心的祝贺！

校长办公室

五月二十日

真没有想到，卢老师的高招兼损招还真起了作用。那曾经游荡在学校上空久久不散的《哀乐》和《葬礼进行曲》还真就换来了这红色的喜报。

一辆宝石兰色的赛欧车停在校门口的操场上。欣然站在车前欣赏着。这就是前一段时间很多人在争相等待的新款车，不但有ABS功能，而且还有自动档和气囊保护功能，售价只有十二万五，绝对的具有性能价格比优势。唉，不知是谁家的女子拥有了这个漂亮"情人"。

"哒哒"两声，电动中控被打开。欣然不由回头去看车的主人，穿得漂漂亮亮的周静怡手握着遥控板走了过来。

"你的车?"陈欣然惊讶地看着她。

"对呀，你去哪?"周静怡熟练打开车门做了个请的姿态，"我送你。"

欣然忙摆手："我回家。"

"上来吧，跟我还客气！"她伸手把她拉上了车。空调开了，一阵凉风吹来，分外舒爽。

"你都买车了?"欣然羡慕地看着她。

"托老公的福！不对，应该是托共产党的福！亏是让我老公下岗了，要不然，我们现在还得过骑自行车上班的日子。"静怡熟练地开着车，驶上了二环路。

"大伟在下岗一个月后的国贸人才招聘会上，凭着自己过硬的外语和专业知识迷住了一家德国的环保公司。那家公司在考察了他的实力和所参与的几个工程项目后，开出了年薪五十万的价格请他去做工程部的负责人。于是，我再也不用为孩子的纸尿裤钱发愁了。我们很快退出了大伟原单位分的一个十平米的小单间，用公司给的安家费在东四环边的东润枫景选了一套一百六十多平米的大三居，选付了个首期，然后，又买了这辆车。”

“那你现在可以开车上班了。”欣然为静怡的变化而高兴。

“上班？为了能让孩子更好地得到妈妈的照顾，也为了更好地照顾先生的起居生活，让他更好地发挥作用，我已向学校提出了辞职申请。暑假开始，我将在家里开始过全职太太的生活。”

“你真的不上班了？”欣然还从没想过自己身边的人会有做全职太太的。

“那有什么呀？真把老公照顾好了，比什么不强。再说，请保姆，再加上我每天上下班花进去的时间和精力，把自己搞得跟个黄脸婆似的，我挣的那点还不够做美容的呢。”静怡的账算得倒是不无道理。

欣然没再说话，那种生活对她太远了，她无法体会。

“你的那个男朋友怎么样了，应该挺有实力的吧。要成，赶紧嫁了吧！回家当个全职太太也挺好的，别总那么要强，有什么用呀。这时代还是男人的天下。”

欣然想起了最近若为的表现，时常地心不在焉，时常地词不达意，她看着窗外的风景笑笑，并没有直接回答，只是说了句：“我可能没有你那么好福气吧！”

“好男人多得是，但一定要看综合素质，对于那种没有什么发展的，一定要狠得下心来。记着，我们可不要那种每日为几个菜钱而操心算计的活法，太累了！”静怡谈着她的选夫标准。

“那你也不是一下就这么好的呀？”

“我不是说了吗？看发展。我老公就是属于发展型的，所以我才会那么死心塌地地跟着他。你可一定要擦亮眼睛啊！”

到了院门口，欣然和静怡分手。走在大院的林荫树下，欣然的心里乱乱地。她无从去判断未来的生活，她也无从去判断若为未来的发展，她更无从去判断她和若为是否有婚姻的缘份，她只能等待，也许“好男人不该让心爱的女人心越等越慌”，如果是这样，若为能算是好男人吗?

十五

五月份校园的每一个周末，都没有清静过。来学校咨询报名的家长和学生一拨又一拨。但这和前几年排大队，通过面试、经过统一升学考试上职高的情景已没法相比。由于近两年教育部的某位高层领导提出精英教育的战略，普通高中年年扩招，家长更愿意让孩子上大学当白领，于是，职业教育直线下滑，中等技术学校由于培养的是技术工人则更加悲惨。由于欣然所在学校是一所面向全北京市招生的以旅游和服务专业为主的省市级重点校，一切才没有变得那么恐怖。为了保证生源，学校在征得教委同意的情况下，想出了提前招生的有效方法，即学生不参加初三年级的升学考试，直接到学校来报名，然后参加一个所谓的校内考试，有一个所谓的分数，于是，高中就算是有了着落。当然，真正热衷于参加这种提前招生的，绝大多数是在初中学习成绩不佳的学生，他们由于基础较差，参加正规的升学考试根本就没有什么升学的希望，于是，家长们纷纷拿着银子，来到这样的学校，尽量为孩子找一条稳妥的出路。

星期六，上午十点。学校的门口停着各式各样的汽车和自行车，操场上也有很多学生和家长。大家认真地排着队。等待着叫号面试。被学校叫来帮忙的陈欣然看着站在队伍中的一群小土豆、小地瓜，心里怪怪的。想当初，学校面试时，女孩子必须在一米六以上，而且要求长的标致顺眼、身材均称；男孩子至少一米七，同时也要求皮肤白净，腰杆笔挺。毕竟是送到北京市四星级以上大饭店的服务人员，外型实在是必须要考虑的。那时候，为了缩小学生间身材上的差别，学校会根据需要做出几身不同形号的套装，让面试的男生女生们试穿，穿得下的就留下，如果穿着费劲那就只好淘汰了。所以，从这所学校出去的孩子，站在人群中绝对是要个有个，要样有样。学校每发往外地一批新的实习生，都能让所在的酒楼食客如云、流水翻番。

看着被分配发报名表格的体育组的赵老师工作告一段落，欣然便坐在了他身边的椅子上。

“赵老师，今天发了多少号?”

“才一百来个号。”赵老师看着手中表格上打的号码说。

“那还行呀!”这个数字比欣然想象的要好。

“唉，跟前两年可真没法比呀。想当年，就我这摊儿，想去趟厕所还得跟学生家长商量着，给腾个空儿才行。”

“不过，我怎么觉得今年的这批孩子都那么……”欣然没好意思用那几个词来形容他们。

“是不是跟土豆、地瓜似的!”

欣然扑哧一声笑了，“你怎么跟我想的一样?”

“咳，那不是秃子头上的虱子明摆着吗!”

“这样的学生赶明儿个分得出去吗？咱们以前都是包分配的，这要是砸在手里，那可就惨了。”

“瞧瞧，一点都不关心学校动态。今年开始不包分配了，改择优推荐了，什么叫择优，推荐了，人家要，你就是优，人家不要，那是你自己的事儿。”

“那他们要是毕业了，没人要可怎么办?”

“操那么多心干嘛，现在最重要的是把学生先招进来，一个学生一年至少也有二千多学费呢。这可是咱们领导最关心的大事。”

“他们都不参加全市统考，你说这成绩能行吗?”欣然开始为自己以后的教学水平发愁。

“咳，明摆着，肯定特次，要不，谁也不会放弃升高中的机会，一猛子扎到这儿来。以后可有你们受的。”赵老师正说着，一个学生递上一张学生证，赵老师接过来认真地填着表格。

“您先忙着，我走了！”欣然起身告辞。

“有空多上两炷香！”赵老师在身后提醒着。

“上香？”欣然一脸的疑惑。

“让老天爷保佑他们早点长开了，早点开窍！”赵老师笑着说。

欣然也会心地笑了笑，心里想：早点长开了当然好，可千万别长咧了！

欣然再也无法忍受揭榜的煎熬，她通过一一四查号台，接通了北师大研究生招生办公室的电话。接电话的是一个男老师。欣然向他讲明了来意。

“同学，是这样的，由于本次考试的考生太多，中间又有五一的七天大假，所以考试成绩才刚刚出来，我们还没有给大家寄发通知书呢。”对方解释着。

“那今年的录取分数线出来了吗？”她怀着忐忑不安的心情试着问。

“分数线倒是出来了，经过计算机处理统计，今年中文专业的录取分数线是二百四十九分。比去年高了十五分。”对方答。

“那，能麻烦您帮我查一下我的成绩吗？”她再问。老师让她报考号。

“是陈欣然同学对吗？”

“对！”欣然紧张得声音发抖，就像在听法官的判决书。

“你的总成绩是二百八十五分。”对方说。

“啊！”欣然激动地大叫了一声，她过分数线了，她就要成为北京师范大学的一名中文系研究生了，她终于可以名正言顺地暂时离开这个伤心地了……

“同学，陈欣然同学，你别激动，我还没说完呢，你各科的成绩是……”对方在听筒那边说。

“各科的成绩重要吗?”欣然不解地问。

“当然了，如果国家统考的几门不过单科分数线，专业课没过我们学校的分数线的话，是进不了研究生院大门的。”对方解释着。

“那我各科的成绩?”欣然的心提到了嗓子眼，那个要命的外语，她出现了前所未有的恐慌。

“你的《教育学》成绩是七十八分、《心理学》是七十六分、《中文专业课》是八十三分、《英语》是四十八分。”对方“唉呀”了一声。

“怎么了老师?”欣然知道出了问题，但她还抱着一线希望。

“同学，你太不幸了，你的英语只比分数线少了两分，你……”欣然听到了她最怕听到的消息。

“可，可是，我的总分高出那么多，难道不可以通融通融吗?”欣然试着解释着，“老师，我已经好多年不用英语了，如果进了校门，我会很快地赶上来的。”欣然再试着说服老师。

“对不起，同学。这不是我校的规矩。你其它的分都很高，用点时间再努力努力，明年一定行的。再见!”听筒里是干巴巴的劝慰，然后是挂断电话的声音。

两分，那令她痛心疾首的两分。她如果掌握好考试的时间，她如果不是考前的失常状态，她如果平时能有机会多看两眼，哪儿找不到这个两分呀。她的二百八十五的总分在这两分面前为什么如此地苍白。不公平，太不公平了。能考出如此高分的人难道就不能学好外语吗?“可恶的规定、可恶的分数线、可恶的教育制度，你为什么就不能给我一个机会呢?”欣然在心底绝望地喊着，趴在桌上眼泪喷涌而出……

“欣然，怎么了这是？谁欺负你了？”吴娟红看着伏在桌上流泪的欣然关心地问。

欣然只是摇头，却并没有抬头。

“这是怎么了，有事好好说，别哭呀！”跟着吴娟红后面进来的卢老师也关心地劝着。

欣然还是没有抬头。

“是不是考试成绩下来了？”吴娟红猜测着。当了几年的好朋友，除了离婚一事，她还从没有见过欣然这么伤心。

欣然伏在桌子上，点了点头。

“总分多少？差几分？”卢老师关切地问，都经历过考学，大家最敏感的就是分数。

“两分，就差两分。”欣然提到这伤心的两分，感到阵阵心痛。

吴娟红用手抚着欣然的头没有再说话，她们坐回自己的位子，各自忙着手里的工作。办公室里很安静，偶然传来欣然的抽泣声。

下班时，欣然神情恍惚地到了学校门口。若为，她的若为竟然出现在门口。

她站在他的面前喃喃地说：“两分，就差两分。我总分超了，可我就差两分。”

“我知道了，我都知道了。”他过来扶她。

“我已经很努力了，我真的已经很努力了！”她大声地说着，眼泪再一次滑了下来。

“别哭了，我们想办法！乖啊！”若为像哄孩子一样哄着她。

“我怎么那么倒霉呀，我怎么干什么都不成呀！”她和北京师范大学这座高等学府因两分之差再次失之交臂。

记得高考前，她就报了北师大的幼教专业，但为了保险起见，妈妈让她又报了招生名额较多的师范学院。结果，她因为幼教系竞争激烈而未能如愿。这次，她完全可以报师院的研究生，可是她自信自己的能力，她为自己确定了一个太高的目标，考不上北师大宁可不上。梦再一次破灭了，靠在若为的肩头，她喃喃地说着："两分，就差两分……"，身体慢慢地向下滑去……

若为这几天也在为欣然考研的事忙活着。他在动用一切关系等着她考分的结果。他太喜欢这个自立的女孩了。什么都那么出色。不论是外场还是家里，不论是工作还是玩，她样样都能给他惊喜。他时常拿她和自己的前妻比，他甚至感谢老天爷给了他一个重新再来的机会。他也时常拿她和他周围的女性比，在她的身上，他更多地看到了传统与现代女性的结合产物。她的清纯、她的自立、她的开朗给他的生活注入了太多的活力，她的宽容、她的大度、她把握事物和感情的分寸令他发自内心地爱着她。要不是有儿子的因素令他左右为难，他早就会向她求婚。现在，他必须尽心地去帮她实现这个梦，也许只有这样，自己对她的伤害才不会太深。

两天以后，若为和欣然坐在了仙踪林酒吧里。

"欣然，告诉你个好消息，你有希望去师大读研究生了！"若为满脸兴奋的表情。

"真的？怎么可能呢？"欣然的眼里重又出现了光泽。

"我通过关系找到了师大研究生院招生办的负责人，他们说了，你这种情况想个办法变通一下就能办。"若为很含蓄地解释着。

"怎么个变通法，不会跟我们中学一样交什么赞助费吧？"欣然想不出这年月除了花钱还有什么可变通的好方法。

"他们没明着说。不过，这事就是花点钱我看也值得呀，毕竟是上研究生呀!”若为劝着。

“我可没钱给他们,我个穷老师,他们张嘴就上万的要,我可没有!”欣然赌气地说。

“这事,你就别管了。有我呢。你就给个痛快话:这学,你想不想上。只要你一句话,我一定想方设法让你进去。”若为信誓旦旦地承诺着。

欣然冷冷地看了他一眼说:“我上学,你干嘛那么起劲,不会是为了在哥儿们面前吹起来好听吧”她酸酸地说。

“甭管吹不吹,也甭管好听不好听。你就说一句想不想上?”若为并没有明白欣然的意思。

“想,我非常想,但是,孙若为你给我听着,我要是想上,我会靠自己的本事考进去。我不要别人在背后指着我的脊梁骨说,这人是凭关系进来了。你听见没有!”她“砰”地拍着桌子。她还是第一次当着他的面发脾气。

“行了,有你这句话,我也不操那份儿心了。”若为的热情被欣然浇了盆冷水。

“对不起,”她忽然抓紧他的手,“我最近心情一直不好,你别怪我,好吗?”她恳求他。“面对了太多的不公正,我自己却也要去干不公正的事,我做不了,我真的做不了!”她用力地摇着头。

“其实,现在很多事就是这样,你何必去在意它的过程,只需看结果就完全可以了。”若为劝慰着。

“但,如果是那样的话,我可能也就不是现在的我了。”她还是那么紧张地拉着若为的手。

“我才不生气呢,我只是想帮你。”若为把她的手用力地握在自己的手中。“那,你说,我们现在干什么?”

“我,我很想 marry!”欣然说出了心里话。

“什么?”嘈杂的仙踪林里,若为没有听清最关键的一个词。

“我,我很想去买东西!”欣然再说。

若为站起来用力地拉起她，“那，我陪你去体会一把疯狂购物的乐趣！”说着，他拉起欣然很快就融入“银街”熙熙攘攘的人流中……

学校招生工作基本结束了，教研组长鲍老师抱着一摞卷子走进了办公室。

“请大家帮个忙，利用业余时间把新入学学生的卷子批一下，然后统计个成绩出来。”他说着分出两沓卷子分别放在周世仁和陈欣然的桌子上。

欣然看了看眼前的卷子，一点兴趣也没有。

“我说组长，就让我们这么白干呀？”周世仁率先发难。

“那哪能呀，领导说了改一个班给五十元，如果你们有时间，希望你们能多做点，反正是计件，多劳多得。”

“大组长，我最近真没时间，要不，这两摞给您得了，也算是我赞助您的。”欣然抱着卷子走到鲍老师眼前，又把它放在了他怀里。

“别呀，别呀。这两摞是咱们语文组每位老师都有的，剩下的我可以多劳动点。”他说着又把卷子往回送。

欣然见没有机会，也就勉勉强强地接了过来。

“什么时候要？”欣然冷冷地问。

“周五下班。”

“有答案吗？”周世仁又问。

“有，有，在这儿。”说着鲍老师从兜里拿出一张纸，“其实也没几道题，全是选择，就为了好批，所以答案都是第一个，这可把学生给蒙住了，他们还以为自己做错了，改来改去的。一点自信也没有。”鲍老师说到兴奋处唾沫星子乱飞。

欣然看着他的得意样，忽然很想替学生咬他一口，他可真够狠的！

十六

期末考试时间日趋临近，校园里出现了少有的紧张气氛。再过三天，高三的学生就要去参加高职考试了。为了让他们多有些自己背书的时间，学校给他们放了假，欣然也因此忙里偷闲地翻起一摞厚厚的已没什么时效性可言的报纸。

忽然，一条《北京青年报》上的小新闻吸引了她：

本报记者报导：今天，记者接到了本市某省市级重点职业高中学生家长的来电，向我们反应有关该校班主任对学生进行粗暴教育一事。由于教师教育方式不当，未能达到其所需目的，于是，该教师就把学生们长时间地滞留于校内，不准回家。在家长对此事提出不同意见后，该教师非但不接受家长善意的批评还扬言如果嫌老师不好，可以让学生转学。对此，家长向记者提出这样的疑问：老师到底应该用什么方法来教育学生？老师到底应该用什么态度对待家长？对此，我们走访了相关学校所在的教委，教委的态度坚决，表示一定要严肃处理这件事情。对此，我们还将给予继续的关注。

某省市级重点职业高中？不会是这所学校吧？欣然想着，但又很快否决了，全北京市已有二十多所职高获得了这个称号，怎么会那么寸呢。她拿着手里的报纸递给对面的吴娟红。

吴娟红快速地扫了一眼便不屑地说："一看你忙得就没怎么看报纸吧，最近，这种消息多了。什么学生不堪学生重负上吊的、什么学生不能承受家长的管教杀母的，什么老师逼走学生的，唉，现在咱们老师可是越来越难当了。在家的一个个大宝贝，到这儿了，咱们还得使出全部的耐心和爱心哄着他们玩。"

"娟红，你说这人是不是越来越退化了，怎么就不知好歹呢？咱们上学时要是老师留学生让老爸老妈知道了，他们上来第一句肯定是问‘你又犯什么错误了?’你要是还辩解，他们第二句肯定是‘你少废话，你没犯错，那么多同学老师干嘛非留你呀?’”欣然边说边模仿起小时候爸妈教育她的样子。

“那是，那会儿，家长多尊重老师呀，多尊重知识呀，上学时咱们说的最多的话是什么?是‘老师说的’和‘书上说的’。现在呢?我们家女儿现在一说就是‘我觉得’、‘我想应该是’，她可才上小学一年级呀。”

“唉，”欣然叹了声，“看来老师真成了教书匠了!”

“你以为呢?”一直低着头的张艳青接过了话茬，“我们现在从事的是教育职业。什么叫职业，它就是在你付出劳动后获得一定回报的、得以养家糊口的一种生存方式。千万别说是教育事业。事业是需要有很厚实的物质基础或者是很迷恋的精神境界的，那真是一种只求付出不图回报的绝高境界，咱们这儿谁有?我相信一个都没有。”

她的一番有关职业与事业的论点获得了大家一致的赞同。

“说你是教书匠还不错了呢，我儿子他们学校更提出了‘学生是我们的上帝，学生是我们的衣食父母’的口号。”王敏之老师也加入了话题，“结果怎么着，有天老师哄一个捣乱的学生出课堂，那孩子站起来理直气壮地对老师说：‘你怎么能这样对待你的上帝和你的衣食父母呢，要知道我可是交了大笔的赞助费进来的，你的收入中也有我交的那份吧!’”

“大嘴巴扇他都不多。”张艳青气愤地叫着。

“学校怎么能宣扬这种思想呢?”吴娟红颇感惊愕。

“所以，你说教师的尊严哪还有呀!”王敏之无奈地摇了摇头。

“不过，我觉得还是家长把孩子们给宠坏了!”欣然想了想说，“都一个了，谁不把自个儿的当宝贝。平时自己都舍不得说一句、动一下，让老师说，那还成!”

“所以呀，现在的小孩极其脆弱，什么考试没考好了就上吊服毒跳河的，为点破事想不开了就去打架，什么和家长闹意见了出走。说白了，这也能算是挫折？”张艳青不满地摇摇头。

“其实，哪个孩子成长的过程中没挨过打，家长打孩子也没什么大不了的。”王老师一副过来人的样子，“要我说，现在最不负责任的就是这些记者，屁大点事儿就闹得满城风雨，还总是一副忧国忧民样。其实，事让他们给捅了，又能解决几个。倒是他们在那没事偷着乐呢——又拿了一笔稿费！没准他们边数钱还边骂着咱们：这帮傻冒，我随笔一划拉的，他们还真当回事了！”

大家听着听着忽然哈哈一乐，之后，谁也不再谈这个“傻冒”问题了。

“下午全体会，两点，在阶梯教室，有关二次审核省市级重点校的工作安排。不许请假！”胡秘书趴在楼道与办公室之间的窗台前通知了一声就走了。

“怎么又审呀，还是在期末？”

“都反复多少回了，什么时候是个头呀！”大家提出疑议。

“其实也不会有什么事，只不过咱们学校的饭好吃，他们又想了！”张艳青的思维方式总是和大家不同。

会议于两点准时召开。由于忙于期末备课，很多老师都是抱着卷子来的。

“请同志们把手里的工作先放一放。我们今天有很重要的事要讲。”古秋菱主持会议。

“今天有三件事。第一，我们南北两校说话之间合并也半年多了，两边的主任级以上的领导干部都在各司其职。但是，上面给我们的领导编制只不过十三个名额，而实际上我们现在有二十八位领导，因此，班子要做重大的调整。为了体现公平、公开的原则，今天我们在此按上级的意见搞个民意测验。大家请根据实际情况填写，区教委会在调整领导班子时充分考虑大家的意见。对了，这是不记名测验，大家尽管放心写。”古秋菱一边说一边和胡秘书、另外两位老师把卷子发到了大家的手里。

欣然看了一遍，和上次教代会那份没什么两样。因是不记名，她也就认真地在上级已经设定好的选项内划着对勾。对于不符合自己想法的就空着，反正也没人关心那是谁的意见。很快，问卷被收了上去。

“第二件事，后天，市里要来我校进行二次重点校的审核，内容主要有看操、听课、查教案。户外活动的事情，我们已经和体育老师布置过了，这里需要提醒大家的有两点：一是，班主任一定要看好自己班的学生，不要出纪律问题，特别是上操时不要出现迟到的情况。二是，各位老师一定注意上好后天上午的四节课，因为这次是推门课，我们也没有办法事先通知大家。因此，所有有课的老师都要做好准备。千万不要出问题。其他的工作我们校方已经安排好了，只要你们这儿不出事，这次审核就一定能通过。当然，学校也不会让有课的老师白忙活，那天的课时费全部为每节三十元，如果领导听了谁的课，课时费为八十元。”听到这儿，下面一片骚动。

古秋菱清了清嗓子又说：“不过，这对我们南校的老师，就是最年轻的几个也都参加过两回了吧，已经不是什么新鲜事了，北校的老师可能没什么经验，”她看着大家，“如果这次我们能顺利地完成任务，领导会对全体老师另外有所表示的！明白?”

大家的心里当然明白领导的意思，但就有人在下面出了声：“是什么表示呀?”

“嗯……”古副书记为难地看了贾校长一眼，并没有把话说出来。

“是这样，”贾校长接过话茬，“为了激励大家能顺利完成本次工作，经校方领导研究，给每位老师奖励一身西服。价格在七百元左右。”

“唉，我当是什么表示呢。”座位上传来感叹。

大家又都像泄了气的皮球。

“下面请郭校长来讲第三件事。”古秋菱说完把麦克风让给了郭玉华。

“今天，我要在这宣布关于我校老师因教育不得法被报纸披露一事的处理情况。”郭校长底气十足地说。很多老师很奇怪地看着领导，吴娟红踢了踢陈欣然，低低地说：“不会是你上午看见的那条吧？”欣然吐了吐舌头没说话。

“有的老师可能已经知道了，《北京青年报》在几天前不点名地批评了我校老师对学生采取的不正确的教育方法一事，同时还指出了对提出异议的家长的态度一事，对此，上级领导非常重视，责令我们严肃处理这件事，今天，我们先让当事人上台来做检查。”

大家的眼睛齐刷刷看着前排站起来的一位女老师。欣然看着她，张大了嘴，是她——方校长的千金方虹蕾！

方虹蕾低着头站在台前。手里拿着一沓写好的检查，她开始读：

“事情的经过是这样的：期末考试将近，由于我班的学生没能按时完成数学老师布置的作业，数学老师向我反映了情况。由于近期学生的学习状况很不好，我就借此机会把他们全都留在教室里，并提出要求：不论多晚，写完作业交了本才准回家。大多数同学在五点半完成后放学。有个别的同学因为动作慢没有写完，我就让他们把剩下的拿回家写。但是，刘佳佳同学从始至终一个字都没写，我不让他回家，并说好我陪着他直到写完才能走。他指责我有偏有向，并趁我去办公室拿东西时逃跑了。我很生气给他家打了电话，向他妈反映情况希望得到她的帮助。结果，她母亲第二天跑到学校来指责我，说那么晚了不让孩子回家出了事怎么办？还问我，要是把孩子逼出个好歹来是否负责。当时我很生气，对家长说了句‘如果你的孩子不需要我管你就说一声，如果你认为我管得不好可以给他转学’，结果，家长就找到了报社，于是就出事了。”

方虹蕾说到这儿，眼泪再也忍不住了，“我知道我错了，我不该留学生留得那么晚，我不该向家长反映情况，我不该和家长顶撞，我不该……”她再也说不下去了。停了一会，她忽然大声地喊了句：“我错了，你们千万别学我！”就跑出了教室。胡秘书快步地追了出去。

在座的老师心里都沉甸甸的。没有人说话，只有叹气声。

郭校长走上台，宣布了校方对方虹蕾的处理决定：免去她高二服务班班主任一职，扣发当月的班主任费及相关年终奖金，并取消她今年申报中级职称的资格。

欣然看着哭着冲出教室的方虹蕾，心里很不平静，姑且不论这件事的本身，单是今天的这种处理方法就多少让她吃惊，毕竟方虹蕾是前校长的千金，毕竟方虹蕾曾经是学校的公主，毕竟她所做的是出于一个教师的责任感，毕竟她还是有责任心的，学校如此严厉地处罚难道真的能得到好结果吗？如果她父亲现在还是在职在任的校长，上面会这么不给面子吗？也许，今天的一切只能说明一件事：人走茶凉！

散会了，大家在办公室里议论着这件事，议论着如果方宏进还在位会怎么样，议论着如果这件事出在别人身上会怎么样，如果……

最后，大家统一了看法：从今往后，大家千万别太认真。只要他不犯法，一切由他们去吧！又不是自己的孩子。

会后的第二天，学校就开始了一遍又一遍地停课大扫除。黄主任亲自督察各班的卫生区。玻璃被擦得跟没有了一样，地面被墩得闪闪发光，连楼道的暖气片都洗了回淋浴，彻底地干净了一次。平时男生们常常出入的三楼男厕所被封了门，因为那里浓浓的烟味怎么也挡不住。平时疯长的草坪被剃成了板寸，小草齐刷刷地立着很是精神。园艺公司送来了整整三车鲜花，于是，在大门口、在教学楼的门厅处、在楼道的拐角、在老师们的办公室里、在学生的教室里，随处可见绿色的植物和盛开的花朵，于是，学校变成了花海，于是迎来了检查团。

检查团来的当天，学校的操场上彩旗招展，表达着热烈欢迎的迫切心情。所有没课的老师穿着贾校长发给大家的、据说值七百元一身的西服，站在校门口迎接领导的到来。有课的老师都已早早在教室待命。老师的办公桌上要求只能放一个水杯，其他的任何东西，包括学生的作业本都不许留在桌上，以免影响办公室的环境，教室的黑板被过了一遍又一遍清水，黑得跟墨一样。专设的会议室一早就打开了空调，茶水已经沏好，是上好的福建"大红袍"，走在楼道里都能闻到那淡淡的茶香。成箱的饮料放在门后，随用随取绝对管够。二十几个装着各种资料的口袋整齐地码在沙发的一角。烹饪班的孩子们正在大显身手赶制着造型各异的果盘，调皮的孩子不时地放一块在嘴里而招来一个响亮的巴掌声。

九点，市里教学检查组的车子缓缓地驶入学校，徐老师一个手势，军乐团奏起了欢快的迎宾曲。领导的脸上现出了满意的神情。后面，又跟进一辆车，仔细一看，原来是区教委职教科的各位领导，但陪同的人数远远大于检查工作的。学校的二十八位主任级以上的领导都列队站在校门口，男的打领带，女的扎领结，绝对地庄重，绝对地重视。

九点四十五分，当领导者操场上站定，课间操的铃声响了。统一着装的学生们像一群蓝兔子窜向操场，在预先排好队的地方站住。二十个班的学生只用了不到三分钟，可谓是创历史纪录。班主任们也准时站到了队伍的最后。于是，体育组的赵老师开始整队，于是，广播体操的音乐响了，于是，大家用力地完成每一个动作。班主任们的眼睛发着光，仔细地扫视着自己管辖范围内的每一名学生……

十五分钟后，领导们走进了上操前确定的几位老师的课堂，那几位老师早以得了信，有了准备，于是领导们看到的是大家充满自信的微笑、充分准备过的教案、充分精心设计过程的教学环节……

领导们此时没有时间休息，他们分头在楼内的各个楼层巡视，以免突发事件的发生。离下课还有五分钟时，没课的班主任已被领导叫到了自己所管班级的门口，防止下课时学生们的大吵大闹。

第四节有欣然的课，她还在认真地准备着。临近考试前的复习课早已上完，学生大多是自习时间，有问题找老师。但现在，有人来听课，课就不能这么上了，再讲点什么呢？她正为这事儿犯难呢。

离十一点的第四节课还有两分钟的时候，她拿起书本就要出门。学校规定提前两分钟到课堂。

“欣然，别着急了，他们该走了！”卢鹭笑呵呵地跑了进来。

“什么时候，还开这种玩笑？”她伸手去拿粉笔，并责怪着卢老师不合时宜的玩笑。

“真的，我没骗你，真该走了！”卢老师笑着说：“我刚才路过教学处时碰到了急急忙忙的胡秘书，一问才知他急着去顺峰酒楼改个菜单，有道什么菜今天没空运过来原料，那边来通知了！”

“呵，他们订的在顺峰呀，那儿可贵了，看来学校还真下功夫！”常在外面吃饭的祝华评价着。

“那，着什么急，饭谁没吃过呀，再说，离吃饭还早着呢！”欣然对她的解释丝毫没觉得有说服力。

“咱们学校定的是中午十二点，可领导们要求十一点半，他们总不会听半节课再出去吧！没脑子！”卢老师拍拍欣然的头。

“这帮领导也太没出息了，饭谁没吃过，至于吗？”郑老师也学舌般地撇撇嘴。

“不是大领导没出息，是陪同的领导要求的！”卢老师又在传达着小道消息。

欣然疑惑地站在那，脚底下没动。

“通知，”于主任趴在窗口开心地笑着，“警报解除了！”

“看，我说什么来着，你还不信！”卢老师得意地冲着她。

“真就走了？”祝老师看着于主任。

“那是，有顺峰的生猛海鲜等着，能不急吗？职教科的那帮领导多鬼呀，叫安排在十一点半，既解了咱们的围，又省了验收听课这关，还提前满足了他们的口福！”说着于主任看看表：“得了，你们也安排安排自习吧。本来到了期末，该讲的也差不多了，别为难学生了。大家也可以早点用午餐。”

“你们说，这是什么西装？”周老头捏着裤子进了办公室。

大家一看他的样，全笑了，周老头裤裆开线了。

“谁叫您那么胖来着，看看，把领导的关怀都给破坏了。”卢老师率先发难。

“什么呀，我刚才书掉地上了，我刚弯腰去捡，结果就听嘶啦一声，得，就这样了。”周老头一边说着一边比划着，

“别比划了，连里边的内裤都露出来了。”郑义笑得上气不接下气地说。

“你那算什么，你们还没看我这袖子里，里儿和面儿都缝一块儿了，害得我上课想写板书都抬不起胳膊。幸亏没人听课。只好给脱了。”张艳青边说边脱下上衣给大家看。

“我的衣服倒没什么，可是这么热的天捂着这么厚的衣服，我一个劲地出汗。”王敏之也加入了谈话。

“你们也真老实，让穿就穿呀。虽说这是薄毛料，可也不是这个季节的东西呀。让别人一看，还以为咱们都穷疯了呢。我可是一进教室就脱了。要不然，非虚脱了不可。”卢老师总有先见之明。

“组长，你说这衣服值七百块吗?”

“不值。不……说不好。”

“你说，那领导他……”

“哪儿那么多想法，给你就拿着，又不花自己的。”

“您这可说错了，怎么不是咱们的。他为什么不发钱，干嘛要在这会儿发这玩意。”

“行了，行了，别说了。”周老头制止了大家。

下午两点半，第一节课后，欣然去传达室拿报纸。正巧碰到胡秘书陪着检查团回来了。一个个脸色通红，有的人嘴里叼着个牙签，不时地剔着。职教科的一位领导拍着胡秘书的肩膀说了句：“老胡呀，一看你就是吃主儿，今天的菜点得有水平，不错，下回我要是请客，一定叫你去把关!”说着打了个饱嗝。

“当仁不让，当仁不让。”胡秘书得到了领导的赏识表着态。

三点钟，领导们从会议室出来了。他们和校领导亲切话别。每个人的脸上都是满意的神情。他们的手里提着装资料的口袋。贾校长把他们一个个扶上车。一位老师脚下一滑，纸袋掉在了地上，东西撒了出来：两袋上好的“大红袍”和一个写着名字的鼓鼓的信封。胡秘书赶忙弯腰拾起递给那位老师，他不好意思地冲大家点点头进了车箱。于是，领导们的坐骑冒着烟缓缓地驶出了学校的大门……

十七

快考试了，欣然让教导处的于主任搞了个心里不痛快。

水平测试的头天下午，快下班了，于主任忽然把欣然叫到了教导处。在她的面前摊着一套卷子。欣然低头一看，原来是明天要用的水平测试考卷，她很不好意思地看了领导一眼，有些尴尬。

“陈老师，你愣着干嘛，快看呀！”于主任提醒着她。

欣然愕然地看着他，以为听错了，“您说什么？”

“我让你快看看卷子，看看有没有什么地方没给学生讲到的，明天早上早点来，再给学生补补。”

“不会吧，领导，这可是……”欣然一时语塞。

“顾不了那么多了，往年咱们倒是认真对待，一是一，二是二，可结果怎么样，全区一排队，咱们老在中间晃荡，我向别的学校一打听，原来他们每年都在考试前一天让老师看题，然后再给学生讲，所以，才会得那么高分。”

于主任的话倒让欣然想起了去年的一次全区统测排队表彰会。欣然所在的班得了个班级的全区第三名，可全校的平均分却排在了第八名。当时，最令欣然奇怪的是一个职高校的平均分居然达到了九十二分，简直令人不可思议。原来，问题是出在这儿了。

“可是，领导，这是作弊行为，而且，还是老师带学生集体作弊，性质是很恶劣的。”欣然还在坚持着自己的原则。

“管不了那么多了，你以为教委不知道这分是怎么回事，但这是他们工作成绩的依据，所以，民不举官不究，去他的。”

最终，欣然还是在于主任的督促下看了一遍卷子，还真有她忽略的地方。她很矛盾，但她也想了很多，例如排名时的先后，例如根据成绩确定的奖金……

第二天，欣然因堵车来晚了，她没来得及进教室讲题，考试就已经开始了，她忽然有一种释然的感觉，天要下雨娘要嫁人，随它去吧。也许，真实的成绩最能给学生以上进的动力。

陈欣然因高职监考被分到别的学校去了，当她拿到考试题，从头到尾看了一遍后，她一直以来悬着的心才放了下来，题并不难，很多都是书上的知识点，只不过考察较多的是学生的知识迁移能力，这点，欣然在复习的时候一直很注重，但愿老天爷能让孩子们考出好成绩。

在期末考试的最后一天下午，学校布置了各组年终考评的工作安排。

九名老师聚在一起，大家手里都有成摞的要批改的卷子。周世仁只好一个人宣讲着会议的内容。

“今天，我们先让每个同志读一下自己的年终总结，然后大家评议，看着给个成绩，等级还是原来的那三等，先是不合格与合格，然后再从合格的人里评出优秀的来。下面，我带头先来念个人总结。”周世仁说着从抽屉里摸出一沓早就写好的总结开始念。大家都在忙着自己的事，也没有人去听他的。

“我在当保安班班主任……”周老头不动脑子地往下念。

“唉，唉，我说大组长，你这是哪年的总结呢?”郑老师的话打破了办公室内的平静，“怎么还有你当保安班班主任的事儿呀?”

“得了，赶情你们还真有人听着呢。算了算了，我也别念了!”周世仁不好意思地把那沓纸合上了。

“那可不成，你得说说清楚，这可是工作态度问题。”郑老师又抡起了政治大帽子开始扣。

“我，我不就是把前年的总结给拿出来了吗。太忙了，也没时间写。想蒙混过关，再说了，咱们每年写的工作总结有几个人看哪?”周老头一边说一边找出客观理由为自己开脱。

“要我说，大组长，你也别让大家谈了，大家都挺忙的。你就等大家写完了签个意见得了!”祝老师给周老头出了个主意。

“同意!”年轻老师毫无疑义地举手表决，一致通过。

“你们八个人的，你们谁都不说，就让我一个人写，你们要累死我这老头子呀!”周老头觉得大家在害他。

“我们可以请你吃西瓜。”张艳青先表了态。

“西瓜才多少钱呢?不行不行!”周老头不领情。

“那和路雪总行了吧!”爱好冷饮的卢老师想到了冰棍。

“我个大老头子的，吃什么和路雪呀!”周老头一口回绝，还是不行。

“那，这么着吧，我们几个人合伙给你买三斤鸡翅膀总行了吧!”会过日子的王敏之出其不意地想出个最实惠的条件。

“我看行!”周老头终于点头了。

办公室里展开了“募捐”活动，大伙把平时散落在抽屉里的、桌子底下的银两找出来，给周老头凑三斤鸡翅的钱。

“行了行了，我说别闹了!”周世仁看着大家也闹差不多了，再次把大家拉入正题：“今年，咱们组一共九个人，按百分之二十的比例应该有一点八个优秀的名额，领导说了，看在咱们这学年为学校出了不少力的情况下，给了咱们两个名额，大家可要珍惜呀!我还是以前的老想法，把这个名额给最需要的同志，例如今年要报职称的、想提前晋级的。大家有什么想法尽管提。”

办公室里重又变得平静了。要是在往年，欣然对这个“优”还是很上心的，但今年，欣然对它已经完全没兴趣了。

“既然大家没什么要说的，那我看还是用不记名投票的方式来确定吧。大家都是候选人。不过，我就算了，我该晋升的已有了，职称也早就定过了，就不用写我了，省得浪费了。”周老师把早已撕好的选票发给了大家。

大家都闷着头写。欣然把吴娟红的名字写上，然后，对折再对折地交给了周世仁。大家折纸的方式惊人地一致。

“陈老师，你来唱票吧！”周世仁点兵。

“我忙着呢，您还是叫……”欣然推辞着。

“我来，我来！”张艳青冲在了前面。

唱票的结果很滑稽，除了一张弃权的白票外，其的八张分别写着除周老头以外八个人的名字。周老头什么也没说，又开始撕选票。

“我能说两句吗?”王敏之老师终于站了出来，“大家都知道，我是当年知青那批工农兵大学的学员。后来分到咱们学校当老师。说实话，在那种大学里确实没学到什么东西，这么多年了，多亏大伙帮衬着，拉着，自己努力着。眼看着我就要退休了，这高级职称也因新的条例规定跟我无缘了，我想，大伙能不能也照顾照顾我这老太婆，把这次的‘优’的名额给我一个，让我在退休前再晋升一级，再涨一级工资，其实也不多，也就多个二、三十元。可也算是对我这辈子有个交待吧。”

没人说话。

“王老师说的都是心里话，大家要是没意见就这么着。”周老头征求着大家的意见。

“就这样吧！”，“就这样吧！”大家也都同意了。

“谢谢大家，谢谢大家，”王老师激动着地大家鞠着躬，“明天，我请客，请大家吃西瓜，吃和路雪。”

还剩一个名额，大家又开始不记名投票。再次唱票后，结果出来了，陈欣然和张艳青分别以三票排在了第一。对于两个业务相当的青年老师，对于两个今年都面临上中级职称的年轻人，必须舍去一个。于是周老头又找来卷子纸撕选票。

“别撕了，周老师，让张艳青上吧！”欣然不想再为这事儿争什么。

“别，你千万别让着我，咱们还是公平点比较好，不然，人家还以为我怎么着了呢！”张艳青并不领情，“再说了，再投一轮还不定怎么样了呢？”

“有这个必要吗？”欣然看着她。吴娟红背对着张艳青向她使眼色，告诉她别放弃。卢老师也在对她使眼色，暗示她一定能成功。欣然看了看两位好朋友，然后对大家说：“我弃权！”

“那你早干嘛来着，你开始为什么不说？不会是怕失败吧！”张艳青看着她。不依不饶。

“我的失败已经够多了，这算什么呀！竖子不足与谋也！”欣然已经不屑去面对这件在她眼里已经变得微不足道的“小事”。

“你说谁俗？你再说一遍？”张艳青冲着欣然大叫了一声。

“你耳背吧？”欣然又平静地重复一遍：“竖子不足与谋也！”

正在大多数老师忙着改卷子，出分数，评先进的时候，教导处的领导们正在忙着另一件大事。二十八位校主任级以上的领导们正在为仅有的十三个位子而忙活着。

在没完没了的会议之后，在上级人事科领导挨个单独谈话之后，终于，一切都变得明了了。谁也无需再去掩饰什么。在上级领导正式宣布了任命决定后，黄伟兰重重地把工作日记本摔在了教导处的办公桌上，气哼哼地说：“有什么了不起的，倒想让我干，我还不干了呢！”后面跟进来的几个人，脸色也都不好看。

“这人事干部有什么好当的，费力不讨好，尽得罪人。每年，一到快涨工资的时候，上面一个文件，我就得加班加点，没日没夜地算呀，算呀。连厕所都没时间去。一分钱都不能给大家算错了。少一分，大家干吗？一到年终考核评比的时候，我那的表一打一打的，我都要一张张地过目，填写，别人都没事儿聊大天了，我这还没完没了呢。每年再赶上评职称，提前晋级，你们说，我这活还有完没完了。我的累正没处说，苦正没处诉呢。要说，还是领导体谅我，知我能力有限，终于把我给解放出来了。我可得好好地谢谢领导对我的关心照顾。”

黄伟兰说着说着自己倒也慢慢地平静下来，她有些不是滋味，因为她说了这么长时间竟没有一个人随声附和她。她没趣儿地拿起桌上的本子说了句：“给别人腾儿地儿去！”走出了教导处。在自己卧薪尝胆多年之后，在自己拥有的实权还没有完全捂热的时候，黄伟兰已经变成了平民百姓中的一员。

黄主任照例穿着白色的跨栏背心拿着杠铃走到了教学楼的大厅里，投入到日常的体能训练之中。他不想参与这场评论，因为他已经是剩下的十三分之一了。教导处主任的位子对于很多人来说费力不讨好，尤其是近几年的学生，打架的、逃课的、抽烟的、谈恋爱的，比比皆是，没人爱管。于是，他黄全能知难而上，稳当当地坐上了这个位子。至于以后，干好干坏那只能是能力问题了。他为自己的出奇制胜而得意，他高声地唱着时下最流行的歌：“你快回来，我一个承办受不来，你快回来，生命因你而精彩……”

教学处的老主任和于主任正在交接工作。老主任马上就到退休的年纪了，此次的竞争对他已没有实质意义。上级领导委任他为教学顾问——愿意就问问，不愿意就歇着，工资待遇没有变化，只等着一到日子就办退休手续了。于主任一边把老主任交给他的东西归类，一边发着牢骚：“唉，这下是被彻底给免了。以后，只有听喝的份儿了。干了这么多年的教学副主任，怎么就不如那边哪，好歹我也为咱校‘争重工作’做过贡献呢!”

老主任劝慰着：“不当也好，你看现在这学生跟前几年怎么比呀。那会儿还真有不错的学生，要长相有长相，要成绩有成绩。你再看今年招来的这批学生，有几个顺溜的。现在各高中都扩招了，来咱们这儿的都是没能力参加中考的。你想能好得了吗？明年，新官上任三把火，肯定得拿教学成绩说事，到时，你看谁难受吧。'塞翁失马焉知非福'呀！"

于主任听着老主任的话，深感自己看问题的浅薄。

外联处的办公室里此时也热闹起来。

原外联处主任夏志刚一边整着抽屉里的东西一边冲着同屋的人说："把我用完了就想一脚踢开，没那么容易。想当初，我在这儿打天下的时候，你们还不知道在哪儿呢。开辟那么多实习点儿，我容易吗，家家回不去，女朋友没时间见。现在可好，说不用我了，连个过渡都没有，直接让我去当老师。我疯了。当老师才能挣几个钱呀，连我每月的烟钱都不够。"

忽然，他像发现了宝贝一样抓起扔在抽屉里的一张名片，照着上面拨起了电话："喂？是人力资源管理部的谢部长吗？我是小夏呀！……哟，真没想到您还记得我！……是这样的，我有点儿私事要找您谈，不知您有空吗？……那好那好，要不今晚上在天上人间？……您别客气，应该的！您能抽出时间来已经是很给我面子了……那说好了，晚上八点，不见不散！"

挂上电话，他舒了口气，他设想着晚上怎么搞定谢部长的事。一抬头，见大家都看着他，"有什么好看的！天上人间，没去过吧！"说着，他拿起手包走了。

正式的任命贴在了学校的告示牌上：

校长兼党支部书记：孙继海

副书记：古秋菱

副校长：郭玉华（主管教学）

副校长：尚和平（主管总务后勤）

副校长：杭惠琳（主管实习经营及财务）

教导处主任：黄全能（主管南校学生工作）

教导处副主任；赵护宁（主管北校学生工作）

教学处主任：赫红梅（主管北校教学工作）

教学处副主任：于忠实（主管南校教学工作）

外联处主任：陈平

外联处副主任：张力勤

人事主任：寇怀正

总务主任：向南杨

欣然和同事们一起看着学校的人事变化：十三个人当中，古书记、黄主任、于主任和总务主任向老师是南校老师熟悉的，其他的人却都很陌生。当然，欣然还多认识一个郭玉华校长。大家对校长孙继海的名字十分生疏。方校长已正式办了退休手续，校长为什么不是贾校长。放假以后，陈欣然才从别人的口中知道，原来北校的那个贾校长，为了能提到正处级的位置费尽心机，他利用个人关系偷偷改了自己的出生日期，于是就顺理成章地取代了方宏进当上这所省市级重点校的校长。其实，他比方校长还大三个月呢。当然，好事不出门，坏事行千里，这件事在一个很偶然的时候被上级人事部门的领导发现了。为了大家的面子，为了上级主管部门的面子，谁也没有声张这事，便从别的学校调来了一个新校长，真正地体现了干部的年轻化和知识化要求——据说，四十岁刚出头，还具有研究生学历。

十八

很快，中级职评的工作开始了，二十四名老师争夺十个名额。欣然在没有花任何力气的情况下，人事干部就把《职称申报表》递到了她手里，她按照指导，在每一个空白处都填上了该写的，包括公开课情况、论文获奖情况、著书情况。表很快就报到了区教委。一切都在已没兴趣的情况下纷至沓来。

在欣然填完表格后，郭校长还特意找了欣然。面对郭玉华，欣然不知是喜是悲，“夺子”的痛苦再次涌上心头。郭校长倒像什么也没有发生一样，热情地拉着欣然，先是和她聊着母亲的身体，个人的婚姻大事。然后，她才直奔主题，让欣然不要辜负领导对她的器重，要正确对待领导在各个不同时期的工作安排。最后，她还很得意地拍着欣然的肩膀说：“看，当时我许给你的职称可是兑现了吧！年轻人，舍得舍得，不舍去点怎么能得到呢。以后，遇事可不要太冲动。听领导的话不会让你吃亏。评上了中级职称，可不要让我失望呀，一定要好好干，你可是我们学校年青教师中很有发展前途的，要能力有能力，要经验有经验，可别让我错看了你！”

欣然原来还在哼哼啊啊，并没想说什么。对于此次职评她多多少少有点感激郭玉华，毕竟在有限的名额里，别人真是费尽心机，相对而言她却显得唾手可得。可是，面对郭玉华最后几句买好的话，欣然的狗脾气又上来了，她开始漫不经心、晃晃悠悠地听着郭玉华最后的“肺腑之言”，最后，她还了拽出一句：“您千万别把我太当回事了，我可不是东西了！您要是觉得亏，现在后悔还来得及！”

在临近学年工作结束的最后几天，老师们已经开始放松心情，等待着暑期休整时间的到来。办公室里，大家有说有笑地吃着王敏之老师买来的西瓜、桃和李子。为了庆祝能在退休前再涨一级工资，为了表示对大家的感谢，王老师没少花钱。她一边把水果洗好、切好，送到每个人的跟前，张罗着大家吃，一边还说着：“不够，我再去买。”

这时，大家才发现卢老师从一早就没露面。不过，已快放假，该干得活也都差不多了，该评选的也都有了结果，于是大家也就你好我好大家好了，谁也不再去关心迟到早退的破事。王老师把每样东西都留下一份放在卢老师的桌子上：人不在，东西可不能少！

大家正吃得带劲，忽听远处传来一阵《哀乐》声。大家不由得皱了皱眉，真够烦心的：这声音已有俩月没听到了。军乐团水平已大大提高而且还在市里获了奖，最近一直练习的是一些欢快的曲子，如《春节序曲》、《晚会》等。

“真是抽风呢，整天叫我们这些老家伙听这个，不是咒我们早死吗？”周世仁是一个对“死”异常敏感的老人。

“这说话就放假了，怎么会计室也没通知咱们发钱呀？”郑义边吃边问。

“不知道，我也好几天没去会计室了。他们那儿这几天老锁着门，也不知都干什么呢？”祝华接了句嘴。

“不会是在给咱们数钱吧？”张艳青总是爱想美事儿。

“做梦吧，以前平均一个星期去回会计室的日子再也没有了！”周老头叹了口气，“我家的日子是每况愈下了。你们胡老师开始还以为我藏私房钱呢，死活都不信，要不是有天遇到了方校长他夫人，我就是跳到黄河也洗不清呢！”

“谁叫你当初没留一手，尽想表忠心了，结果，领导反而对你起了疑心吧！”祝老师又拿周老头开起了玩笑。

周老头苦笑着说：“我倒想留一手呢，成吗？这边还没发呢，那边也不知怎么就得了信了，而且信息异常准确，不容你半点私心杂念。到了，我也不知道是谁告的密！”

周老头一直就是个上午刚发五百，下午兜里就只剩二十的主，是大家一直公认的模范丈夫，原以为他是自觉自愿的，谁知原来也是被逼上梁山。

正说着，卢老师快步走进了办公室。

“卢老师，你干嘛去了，大家都等不及了，只好先开了，给你留了一份！”王老师赶紧尽地主之谊。

“妈呀，快渴死我了！你可真是我的大救星！”卢老师说着就把一块西瓜送进嘴里。

“那边儿军乐团干什么呢？怎么又练上那个哭丧调了？快放假了，徐老师也不让大家松快松快！”周老头还在抱怨。

卢老师的嘴停住了，眼圈红了。她忍了忍，没扛住，哭了：“您别说了，徐，徐老师他没了！”

办公室里的人都被这突如其来的消息给惊呆了。谁也没想到前两天还在学校里忙上忙下的徐老师会忽然之间就没了。

“怎么回事？怎么回事呀？”大家七嘴八舌。

“房子，还不是为了房子！”卢老师哭着说出了原因。

徐老师是这次分房的参与者。他已经快退休了，自己原先住的一间租来的私房在几年前的夏天被房子原来的主人按政策给收了回去。学校领导看在他一把年纪，夫妻俩又都是教师的份上，在学校堆放桌椅的仓库中给他和家人腾了一块栖身之地。这次，学校分房，他按要求填了表，然后又在全校大会上发了言，向大家说着自家的苦。在领导再三权衡之后，他被排在了分房的第四名。也就是说，如果学校能向上面争取到第四套房，他就可以搬新家了。于是，他苦巴巴地等着、盼着。一直到六月初，领导才告诉他，上面只给了三套房，他这次没有可能解决了！为此，老实厚道的徐老师老泪纵横却什么也没说出口。唉，认命了吧，谁叫自己只和别人差零点五分呢。徐老师的夫人可不想再认命了，她在得到消息后，把徐老师骂了个狗血喷头，骂他没用、骂他不是个男人，骂自己瞎了眼怎么就嫁了他，骂他害得女儿没有男朋友……之后，徐师娘哭着回了娘家。几天后，他等来的是一张离婚起诉书。虽经法院几次调解仍无效，徐师娘是铁了心要和他这个“没出息”的男人离婚。徐老师把揣了几十年的红本本儿很不情愿地换成了一个崭新崭新的绿本本儿。就在他有气无力地、做好了充分的思想准备、打算和破桌子破椅子共渡后半生的时候，领导一个通知把他从住了上千天的所谓的“家”招呼到了办公室。

“徐老师，恭喜你呀！”刚在校长办公室坐下，本次主管分房工作的贾校长就笑着对他说。

“喜？我是有喜了，我现在自由了！”徐老师苦着脸自嘲地笑着说。

贾校长并没注意听徐老师的话，从办公桌的抽屉里拿出一样东西握在手心里走到徐老师跟前坐下，“徐老师呀，没有人比你的命再好的了。你可要好好地谢谢我，说什么也得请我喝一顿儿吧！”

“请，肯定请！我都自由了一定得庆祝一下。”徐老师词不达意地说。

“告诉你一件事，分房排名第二的校办厂的霍经理被人给揭发了，他们家不但有房，而且还不是一套，光他老婆银行在今年年初就分了一套一百四十多平米的大三居给他们家。这人啊，就是不能干缺德事，没有不透风的墙。这不，经过我们分房办公室的周密调查，情况完全属实，他被剔除了分房的资格。于是，老徐呀，好事就自然而然地落到你头上了。”贾校长边说边看着徐老师。

徐老师还沉浸在离婚的事件中，贾校长跟他说的，他根本就没往脑子里去。“是吗？够倒霉的。他怎么做事那么不小心呢。他可是个精明人，这次怎么演砸了呢？”他木讷地自言自语着。

“我说徐老师，这对你是好事儿呀！”贾校长看着他，“给，今天就把钥匙给你，你就可以准备搬家了！”说着钥匙已经到了徐老师的手里。

“搬家？我可以搬家了？往哪搬？”徐老师举着手中的钥匙一脸茫然地问。

“你说往哪搬，当然是往新房搬呀！”贾校长看着他，“你是不是高兴糊涂了？你轮上的这套还是在三环里的，周边的商品房要卖五、六千呢，你可是捡了个大便宜！”

“三环里？五、六千？那得多少钱呀，我可买不起，您还是另给别人吧！”徐老师自顾自地嘟囔着。

“什么乱七八糟的，不要钱，是分给你的，快回家，报个信，尽快装修，别老住在那个仓库里，怪憋屈老婆的。”校长说着把徐老师送出办公室的门。

徐老师站在楼道里，看着那把他日日盼、夜夜想的新房钥匙，忽然大叫了一声：“素梅，咱们要搬新家了！”话音未落，“扑通”一声就倒在了地上……

“等把徐老师送到急救中心时，他已经咽气了。家里赶去的人哭得死去活来的。他的夫人，昏过去好几次。等想起来给他换寿衣的时候，才发现他手里还紧紧地攥着那把新房的钥匙，怎么也抽不出来，他夫人哭着劝大家：‘别拿了，就让他攥着吧，这样他走得也踏实了！’”卢老师抽泣着向大家说着事情的经过。

每个人的心都沉甸甸的，欣然的眼泪忍不住往下流：徐老师，那人一天到晚忙活着的好老师，那个看谁都会善意地笑笑的老好人，那个在欣然值班时送来刚得的还热气腾腾包子的小老头，就这么没了，就为了面积还不到五十平米的一套房子。

卢老师擦了擦眼泪，“我得走了，那边还等着呢，学生们后天给老师送葬！”

徐老师的追悼会是在八宝山举行的。南北两校的全体老师按上级要求都参加了。大家穿着素服，臂戴黑纱站在灵堂的外面。没人说话，静静地等待着告别仪式的开始。军乐团的学生们盛装出现在这里，鲜亮的衣着更衬出人们凄凉的心境，衣服肩头别着的黄色绶带显得格外地刺眼。经家属的要求，学校送给徐老师最高的葬礼规格——学校的军乐团现场吹奏寄予着大家无限哀思的《葬礼进行曲》。这在整个区甚至是全市教师中都可能是第一次，有可能也是惟一的一次。徐老师再也不会想到，那个由他一手组建起来的军乐团，那个因吹奏《葬礼进行曲》而找到了诀窍并获大奖的军乐团，今天会为自己的葬礼派上了用场。

哀乐缓缓地响起，气韵一体令人荡气回肠。老师排着队慢慢地步入摆满花圈的灵堂。徐老师平静地躺在鲜花丛中，双手平放在身体的两侧，脸上带着平静的微笑。和他相识也有七八年了，惟有今天的徐老师才显得那么安详满足。欣然站在徐老师的面前，手里捧着一大把洁白的百合花，那花正散发着阵阵香气。她把花束轻轻地放在徐老师的身上，不经意间，她看到了徐老师右手指缝中露出的一截小线——那把让他送了命的钥匙还紧紧地握在他的手心里。欣然站定，注视着他，深深地鞠了三个躬。此刻，她已是泪眼模糊，她觉得那上面躺着的就是未来的自己——也许也会如此地安祥、平静。好多老师忍不住哭了，学生们也哭了，哀乐声慢慢地走了调、断了气、停了下来……

站在徐老师身边的是他的女儿和杨素梅——那个在法律上已不是他妻子的女人。领导们和家属握手说着安慰的话，杨素梅听着一句句话却始终是面无表情，她眼睛一刻不间断地、死死地盯着躺在灵床上的已和她没有法律关系的丈夫，眼里已没有了泪……

告别仪式结束了，火化工走进了灵堂，开始移动徐老师的棺椁，就在徐老师即将被抬走的那个瞬间，杨素梅凄厉地叫了声“天呀!”就扑倒在和她朝夕相伴了三十年的老伴儿身上，然后，被一起抬了出去……

火化场的上空迷漫着一股难闻的味道。欣然仰头看着那个向外冒着清烟的高烟囱，心里空荡荡的：人一辈子到底在争什么呢，到头来还不都化作一阵轻烟，带走的只有手里的一把指甲。

也许，人只有到了死才会变得这么平心静气，变得平等。如果他们此时又活了过来，他们还会争吗？

火化室的后门开了，火化工叫着一个人的名字，围上来的是一群民工模样的人，一个男人的手里捧着一个破鞋盒，他一边从火化工递出来的盆中捡着骨灰一边哭着说："兄弟，对不起了，谁叫咱们没钱呢，你就将就着回家吧！"

欣然看着他们，看着他们身边一个戴着墨镜的年轻人，他手里捧着的是一个大理石骨灰盒。她把兜里仅有的三百元钱递了过去，"给他置个好点的。"说完不再看那几个民工，转身离开了这个人世间的伤心地……

看来，人到死都不可能平等了。

无聊之极，欣然接到了来自河南的电话，是跟她借论文的那个人亲自打的。他非常感谢欣然在他最危急时刻的鼎力支持，他的高级职称已经上报了。而且，据圈儿内人士透露不会有任何意外发生。他还让欣然放心：由于他在论文的每一个观点前都加入了带着引号的相关理论著作中的原文，因此，对于只关心开头和结尾的评委来说这已经是一篇非常不错的"理论联系实际"的优秀论文了。

"如果有机会我到北京来，一定要当面好好谢谢你呀！"对方在电话的最后真诚地表示着。

欣然觉得自己干了一件十分龌龊的事情。自己整天跟学生们大谈什么诚信，自己整天为社会上的弄虚作假而生气，但是，当事儿真到了自己头上时，原则也变得不过如此了。

随手翻看着不知哪天的《北京青年报》，上面正刊登着披露北京大学教授王某某剽窃事件的追踪报导。王某某面对记者的采访表现出的"似有难言之隐"状，让欣然觉得恶心，一个连小孩子都知道错了的事情，他怎么还会在那腆着脸说呢！

记者们痛心疾首地反思着学术腐败的社会现状和可怕后果，令欣然看得更加心灰意冷。如果说那位朋友的剽窃只是为了满足自己获得高级职称，这一小小的愿望尚不对社会构成太大的危害，还可以理解的话，那么，像王某某这样的，处于象牙塔中的天之骄子，在学生面前大谈特谈他所谓的科研成果时，他是否会心底发虚呢？名誉、地位、房子、票子他可能早都有了，如此剽窃之举他又想获得什么呢？只能是自己丑陋的虚荣心在作怪吧！

走到校门口，欣然遇到了平时总是对她很热情的秦老师，今天她却灰着脸，没有打招呼的意思。

"秦老师，怎么样，拿到毕业证了吗？"欣然主动地和她说话。

"毕业证?！我的毕业证永远没戏了。"秦老师低声地嘟囔着。

"怎么？论文不行？没通过？"欣然忽然多了份自责。要是自己能多上点儿心，也许秦老师就能拿到毕业证了。

"跟你没关系。你说，我怎么这么倒霉呀，好说歹说快熬到头了，上面竟然下了正式文件，说党校的文凭没用了，我这几年的功夫不都白费了吗！"秦老师说着说着眼泪就出来了。

欣然虽然早就觉得党校的事儿不靠谱，凭什么别人费尽心机地要参加全国统一考试，他们就可以随便报名上学还一样拿文凭享受国家要关待遇，但却没想到这事儿这么快就变成了现实。她本想劝劝秦老师，可现在，说什么也没用了。谁难受谁最清楚。

欣然刚想说点什么，秦老师就被传达室的纪大爷叫去拿报纸，于是，她脚下抹油——溜了。

工资到放假的最后一天也没能按时发下来，原来，会计室的周姐在知道自己没有分房的指望后，到教委房管办去理论，不知什么原因，她从教委四楼顶层的平台上跳了下去……

十九

北京七月中旬早晨的八点钟，老天爷已经开始发火了。大街上白晃晃的一片，黑色的沥青在炽热的阳光下开始慢慢融化流动。匆匆赶路上班的行人低着头冲向车站，不敢抬头去面对天上那个白亮白亮的圆东西。爱惜自己的漂亮姑娘打开了好看的遮阳伞，躲进那片有限的阴影里。树叶被灼伤了一般，耷拉着脑袋，只有那已发黑的墨绿色还表明它是个活物。知了头天晚上因燥热无法入睡唱了一夜，此时不知躲到哪里去了，无声无息。

一扇大铁门里，一栋围合式的五层灰楼的每一间屋子里都有一群人：上面站着一个，下面坐着一群。站着的那位不停地在说，不时地擦擦脸上淌下的咸水，不时地拿起杯子狠狠饮一口浓浓的飘着热气的黄水，不时地在一块黑板上写着什么。坐着的一群则没有那么规矩：有抬头听讲不时记着笔记的；有头枕着桌子、手里正捧着一本时下最流行小说的；有低头写东西的；有轻轻聊天的；有嚼着口香糖的；有跷着二郎腿、手里不停地挥着扇子的；有趴着不动的，嘴角还挂着流下来的口水的……在这群人中，男男女女老老少少全有。有梳着小辫的、有烫着卷发的、有黑发披肩的、有青皮板寸的，有华发斑白的，有一脸稚气的、有满脸皱纹的……

这可不是什么普通的学生暑期培训班，那些年轻的并非孩子，年长的并非家长。这是暑期本市某区举办的中小学在职教师继续教育的面授课课堂。此时此刻，在北京的十八个区县里，都在上演着类似的一幕。自从教育终身制原则提出后，自从人们越来越关注学生的素质教育后，自从社会的发展越来越需要高素质的精英人才后，教师的继续教育工作就被市教委纳入了日常工作并安排到了各区县的教师进修学校。此项工作要求教师必须参加继续教育且累计满三十六学分方算合格，并因此下发相应的结业证书，此证书将作为教师今后应聘上岗的一个硬件条件。另外，这三十六学分中还有几个硬性规定：第一、必须通过北京市职称办举办的计算机等级考试，可获得六学分；第二、必须参加各专业相应面授课，达到一定学时并完成相关书面作业，可得八至十四分不等的学分。第三、必须通过《教育法规》和《教师职业道德》的考试，各可以得到两学分，另外，老师还必须利用业余时间读相关的专业书籍并写出论文，可得三分……总之，各校为了不影响各自的教学计划，就把这类面授课的培训放在了法定的休息日——周末及寒暑假。于是《教师法》中规定的教师享有法定休息日的权利就被“合理”地剥夺了。

暑期上课的第五天，陈欣然皱着眉头坐在这栋楼顶层的一间朝南向的教室里，她在靠后门的一张桌子前占了个地儿。这是这期培训班的倒数第三天了。想想这个学期真够辛苦的，不但平时要上课，近期的周末还必须拿出一个整天来这个鬼地方。从上午八点半一直坐到下午四点才放学。随着天气越来越热，这种生活也变得越来越难过。

昨天下午，教室里已达到四十多度的高温，所有人都像被困在了桑那房一般。上西方文学史的戈老师那深蓝色的衬衫背后被汗水重复着划出了若干个白色的痕迹，有深有浅，不仔细看，还以为是一件时尚味实足的蜡染衬衣。一位五十多岁的男老师在戈老师正讲得投入时忽然滑落在地上，发出了“砰”的一声。于是大家都笑了，笑他睡着了都不能含蓄点。但很快，大家都止住了笑，那位老师倒在地上一动不动，嘴里冒着白味，面色通红——中暑了。于是，拿水杯的、递凉毛巾的、掐人中的、叫救护车的、报112的，……

于是，大家在这位老师“勇于自我牺牲”的前提下，得以提前放学回家。

今天，欣然能抢到这个位子实属不易。坐在最后的同学放学时可能忘了插上后门，她早上来时无意中靠在门上，被闪了一下，才得以提前进了教室。大家都认识到这个位子的两大好处：第一，有穿堂风，相对比较凉快；第二，可以乘老师不备，在记过考勤后溜号。因为面授课规定，学员每门课只能缺两次课，再多就没有成绩了。于是，大家分外地珍惜这两次机会，都尽量地让它物超所值。有些聪明的同学率先发现了这个位子的优势——在老师点完名后趁其背对着大家写板书时，悄悄地溜走。但很快，这一破绽就被老师给发现了，于是，道高一尺魔高一丈，有的老师便采取了上课点一遍名下课前再点一遍的损招。

当然，学生逃课并不是针对每一位老师的。例如西方现代文学和拓展思维作文两门课就很少有人会请假，因为大家都能从中获得这样或那样有用的知识。但遇到有的老师的课，例如，正在讲台上正狂“喷”的讲课堂教学技法的老师，此人姓马，原为石景山区某重点中学的语文教师，后因在校不得领导赏识才调到此地（这是他第一天上课花了近一个小时讲的内容）。

马老师现年五十岁，坐在讲台后一张椅子上，左手不停地摇着一把黑色的纸扇（那纸扇很容易让人联想到解放前上海滩的黑社会老大），右手的食指和中指间夹着一根粉笔，那夹法更像是一根香烟，说着说着停顿一下，端起讲台上的水杯大声地喝一口，狠命地咂吧咂吧滋味，然后重重地放下再说。先不说他讲的是什么，单是这种讲课的姿态就让欣然接受不了——所作所为一点没有为人师表的样子，更不要说符合《教师道德规范》中的要求了，也不知他是否经过了继续教育的培训。

“……现如今这社会，一定要会讲理，要以服理人才能把自己的损失降到最低点。前段时间我们家装修，我请了个装修队，虽然我已经做好了充分的思想准备，跟他们又是签合同又是亲自监督，结果还是令我不堪忍受——他们的活做得特差，最后，他们竟然还敢找我来结账，我哪能这么便宜了他们，于是我就一不做二不休……”欣然觉得他上课的样子更像是戏园子里的说书人。

欣然才懒得关心他们家的那点破事，脑子里开始迅速地运转，设想这位有着强烈的自我行为、暴露欲望的老师所讲的后两节课该如何打发。昨天下午在课上，他用教学技法的“教师的榜样力量”引出了他是如何如何教育女儿成为白领丽人月薪万元的，前天上午，他在课上用教学技法中的“教师具有示范性”引出他过去教育的学生是如何如何成功后去他家孝敬他的，……结果，有位老师当场问他“如何处理学生上课没完没了接下茬”的问题，他的回答十分简练：“关键在于引导。”再问：“那如何引导才能避免呢？您能不能讲讲您的实际操作经验？”他却以“此非本节课要讲的要点”而回避了。一节课都过半，可他还没有写板书的意思，看来“逃跑”的可能性不大，于是，欣然从书包里拿出了陈忠实的《白鹿原》有滋有味地读了起来……

第二节下课，马老师点名划完考勤后，陈欣然趁着课间休息的时间溜进了计算机房。

计算机教学已经作为一种教学手段开始引入到各校的课堂上，什么绘图功能、幻灯片功能、动画功能等都是现代教师需要掌握的教学技能。很多老师家虽还没有添置此项设备，但由于有考试卡着，所以，许多老师都在学校抓紧时间增加上机的机会。机房里，几十台电脑正在同时运转，空气中弥漫着很浓的电子雾味道。两台大空调“拼命”地尽职工作着，使原本就难闻的味道更加强烈，但其所拥有的春天般的凉爽却又让大家很安心地呆在这里。欣然找了一个空位子坐下，开始练习制作幻灯片的POWERPOINT。

“老师，请问在WORD中如何在每页的文章下加页码？”一个苍老的声音在发问。

陈欣然停下手中的活，抬头看了看坐在自己身边的这位老师。他也就四十五六岁，但头发已有一半都是白色的了，鼻子上顶着一副老花镜，桌面上还放着一副眼镜。他正着急地看着她。

“您打开视图菜单栏就可以看到页眉页脚选项，点击它就可以根据需要设定了。”欣然并没有停下手中的工作。

“视图菜单？在哪？”他的脸凑近了显示器。

“上面菜单栏的第三个不就是吗？”欣然看了他一眼再次提示道。

“第三个？”说着，他摘下鼻梁上的眼镜把桌上的眼镜换上，“哟，在这儿！”他高兴地说。“然后呢？”

“然后您就找页眉页脚选项，点击它就可以根据需要设定了。”欣然见他已经找到，觉得问题已经解决了。

“你慢点说，我这把年纪眼睛开始花了，以前又有近视，所以得两副眼镜换着用，可麻烦了，你别急，慢点，我跟不上！”他态度近乎商量。

欣然站起来走到他的电脑前，说着拿起了鼠标在显示器上边演示边说：“您只要这样，这样，再这样就行了。”

“你能慢点吗？我反应不过来。”他再次抬起头，望着她，商量的口气。

于是，欣然放慢了速度，重又把操作过程一步步地分解并慢慢地演示了一遍。

“哟，这么着就成了。多谢多谢！”他说着，又叹了口气，“都这把年纪了，手也慢了，记性也差了，眼神也不好使了，到考试时可怎么办呀。爹妈要早生我三个月，我也就划在免考的线里了，这可好，我连键盘都看不清，考文字录入时，我哪儿过得了关呀。”

“您别着急，慢慢练，过一段时间就好了，您如果练会了盲打，就不用看键盘了。”欣然安慰道。

“盲打？我现在不就是在瞎打吗？”他不知是风趣还是真不懂。

“盲打是指不看键盘就能录入的一种方法，只要键盘熟了，掌握了规律就行。”欣然解释。

“难学吗？”

“还行吧，您不妨试试。”

看着男老师认真求教的真诚态度，欣然不忍心再回绝他，就用了近一节课的时间来教他如何掌握盲打。他认真学着，虽然不时地出错，但他似乎从中看到了希望，还在不懈地努力着，以至于鼻头上已经冒出了汗珠。其实，欣然的C级录入技术也是练了很长时间才掌握的。但欣然还是不断地鼓励着他。

午休时间，陈欣然走进餐馆，一眼就看见了进修同一个专业的班上同桌。虽然大家彼此不知姓名，但已是熟脸。

“嘿，你好，你也在这儿吃饭？我可以坐这儿吗？”欣然上前打招呼。

“你好。你刚才干啥去了？”斜梳着长辫的女同学问。

“听着没劲，上机房了。那可凉快了！”欣然边说边拿起菜谱。

“那个自恋狂上第三节课时见少了十几个人，气疯了。下课时又点了一遍名，他怕有人代答“到”，就让大家点一个出去一个，所以，没帮上你的忙！”斜梳着长辫的女同学说。

“什么？天哪！太狠了！这个自恋狂。怎么跟我们上大学的哲学老师似的，那会，老师和学生是猫与老鼠的关系倒也罢了，现在，猫跟猫还来这套。”欣然不由自主地叫了起来。

“你就算好命的了，还好你没走，今天下午上课的老师有事，临时和他换了天课。下午还是他，那些走的人可就惨了，一下就累计了缺勤贰次，这说着可就没成绩了。以前的课也白上了。”

斜梳着长辫的女同学又说。

“他自己讲得不好还强迫大家听他讲废话，简直是误人子弟。要不是有考勤管着，我才不给他面子呢。唉，咱们区怎么搜罗了这么块料，我们的教育事业怎么能好呀!”欣然感叹着。

为了庆祝今天的虎口脱险，欣然请斜梳着长辫的女同学吃饭。由于人多，饭菜上得很慢，她们快速地吃完后快步赶回教室，不想再落入那个自恋狂的虎口，

上课的时间已过去十几分钟了，连老师的影子也没有见到。这是“自恋狂”上的最后一节课了。欣然开始后悔浪费了那半盆冒着辣椒香的水煮鱼——那可是她的最爱。

一点半，马老师终于露面了。他走进教室，站在讲台后面，忽然，挥动着大臂带动着小臂，把手中的教案在空中划了个很大的弧后重重地拍在铁皮面的讲台桌上，发出金属介质的“嘭”的一声。接着，用咖啡瓶改造的水杯也被重重地磕在桌子上，由于用力过重，水从底部流了出来。

他站在讲台上，右手“哗”地打开黑色的纸扇子，快速地挥着，左手插在腰上，在讲台上来回地走着。忽然，他停下来，冲着下面的老师们吼道:“你们还有点教师的素质吗?有本事你们别干这一行，别吃这碗饭。外面有的是高收入的好工作，可你们有那个本事吗?好像你们是在给我学习似的，实话告诉你们，我还不想来呢。这么热的天，我在家呆会吹着空调好不好?我干嘛非要跑到这儿来受这份罪。有些老师实在是太不像话，一次次地逃课，你们以为我没看见?我心里跟明镜儿似的，只不过不说什么罢了。你们却还得了脸了，今儿上午第三节课，竟然一下少了十几个人，你们当我是傻子，我不会数数呀!告诉你们，你们别太过分了，把我逼急了，看我怎么治你们。想要学分，门也没有!”他重重地把扇子合上“啪啪”地敲打着桌面。

“你有完没完，走的已经走了，让我们这些没走的，听你这

些话管什么用呀!”一个男老师的声音，那音量虽不大，但全教室的人都能听见。

“谁呀？这是谁呀?”马老师的脸变得通红。

“你要是上课多讲点有用的东西，谁还会跑!”一个坐在前排的女教师冲着他直言不讳。

“你们——你们还对我有意见了?”马老师的脸变成了青色，扇子更快速地挥动着。

“那别的老师的课怎么没人跑哪？为什么偏偏是你的课……”前排的女教师再说实话。

“啊，说来说去，你们跑得还有理了?”马老师的脸皮变成了白色。

“反正呢，一个巴掌拍不响。”年青人的声音。

“好啊，你们对我有这么大的意见，那你们去反映呀！你们去请高人来上课呀!”自恋狂在上面叫喊着。

“我们还真想找地儿说说呢!”前排的女教师再次接过话茬。

欣然从心里佩服她的勇气和直率。老马听到这儿“啪”地合上扇子，拿起讲义说了句：“有本事，你们找去吧!”摔门而去……

教室里一下子安静了，没有人说话。热浪从窗口一阵阵扑面而来，大家的脸上满是汗水。虽然很多老师在进修前都听前期教师介绍过“自恋狂”的情况，但这么长时间大家都忍了，谁也没想到今天会出现这种事情，唉，九十九拜都拜了就差这最后一哆嗦。

“嘿！大家还愣什么神呀，下课啊!”留着板寸的年轻男老师叫了一嗓子，拿起书包跑出教室。

“下课了，下课了!”大家三三两两地说着、笑着结伴离开了这间热得快蒸死人的笼屉……

走过别班的窗子，教室里的老师们望着提前放学的人们，眼里露出羡慕的眼神。欣然和大家一起走下楼，谁也不想再去关注“自恋狂”的情绪。事儿已经出了，听天由命吧！

后面两天的课，大家谁也没再提这件事，班主任竟然也没有再问起。只是在放假前，由班主任留了每门课的论文题，说好开学交来就可以了。

二十

八月初的一天，欣然应高三毕业学生的邀请，来到了位于学校附近的天外天。但让她惊讶地是来聚会的只有三名同学。

“陈老师，今天我们请客，您想吃什么？”语文课代表梁丽丽首先发出邀请。

“吃什么都无所谓，不过你们得先告诉我，为什么要请客？”欣然本想自己请大家的。

“也没什么事，只是想请你。”邹晓瑛平静地说，但眼睛里分明有很快乐的事。

“是不是有什么好消息要告诉我呀？”她看着学生们的眼睛，直觉提醒着她。

三个女生什么也没说，从身后的书包中分别抽出一张纸恭恭敬敬地展现在欣然的眼前——三张大学录取通知书。

陈欣然激动得不知拿哪一张好，最后，她把三张纸都摊在桌子上，看完这张看那张，看完那张再看这张，她一直在笑，嘴里不由自主地在说：“太好了！太好了！真是太好了！”外人是根本无法体会她这个当老师的看到学生迈进大学校园时的感受的。因为职高学生的基础实在是太差了，他们为了能步入大学而付出的努力是普通高中的学生所无法体验的。

“拿给家长看了吗？”欣然激动地抬起头问，她无法想象孩子们的家长看到大学录取通知书会激动成什么样子。

“还没呢，今天下午刚拿到的，我们三个一块拿的，所以就把您给约出来了。”方辉说。

“孩子们，为了庆祝你们考上大学，今天我请客!”陈欣然宣布着。

“那怎么成，怎么也应该是我们来感谢您呀!”梁丽丽说。

“离开了学校，我就是你们的大姐姐了，姐姐为妹妹们庆祝难道不应该吗?”欣然高兴地看着大家。

“这怎么可以呢?”

“有什么不可以的，等以后你们挣了工资，我一定会让你们请客的。服务员，点菜!”欣然说着冲服务生挥了挥手。

三个小女孩儿和一个大姐姐有说有笑地吃着、聊着、笑着。

从洗手间出来，陈欣然无意中撞见了郭玉华，她也在这家餐厅吃饭。

“哟，陈老师，这么巧，是你呀!”郭校长主动地打着招呼。

“您好，您和家人来吃饭呀!”欣然边洗手边寒暄着。

“啊，这不，前些天新生军训刚完，请几个辛苦受累的老师吃顿饭。”郭校长也冲着手说。

陈欣然早就听北校的老师说，他们的领导特别爱吃饭，动不动就会聚在一起上酒楼。但是，欣然没有想到放假期间，纯粹的私人时间，他们竟然也会聚在一起。

“听说你任课的高职班今年考得不错呀，有十来个学生都上了大学，很有成果嘛!”

“成果是所有老师的，我只不过是其中的一份子吧!”欣然既谦虚又不无得意地说。

“这可是我们学校的大事。等开学，我一定让校长好好地请你们吃顿大饭，说上哪吧，到时候，我们主要领导一定去捧场。”

“多谢领导，开学再说吧。我那边还有人，我先走了。”欣然不想再说，推辞着离开了。

正当她和学生们聊天时,只见学校的校级领导、主任、副主任和几个新上任的班主任个个红着脸从包间里摇晃出来。同办公室的祝华老师正和新校长在说着什么。忽然,她脚下一个趔趄,新校长一把拉住了她的胳膊。她原来红着的脸更红了,她原本盯着新校长的眼睛更加专注地看着盯着他,不时地发出很夸张的笑声。

放假前的繁忙,减少了陈欣然和若为相处的时间。偶然一次同游潭柘寺,也让欣然的心里有了更多的不祥。那天在大雄宝殿,欣然虔诚地向五位天王祈福,保佑她和若为能更聪明、更有成就、更顺利、更健康、更和睦,并祈了五个符想写上他们两人的名字。可是,若为在每个符上只写了陈欣然三个字,就把它们分别挂在了天王像前。欣然不好坚持,也只能罢了。

暑假里,若为意外地相约欣然去海南岛。在征得家人的同意后,欣然和若为开始了他们的第一次长途外出旅程。

美丽的海南岛,到处是郁郁葱葱的绿色,到处是色彩缤纷的花朵。蓝天像一池碧水,大海纯净得就像朱自清在《绿》中所描绘的:“就像蔚蓝的天融了一块在里面似的。”他们沉醉在大自然的怀抱中,一切都变得像天一样透、像海一样纯。欣然和若为先后浏览了万泉河,兴隆热带植物园,可以和夏威夷媲美的亚龙湾、大东海。虽然已不是第一次见到大海,虽然也不是第一次见到南方的大海,欣然的兴奋之情还是难以掩饰。他们一起到南山寺去上香。欣然在佛祖面前再次许愿:愿佛祖能保佑她和他成为夫妻。

夜暮时分,欣然和若为一起躺在三亚的海滩上,这是他们在海南岛的最后一晚。

她枕着他的胳膊,若为把另一只胳膊绕在她的腰间,不时地抚摸着她的后背。她一只耳朵听着若为的心跳,一只耳朵听着海水涨潮的声音。抬头看着苍穹下闪闪发光的星星,感受世间只有两个人时才有的意境……

“亲爱的，高兴吗?”若为轻语。

“高兴!”欣然惊喜地发现他第一次用了“亲爱的”三个字。

“我有事儿跟你说。”他把她搂紧。

“你是不是有什么事要告诉我?”欣然仰起脸望着他，眼睛因兴奋而闪光，“你可是第一次叫我亲爱的。”

“亲爱的，我……”他语塞，欣然看到了他眼里的泪。

“亲爱的，你怎么了?”欣然吓坏了，她还是第一次看他这样，她伸手去擦，但更大的一串泪珠又涌了出来。

“亲爱的，其实——其实我真的一直一直很爱你。”若为终于把话说了出来。

她被这突如其来的话抛上了天空，她忽然间获得和若为在一起的时光中最祈盼的那句话，她甚至有些后悔应该早点来海南，因为这里才真正是恋人的天堂。

她紧紧地搂着他：“天哪！我终于听到你说爱我了!”在他们相识了九个月后，她终于从他的嘴里听到了她梦寐以求的那句话。她期待着下一句更令她沉醉的请求。

“我们，我们以后能做个好朋友吗?”他的话把她从天上摔到了地上。

“你说什么呢?”她认为他在开玩笑，他是一个很会开玩笑讲故事的人。

“我们以后能做个好朋友吗?”他说着扯开她搂着他的胳膊坐了起来。

“为什么?”她低声地喃喃地问，她觉得自己听错了，她寻找着他的眼睛，他的嘴会骗人但他的眼睛不会。

“我决定回到我前妻的身边去。”他的口中一字一句地说出几个字。

欣然呆住了，两个月前她看到的信，看到的照片再次出现在眼前。她虽然对这事有过思想准备，她虽然很多次都感觉不对劲，但是，两个月来若为只字未提，她也多次在佛祖面前许过愿。而且，这次出门，若为对她的细心关照更加深了她对两个人感情的信心。

她愣愣地望着若为的眼睛："是真的吗？"她不愿相信这个事实，想再次证实。

"是"他回避着她的眼睛。

欣然站起来，光着脚向海水涨潮的地方走去。她的眼光空荡荡地望向黑漆漆的大海。海风阵阵吹动她的长发，也吹动着不远处一片茂密的椰林，发出了"沙沙"的声响。海水一浪高过一浪地扑向她的脚，慢慢地打湿了她的裙边。这条红裙子就是上午在南山寺上香后买的。当时，若为还说她穿上就像一个新娘子。她还开玩笑地问了句："新郎是你吗？"此刻，她竟然没有流泪。若为走过来，和她一起站在海水中。

"你还爱她，对吗？"她轻声地问。

"不爱！"他坚定地说。

"你干嘛不说实话呢？"她有点轻视他。

"我真的不爱她。"他再次坚定地回答。

"那就是她还爱你，对吗？"她换了一种方式。

"她要爱我，就不会在我最难的时候离开我，她要是爱我，就不会十年的时间不让我见儿子一面。"他否定着她的说法。

"那你为什么要回到她身边？"她愤然地直视着他的眼睛。

"为了我的儿子！他已经十年没有爸爸了，我不想他也和我一样，今生都得不到爸爸的疼爱！"他回答。

欣然了解若为的过去：在他幼小的记忆中没有爸爸，没有妈妈，有的只是一个被他称作姥姥的人。在他十三岁时，他回到了妈妈身边，他的世界中有了一个所谓的爸爸，但他所得到的就是照顾和他同母异父的弟弟，干超出他年龄的家务，吃不饱、穿不暖，甚至于连考大学的想法都得不到他们的支持。

“可，可我们以后也可以有孩子呀?”她脱口而出。

“可他怎么办?”若为问。

“那，那我们可以在结婚后把他接过来和我们一起过呀！我们，我们可以不要小孩的，我会——”欣然想着各种可以解决问题的方法。

“不行，那样的话太委屈你了。再说，他母亲也不会同意的。”他打断了欣然天真的设想。

“那，你就以牺牲自己的幸福为代价，你认为值吗?”欣然还想再试着努力努力。

“不知道，我说不好。但是，你可以再找一个爱你的人做丈夫，但我不允许再找一个男人给他做爸爸。你不知道，那天他当着我的面，怯生生的样子，陌生的眼神，干巴巴的称呼，有哪一点能表明他是我儿子，除了长相。我，我不能再………”

欣然见他主意已定，便打断了他还想表白的话，说：“我爱你，所以我尊重你的决定。只是如果，如果你有一天还有结婚的权力的话，希望你能给我一个圆梦的机会。”

她已经不是几年前的那个为了爱可以不顾一切苦苦哀求别人的小姑娘了，爱情生活带给她的伤害让她变得成熟而自立，也让她变得能冷静地接受一切可怕的变故。她虽然很渴望有一个温暖的家，尤其渴望和若为有一个温暖的家。但是，她不会去祈求，她深信，强扭的瓜不甜。

“对不起，亲爱的，虽然我……”若为走到欣然的面前再次把她揽入怀中，口中颤颤地说。

她捂住了他的嘴。此时此刻，再解释什么都是白费。再说千遍“我爱你”也不能改变分手的结局。“亲爱的，我们好好共渡今晚好吗?”欣然表现出超然的态度，“就像《我心依旧》中一样，过一个浪漫的夜晚，你是我最亲爱的，我是你最亲爱的。但请你放心，我不会跟电影里的那个女孩儿一样，我不会哭着求你让我留下的。”

若为什么也没说，只是深深地点点头。

他们相拥着走在椰海中，听耳边的风，听椰林的声，听彼此的心跳。他们在月光下长吻着，动情地让月亮失色，星星无光。

他们到酒吧去喝酒，她给自己点了个“红色恋人”，给他要了个“恋恋风尘”，他们彼此说着甜腻腻的情话，俨然是一对热恋的情人。

他们到歌厅去唱歌，歌厅里没有客人，服务生热情地招呼着他俩。每个桌子上都亮着星星点点的烛光。欣然坐在舞台上开起了个人演唱会，她先唱了梅艳芳的《亲密爱人》，又点了邓丽君的《我只在乎你》、《甜蜜蜜》、《何日君在来》，然后是林忆莲的《至少还有你》再后来是王菲的《我愿意》………她一支接一支地唱，她要把所有她会的歌都唱给他听。最后，当桌上的烛光即将燃尽的时候，若为听到了她的一段表白：

“今天，在美丽的海南岛，我送给我的爱人最后一首歌是《约定》，谢谢你这么长的时间陪伴我，给了我无尽的欢乐和幸福，我最想对你说的一句话是；如果愿意，下辈子别忘了一定要娶我！”

“远处的钟声回荡在雨时，我们在屋檐底下牵手听。幻想教堂里头那场婚礼，是为祝福我俩而举行。一路从泥泞走到了美景，习惯在彼此眼中找勇气，累到无力总会想吻你，才能忘了情路艰辛。

“你我约定难过的往事不许提，也答应永远都不让对方担心。要做快乐的自己照顾自己，就算某天一个人孤寂。你我约定一争吵很快要喊停，也说好没有秘密彼此很透明，我会好好地爱你，傻傻爱你，不去计较公平不公平。”

房间里，若为裹着裕巾靠在枕头上听着卫生间的水声出神。

欣然在卫生间里用热水洗过澡，全身的肌肤在润肤油的润泽下更显出健康的光泽。她把如瀑的长发用夹子别在脑后，然后在颈项、耳后及手腕上都用了香水。这是她和他的第一次也是最后的一次，也是惟一一次的完完全全的肌肤之亲，她要给他留下最美好的回忆。

她穿上酒红色的真丝吊带睡裙，带着一股淡淡的花香站在了他的面前。他伸手拉住她，她就势躺在了他的身边。她渴求着他的下一个举动。他翻身压在她的身上，慢慢褪去她睡裙的肩带。她的躯体慢慢地暴露在昏黄的灯光下，闪着丝般柔和的光泽。他用手轻抚她每一寸肌肤，感受着从她的胴体上散发出来的阵阵体香，她从他的抚摸中感受着他的爱意，浓浓地浸润着她的身体。他开始用唇亲吻着她的身体，从唇到颈项、延伸到她的双乳，一直向下，向下……多少个夜晚，她想象着他们在一起的样子，她多希望能把自己给他，自己能全身心地拥有他。今天，当一切变为现实的时候，她投入地、不失时机地变换着姿态回应他，她第一次如此真切地触摸着他的肌肤，感受着他身体棱角分明的肌肉群，在日光下的海水里浸泡暴晒过的肌肤发出黑里透红的光泽……在她认识并爱上他后，她最后悔的就是不再拥有处女之身，不然，她可以用她的每一个第一次来回应他对她的爱。

在最激情的时候即将到来之时，若为把头埋在她的胸前无声地哭了，像个受了莫大委屈的孩子靠在妈妈的怀里，他无法继续他们曾经约定在新婚之夜才做的事。她像母亲一样抱着他，用手抚摸着他的头发，不时地吻着他的耳朵、头发和额头………

屋里静悄悄地，室内的灯光越来越暗，外面的光线渐渐透进了屋里……

飞机在空中抖动，喇叭里传来机长的声音：飞机遇到强气流，请大家系好安全带，不要慌张。空姐们穿梭在座舱的走道里，检查着每个人的安全带。欣然把自己的右手伸进若为的手心里，两手交叉相合，她把头靠在他的肩上找了一个相对舒服的姿势，平静地看着窗外迷迷蒙蒙的一片，脸上带着一丝笑意：如果飞机真能在这一刻掉下去，她和他就能永远在一起了……

欣然的白天是忙碌的，她的夜晚又浸泡在泪水里。她虽然时时地劝自己：没有若为一切还可以从头开始，但是，想要从心底里忘记一个和她有情感经历的男人又是何等的不易。

在一场滂沱的秋雨之后，欣然剪掉了一头长长的秀发，因为在丝丝秀发间她还能时时刻刻感受到若为抚摸过的手温。她在郊外的小河边，把记录着她和若为相恋时一幕幕回忆的日记看一页撕一页，然后让它们像碎花瓣一样随水而去……她从暗盒中拉出他们外出游玩时拍的还未冲洗的胶片，让它在阳光下变成什么也没有发生过的光带，然后，让它没入水边的泥土中……最后，她从脖子上摘下若为送她的新年礼物——那条令她心动的、心醉的、现在更是心碎的项链放在唇上亲了又亲，然后轻轻地松开了手……

她给学校留了封信，便告别了父母、告别了同学，坐上了志愿者北去内蒙的火车……也许在那个“天苍苍，野茫茫，风吹草低见牛羊”的地方，还能寻到她的师者之梦……

首次完稿于2002年3月29日
修改完稿于2002年8月20日
最终完稿于2002年11月6日